Yale University Press
Little Histories

若い読者のための
文学史

ジョン・サザーランド
John Sutherland
河合祥一郎＝訳

すばる舎

A LITTLE HISTORY OF LITERATURE
by JOHN SUTHERLAND

Originally published by Yale University Press

Japanese translation rights arranged with
Yale Representation Limited, London
through Tuttle-Mori Agency, Inc., Tokyo

挿絵／サラ・ヤング（Sarah Young）
装幀／遠藤陽一（デザインワークショップジン）

若い読者のための文学史＊もくじ

Chapter 1 文学とは何か……8（C・S・ルイス／ディケンズ）
2 すてきなはじまり——神話……15（ホメロス／キーツ／ハーディ）
3 国民のために書く——叙事詩……24（ホメロス）
4 人間であること——悲劇……33（アイスキュロス／ソフォクレス／エウリピデス）
5 イングランドの話——チョーサー……41（チョーサー／ガウェイン詩人）
6 街頭演劇——ミステリー劇……50（『第二の羊飼いの劇』作者）
7 詩聖——シェイクスピア……59（シェイクスピア）
8 本のなかの本——欽定訳聖書……69（ティンダル）

Chapter

9 縛られぬ心——形而上詩人 ……78
（ダン／ハーバート）

10 国民の興隆——ミルトンとスペンサー ……88
（ミルトン／スペンサー）

11 文学は誰の「もの」？——印刷・出版・著作権 ……97
（グーテンベルク／キャクストン）

12 フィクションの家 ……106
（ボッカチオ／ラブレー／セルバンテス／バニヤン／ベーン）

13 旅人の法螺話——デフォー、スウィフト、小説の興隆 ……115
（デフォー／スウィフト）

14 読み方——ジョンソン博士 ……124
（サミュエル・ジョンソン）

15 ロマン派の革命家たち ……133
（キーツ／バイロン／ワーズワース／ブレイク）

16 研ぎ澄まされた精神——オースティン ……144
（オースティン）

17 あなたの本——変貌する読者層 ……154
（リチャードソン／フィールディング）

18 巨人——ディケンズ ……161
（ディケンズ）

19 人生文学——ブロンテ姉妹 ……170（シャーロット／エミリー／アン・ブロンテ）
20 毛布の下で——児童文学 ……179（キャロル／トウェイン／トールキン／ローリング）
21 デカダンスの華——ワイルド、ボードレール、プルースト、ホイットマン ……187（ワイルド／ボードレール／プルースト／ホイットマン）
22 桂冠詩人——テニソン ……197（テニソン）
23 新しい土地——アメリカとアメリカの声 ……205（ブラッドストリート／ホイットマン／トウェイン）
24 偉大なる悲観論者——ハーディ ……215（ハーディ）
25 危険な本——文学と検閲官 ……224（フローベール／ボードレール／D・H・ロレンス）
26 帝国——キプリング、コンラッド、フォースター ……233（キプリング／コンラッド／フォースター）
27 不運な国歌——戦争詩人 ……243（サスーン／オーウェン／ブルック／ローゼンバーグ）
28 すべてに挑戦した年——1922年とモダニストたち ……254（ジョイス／T・S・エリオット／パウンド）

Chapter 29 彼女自身の文学――ウルフ……262（ウルフ）
30 すばらしき新世界――ユートピアとディストピア……271（ブラッドベリ／ハクスリー／オーウェル）
31 仕掛けの箱――複雑な語り……280（スターン／カルヴィーノ／オースター）
32 ページを離れて――文学と映画、テレビ、舞台……288（オースティン／ミッチェル）
33 不条理な人生――カフカ、カミュ、ベケット、ピンター……296（カフカ／カミュ／ベケット／ピンター）
34 壊れた詩――ローウェル、プラス、ラーキン、ヒューズ……305（ローウェル／プラス／ラーキン／ヒューズ）
35 色とりどりの文化――文学と人種……314（ナイポール／エリソン／モリスン）
36 マジック・リアリズム――ボルヘス、グラス、ラシュディ、マルケス……324（ボルヘス／グラス／ラシュディ／マルケス）
37 文学の共和国――境界のない文学……333（ラクスネス／モー／村上春樹／シンガー）
38 罪悪感のある快楽――ベストセラーと金儲けの本……342（リチャードソン／スコット／ユゴー）

39 誰が一番?——賞、採点、読者グループ……351
（パステルナーク／ソルジェニーツィン）

40 文学とあなたの人生——そしてその向こう……359
（マクルーハン／ギブソン）

訳者あとがき……368

索引……374

◎補足説明のカッコの使い分けについて
原著者による補足説明は、すべて丸カッコ（　）を用いました。訳者による補足説明は亀甲カッコ〔　〕を用い、カッコ内に多くの場合2行で表示、いわゆる「割注」扱いにして区別しています。

Chapter 1 文学とは何か

ロビンソン・クルーソーのように、無人島に流されたと想像してほしい。「本を1冊持っていけるとしたら、どの1冊にしますか」。これはBBCラジオの人気長寿番組「無人島レコード」でたずねられる質問だ。番組はBBC国際放送でも流れ、世界じゅうで聴かれている。

その週のゲストは、無人島に持っていきたい音楽として選んだ8曲のさわりを聴いたあとで質問をふたつされるのだが、最初の問いは「ひとつだけ贅沢品を持っていけるとしたら何を持っていきますか」である。なかなか気の利いた回答をする人が多く、青酸カリを選んだ人は少なくともふたりいたし、ニューヨークのメトロポリタン美術館を持っていくなんて答えた人もいた。2問めがこの質問だ。聖書（あるいはそれに類する宗教書）とシェイクスピア全集は、もう無人島にあるという設定になっている。ひょっとして青酸カリを選んだ前の人が置いていったのかも？　さあ、それ以外に、本を1冊持っていけるとしたら、どの1冊にしますか。

私はこの番組を50年聴き続けているが（放送開始は1942年）、たいていのゲストは、孤独な余生の伴侶として名作を選ぶ。最近では、ジェイン・オースティンがどういうわけか（『ロビンソン・クルーソー』を抜いて）一番人気だ。これまで何千回と放送された番組のどの回でも、ゲストがすでに読んだことのある文学作品が選ばれていた。

ここから、文学について重要な真実がわかる。第1に、文学とは、明らかに人生で重要なもののひとつだということ。第2に、文学を「消費する」という言い方をするものの、皿に盛られた食べ物とちがって、消費されてもまだそこにあること。そして、たいてい、何度味わっても、最初のときと同じように味わい深い。数年前番組に呼ばれたとき私が選んだのは、サッカレーの『虚栄の市』だった。（私は数年かけて編集したり、批評を書いたりしたので）少なくとも100回は読んだ小説だが、お気に入りの音楽と同様、何度読み返しても楽しめる。

再読は、文学が与えてくれる大きな喜びのひとつだ。偉大な文学作品は汲めども汲めども尽きない井戸のようなもので、それゆえに傑作と言われる。何度再読しても、何か新しい発見が必ずある。

皆さんが手にしているのは、題名どおり『小史』（原題は『文学小史』）だが、文学は小さなものではない。ひとりの人間が一生かかっても読み切れない膨大な文学作品がある。それを選んでまとめたところで、せいぜい気の利いた紹介にしかならず、しかも、何を紹介するかは大問題だ。本書は（「これを読みなさい」式の）手引書ではない。「多くの人が大切だと思ってきた作品なので、あなたもそう思うかもしれないが、最後は自分で決めてください」式の助言であるとお考えいただきたい。

物事を深く考える人の人生において、文学は大きな役割を果たす。人は、家や学校で多くを学び、自分より賢い人や友人からも学ぶ。けれども、私たちの知っている最も重要な事柄の多くは、文学を読んで学んだことではないだろうか。きちんと読めば、現代や過去の偉大な作家と対話だってできる。文学を読んで過ごす時間は、いつだって充実している。それはまちがいない。

では、文学とは何か。これは一筋縄では答えられぬ問いだ。最も満足のいく答えは、文学そのものを見よということになるだろう。わかりやすいところで、人生の初期に出会った本、そう、「児童文学」(児童が書いた文学ではなくて、児童のために書かれた文学)を見てみよう。たいていの人が読書の世界へよちよちと入り込むのは、(学校で読み書きを習う前)ベッドで横になっているときだ。大好きな人に読み聞かせをしてもらったり、ベッドに一緒に入って読んでもらったりした経験がないだろうか。そうやって長い人生の読書の旅がはじまる。

大人になっても、読書の楽しみ――文学作品を読む楽しみ――は続く。小説を布団のなかに持ち込んだ経験は誰にでもあるだろう(「おやすみ前の本」というこれもまたBBCの長寿ラジオ番組を聴いたことがないだろうか?)。幼い頃に、親に見つからないように、パジャマ姿で布団にもぐりこんで懐中電灯の光で本を読んだ経験のある人は多いだろう。外界――現実世界――をシャットアウトしたパジャマ(いわば「よろい」のようなもの)は、たいてい「たんす」にしまわれる。

そして、「たんす」を通して別の世界へつながると言えば——そう、『ライオンと魔女と洋服だんす』ではじまる「ナルニア国物語」だ。この本は、さまざまにテレビ化、映画化、舞台化されてきたおかげで、多くの子どもや大人に知られるようになった。1940年代の戦時中のイングランドで、田舎の屋敷に疎開してきたペベンシー家の幼い兄妹4人の物語である。親切なカーク教授（kirkとはスコットランド語で「教会」を意味するが、文学にはいつもそんなちょっとした象徴的要素がある）の監督下で、子どもたちはロンドン大空襲の悪夢から逃れる。現実世界は子どもにとってきわめて危険であり、得体の知れない飛行機がよくわからない理由で人々を殺そうと狙っている。幼い子どもたちに、政治やら歴史やらその要点やらを教えるのは難しいが、あらゆる年齢の人に訴えかける力を持つ文学なら、役に立つ。

この物語では、ある雨の日に、カーク家の屋敷を探検していた子どもたちが、2階のある部屋で、大きな洋服だんすを発見する。一番年下のルーシーがそのたんすのなかにひとりで入ってみる。『ライオンと魔女と洋服だんす』を読んだ人、あるいは映画で観た人は、そこでルーシーが何を発見したかご存じだろう。いわば「異世界」——想像力の宇宙——に出るのだ。だが、そこは、それまでいた現実世界と同じくらいリアルであり、空襲で燃えるロンドンのように恐ろしい世界だ。ナルニアは安全な場所ではない。それは、ライオンや魔女が、人間にとって安全な存在でないのと同じだ。

物語では、ナルニアは、ルーシーの夢でもなければ、頭のなかの「幻想（ファンタジー）」でもなく、実在する場所である。木でできたたんすとか、あるいはナルニア国物語が完結する85年前にルイス・キャロルが書いた『鏡の国のアリス』で、アリスが「鏡の国」へ行くときにくぐり抜ける鏡のように、ちゃんとそこにあるのだ。けれども、ナルニアが実在すると同時に想像の産物でもあることを理解するためには、文学の複雑な仕組みを分析する必要がある（子供は、幼い頃に本能的にさっとこの知識を身につけるものだ。言葉の複雑な仕組みを理解してしまうように）。

『ライオンと魔女と洋服だんす』は「寓話物語（アレゴリー）」である——すなわち、ほかのものを使ってあるものを描いている作品であり、まったくあり得ないものを使いながら、実にリアルな世界を描いている。現代の天文学者たちは、宇宙は果てしなく膨張し続けると言うが、どんなに広がろうと、そこにナルニアは存在しない。それはフィクション（虚構）であり、そこに住む人は（ルーシーでさえ）、作者C・S・ルイスの想像の産物でしかない。にもかかわらず、このナルニアの明確な虚構のなかに、私たちはしっかりとした真実の核があると感じるのであり、作者は読者にそれを感じてもらおうとしている。

最終的には、『ライオンと魔女と洋服だんす』の目的は神学的であり、宗教を扱っているとも言える（ルイスは、実際、小説家であるのみならず神学者でもあった）。物語は、作者が示すものに大きな真実があるとして、人間の状況を解き明かす。どんな文学作品も、どこかで「これは一体どういうことだ。なぜ私たちはここにいる？」と、控えめにせよ、問うているものだ。哲学者や宗教家はそうした問いに自分たちのやり方で答えるが、文学においては、そうした根本的問題に「想像力」で答えることになる。

幼い頃『ライオンと魔女と洋服だんす』を寝る前に読んでもらって、たんす（と印刷されたページ）を通り抜けることで、私たちは自分がどこにいる何者なのかをはっきりと意識するようになる。自分が人間として非常に当惑する状況にいることもわかってくる。おまけに、そうわかると楽しくなり、さらに先を読み進めたくなる。ナルニアの物語がこうした世界を、子供のとき私たちに教えてくれたように、大人になってからの読書は、ほかの大人たちの生き方へと私たちを導いてくれる。中年になってジェイン・オースティンの小説『エマ』を再読したり、ディケンズの小説を読み直したりすると、学校で読んだとき以上のことを発見してうれしい驚きを味わう。偉大な文学作品には、人生のどの段階で読もうと常に新しい発見があり、どんな作品を読んでもそれは同じだ。これからの各章で、私たちは現代の翻訳のおかげで単に「文学」ではなく「世界文学」が読めるありがたさを何度も噛みしめることになる。この先に登場する偉大な作家たちの多くは、今日私たちが享受している文学の豊かさや、それを容易に手にとれることに嫉妬するだろう。つまり、本書は、文学というものをざっくり概観するのが目的であるわけだが、本書で出会うさまざまな作品にはひとつの共通点がある――皆さんは今やどれも英語で〔そして、日本語で〕読めるのだ（ちゃんといつか読んでくださいね）。

古代ギリシャの哲学者プラトン以来、文学およびそこから派生したもの（当時の演劇、叙事詩、抒情詩）は、とりわけ若者にとって危険だと信じる人たちがいた。文学は、生計を立てるための実務からの逃亡となり、虚構をもてあそぶことになる。美しい虚構かもしれないが、だからこそ危険なのだという。プラトンに賛同するなら、偉大な文学によって掻き立てられた感情は、明確な思考を鈍らせる。ディケンズが描く天使のような少女ネル〔『骨董屋』のヒロイン〕の死の描写を読んで涙でかすんだ目をしていたら、児童教育の問題を真剣に考えることなどできようか。そして、明晰な思考ができなければ、社会は危機にさらされると、プラトンは信じた。子供が夜読むべきは、イソップ童話「アンドロクレスとライオン」などではなく、ユークリッドの幾何学である、と。だが、もちろん、人生も人間もそういうふうにはできていない。プラトンの時代から、イソップ童話の重要な教訓は学ばれていたのであり、楽しまれていた。200年のあいだ〔プラトンの没した紀元前348年から古代ギリシャ時代の終わる紀元前148年頃までの200年〕そうだったし、2500年後の今日もそれは変わっていない。

では、文学をどう表現すればよいのだろう。根本的なところでは、白い紙の上の黒い文字の組み合わせと言える。「文学」という言葉は「文字」に点がふたつついただけだ。これは手品師がシルクハットから何かを取り出してみせる以上のマジックだと言えよう。けれども、もっとまともな答えを求めるなら、文学とは、私たちを取りかこむ世界を表現し解釈する最高の人知であると言うべきか。最高の文学は決して物事を単純化せず、複雑な世界を受け入れられるように、心と感受性を広げてくれる——たとえ読んでいる世界に必ずしも同意できなくても（そういう場合が多い）。

なぜ文学を読むのか。なぜなら、ほかのどんなものにもできないやり方で人生を豊かにしてくれるからだ。読むことで、さらに人間らしくなれるからだ。そして、じょうずに読めれば読めるほど、より多くの恩恵が得られるのである。

Chapter 2 すてきなはじまり——神話

文学とは書き記されて印刷されたものと思うかもしれないが、それよりずっと以前から——「鴨のように歩き、鴨のように鳴くなら、鴨である」という原則〔ダック・テストと呼ばれる帰納法〕に従うなら——文学と呼べるものがあった。古代から現代に至るまでの人類を研究する人類学者は、それを「神話」と呼んだ。神話は、書きとめるのではなく「語る」社会ではじまった。「口承文学」といういささか矛盾したぎこちない呼び方をされるが、ほかにもっとよい呼び方はない。

神話についてまず言っておくべきことは、それは「原始的」ではないということだ。実際のところ、かなり複雑だ。それに歴史全体を眺めてみると、文学が書かれたり印刷されたりするのは比較的新しい現象だが、神話は人類が生まれてから現在に至るまでずっとともにある。人類というひとつの種として、私たちはいつの間にか神話的に考えるようにできており、それはちょうど、今日の言語学者が「人間は、遺伝子的に人生のある時期になると言語を話せるようになっている」と論じるのと似たようなものだ（いつの間にかできるようになっているのでなければ、どうしてよちよち歩きだった私たちが、複雑な言語を学べるのか？）。「そういうものだ」という神話的発想をするのは人間の性分なのであり、神話は人間である私たちの一部なのだ。

具体的にどういうことかと言えば、私たちは精神的な形やパターンを周囲のさまざまなものから本能的に形成する。ある哲学者（ウィリアム・ジェイムズ）は、赤ん坊は「何もかも一斉に咲き誇るような、めくるめく混乱」のなかに生まれ落ちると言う。人間は、そうした恐ろしいまでの混乱と折り合いをつけなければならず、神話は世界を理解する一助となる。文字を書くようになると、文学がその役割を果たすようになる。

批評家フランク・カーモードが提案したように、ちょっと洒落た頭のトレーニングをしてみれば、人は神話的に考えるようにできているという意味が明らかになる。腕時計を耳に当てればチク**タク**、チク**タク**、チク**タク**と聞こえるだろう。「タク」のほうが「チク」より強く聞こえる。耳から信号を受けた心は、チクタクをチク**タク**と変換し、小さなはじまりと小さな終わりがあると理解する（フランク・カーモードが『終わりの感覚——フィクション論研究』〈オックスフォード大学出版局、1967〉においてプロットを説明するために用いた発想）。それこそが本質的な神話の働きだ。あるパターンを見つけることで物事がわかりやすくなると感じられるから、実際に存在しないパターンを作り出すのである（そのほうが覚えやすいからでもある）。そして、この小さな「チク**タク**」の例で最も興味深い点は、誰に教えられるまでもなくそうした語りの形式を身につけるという点だ。それが自然なのだ。

言ってみれば、意味がないと感じられる人生に意味を与えるのが、神話なのである。なぜ人は生まれ、何のために生きるのか。神話は、物語（文学の屋台骨）とシンボル（詩の本質）を通して説明してくれる。もう一度、頭のトレーニングをしてみよう。あなたは、初めて大地に作物を育てようとしている1万年前の人間だ。あなたは何も育たない時期があることを知っている。そのあいだ自然は死んでいて、しばらくすると大地は甦る。なぜか。どんな説明ができるだろう？　代わりに説明してくれる科学者はそばにいない。どうにかして、あなたが「意味」を見つけなければならない。

　季節という周期は、農業界にとって重要だ。「植うるに時あり、植えたるものを抜くに時あり」と聖書（「伝道の書」3章2節）にあるとおりだ。こうした「時」を知らない農夫は飢えるしかない。大地の一年を通しての死と再生という不思議な周期は「豊穣神話」を生み出す。死んでも蘇る王者や支配者の物語が生まれるのはここからだ。物事が移り変わっても、長い目で見れば何も変わっていないと思えれば安心できる。

　英文学における最古の（そして最も美しい）詩のひとつである『サー・ガウェインと緑の騎士』は、アーサー王の宮廷でのクリスマスの祝宴から鮮烈にはじまる。一年のうち最も何も育たない時期である。頭からつま先まで緑の恰好をした見知らぬ男が馬で乗りつけ、そこにいた人たちに対してある挑戦をし、善がなされなければ悪いことが起こるとほのめかす。この男は、異教の植物の神「グリーン・マン」の異種である。自身が聖なる枝を持ち、（神が嘉したまえば）春に芽を出す緑の新芽を表象している。つまり、人類が気をつけていれば、春が来るということだ。

　例のチクタクの小さなはじまりと終わりを、今度はもっと文学的な例で説明しよう。お馴染みのヘラクレスの物語だ。この物語の古い形は、紀元前6世紀頃のギリシャの飾り壷に記されている。最近の形は、映画『アイアンマン』（ロバート・ダウニー・ジュニア主演のアメリカ映画（２００８））だ。とんでもなく強い神話的人物が、さらに強い巨人アンタイオスと出会い、戦うことになる。ヘラクレスは巨人を大地に投げ飛ばす。だが、アンタイオスは地面に触れるたびにさらに強くなる。ヘラクレスは、最後には相手を抱きかかえ、宙に持ち上げることで勝利する。大地から根こそぎされたアンタイオスは枯れて死んでしまう。

重要な点は、物語は最初から終わりまで（ヘラクレスの12の功業のように）うまい具合に進むということだ。物語には、はじまり（主人公ヘラクレスは巨人アンタイオスと出会う）があり、複雑になった中盤（ヘラクレスはアンタイオスと戦い、負けそうになる）があり、終わり（ヘラクレスはどうすれば敵を倒せるかに気づいて勝利する）がある。つまり、筋（プロット）がある。ヘラクレスがアンタイオスを出し抜いたように、主人公が自分よりずっと強い相手を頭を使って倒すというのは、ジェイムズ・ボンド映画の愛好者にはお馴染みだ。神話は、ジェイムズ・ボンド映画同様、「めでたしめでたし」で終わる。シンプルな形にせよ、複雑な形にせよ、物語文学のいたるところにこうした筋（プロット）があるものだ。

神話にはもうひとつ別の要素がある。神話には必ず真実があり、そうとわかって説明できるようになる前からそれが感じられるものだ。その点を確かめるために、最も古い——そして、最も高貴な作品だと言う人も多い——文学作品を取り上げよう。『イーリアス』と『オデュッセイア』の名で知られている詩作品である。おそらく３０００年ほど前に、「ホメロス」の名以外何も知られていない古代ギリシャの作家によって書かれたとされている。

どちらの作品も、ギリシャ（の前身）とトロイという2大強国のあいだの長い戦争を描いている。確かにそうした戦争があったことを考古学者たちが確かめた〔シュリーマンがトロイアを発掘したことは有名であり、発掘された遺跡の第7層には戦争の爪痕があるが、それがトロイア戦争の跡であることを疑問視する考古学者は多い〕。しかし、作品を創作したとき、ホメロスは骨格となる「神話」からあまり離れることはなかった。主人公のオデッセウス（後代ではラテン語名の「ユリシーズ」の名でも知られる）は、戦争からの帰途（10年もかかった旅）に多くの冒険をする。たとえば、彼と船乗り仲間たちは、ひとつ目の巨人ポリュペーモスによって捕らえられ、洞穴に閉じ込められてしまう。この怪物のひとつ目は、額の真ん中にある。腹が空くと、洞穴の囚人をひとりずつ食べる。それが朝食なのだ。オデッセウスは、数ある英雄のなかでも最も狡知に長けており、ポリュペーモスを酒に酔わせて、その目を剣で刺してつぶし、仲間とともに逃げ出す。

この神話にはどのような「真実」が隠れているのだろうか。それは、このひとつ目にある。誰でも、「問題の両面」がわからない人と言い争った経験がきっとあるだろう。自分の見方以外は見えない（わからない）人だ。ひとつだけの見方に固執する人がいると、もう話にならない。そんな人を説得することは無理だ。そうなると、もう逃げ出すしかない――できればホメロスの英雄よりも穏やかな方法で。

こんな話はかなり原始的だと感じられるかもしれない（「野蛮人の考え方」だとばかにする向きもあろう）。しかし、神話とは常に、それが書かれた時代と同様に現代にも通じる真実を含んでいるものだ。そして、神話的思考は現在でも生き残り、繁栄さえしている。現代社会と科学のおかげで神話などもはや消えてしまったと思ったら大まちがいだ。神話は、気をつけて見れば、たとえ最初はすぐにわからずとも、現代文学にも織り込まれているとわかるだろう。

たとえばここに、神話が現代文化に織り込まれたかなり最近の例がある。ジェイムズ・キャメロン監督のアカデミー賞受賞作、映画『タイタニック』（１９９７）の公開から、この船の沈没１００周年記念日となる２０１２年４月14日までのあいだに、英国とアメリカでは海難ブームが沸き起こった。このブームは、一見したところでは、いささか妙だった。タイタニック号が沈没したとき、約１５００名の人が亡くなったことは大惨事にはちがいないが、数年後の第１次大戦における何百万にも及ぶ死傷者数と比べれば見劣りがする。なぜ人々はこの海難を忘れなかったのか。その答えは、この船の名前、タイタニック号に秘められていた。

古い神話では、ティーターン（タイタン）族とは、巨人の神々の種族だった。大地と空から生まれ、人間らしい姿をした最初の種族だ。この世で最強の一族としての立場を長いあいだ享受したのち、ティーターン族はいつのまにか、自分たちよりも遥かに高度な進化を遂げた新たな神々と10年に及ぶ戦争をすることになる。ティーターン族は巨人であり、巨人らしい怪力を有するものの、そのほかの取り柄はなかった。ところが、この新しいオリンポスの神々は、高度な知性と美と技能を備えていた。荒削りのティーターン族より、ずっと人間らしかったのだ（私たちに似ていたと考えてもよい）。

神話によれば、ティーターン族は強烈な力を持っていたにもかかわらず、負けてしまう。その敗北は、英語での最高峰の物語詩のひとつ、ジョン・キーツの『ハイペリオン（ヒュペリーオーン）』の主題となっている。１８１８年頃書かれたこの詩では、ティーターン族の海神オーケアノスが、自分を倒して新たな海神となったネプトゥーヌス（ネプチューン）のことを考える。

誰よりも美しき者が誰よりも強いとは
永遠の法則

'tis the eternal law
That first in beauty should be first in might

美しくないティーターン族は破滅する。しかし、オーケアノスは予言する。

そう、その法則によって、別の一族が
我らを征した者を我らのように嘆かせよう

Yea, by that law, another race may drive
Our conquerors to mourn as we do now.

１９１２年４月に海底に沈んだホワイト・スター・ライン社の船が、シャンパンの瓶をその船首にぶつけて割るという儀式——それ自体献酒（ライベーション）として知られる神話的行為——を行って、タイタニック号と命名されたのは、それが大西洋を航行する最大、最速、最強の船だったからだ。沈没はありえないと考えられていた。しかし、命名者は、どこか落ち着きの悪さを感じていただろう。ティーターン族に起こったことを思い出せば、船をタイタニック号と名づけたりしては悪運を呼び込むと気づいてもよかったのだ。

この遭難に人が魅せられる理由のひとつは、タイタニック号の沈没にはあるメッセージが籠められているのではないかと、非合理ながらも考えてしまうからだ（何百万ドルもの金が、沈んだ船の探索に投じられ、タイタニック号を「引き揚げる」ことへの興味は尽きない）。この事件は何かを告げているのだ、何か警告をしていて、私たちはそれを理解するべきなのだ。思いあがるなというのが、現在の神話となったこの事件のメッセージのように思われる。ギリシャ人たちは、その自信過剰に「傲慢（ヒュブリス）」〔ギリシャ悲劇において、悲劇の原因とされる重要な概念〕と名づけてくれた。「驕(おご)れる者久しからず」であり、文学にはよくあるテーマだ。

タイタニック号の惨事ののち、事故調査委員会は、事故の原因として、緩い規制、氷山監視の不徹底、構造欠陥、そして救命ボート用スペースが不法に不十分だったことなどを当然ながら挙げた。どれも本当のことだ。しかし、最も悲観的な大作家トマス・ハーディ（その詩は第24章で詳細に見る）は、タイタニック号沈没について書いた有名な詩「二者の結合」のなかで、もっと宇宙的で神話的な力〔ハーディの作品には、人間を翻弄し破局へ向かわせる大きな力（内在意思）が万事を動かしているとする思想がある〕がずっと深いところで働いていたと見る（この詩における「生き物」とは船のことである）。

一方で創造されたる、この生き物、　Well: while was fashioning
翼もて波をかき分く剛の者、　This creature of cleaving wing,
万事を動かしむる内在意思の賜物(たまもの)　The Immanent Will that stirs and urges everything

この船のために、意思は思いたち、　Prepared a sinister mate
不吉な縁組を整える――派手に聳え立ち　For her—so gaily great—
今はまだ遠くにある――氷の形　A Shape of Ice, for the time far and dissociate.

海軍本部は、海洋科学に基づいて、ひとつの判決を下した。この詩は、神話的な世界観に基づいて別の判決を出している。次の章では、文学の根底にあった神話が叙事詩へと発展するようすを見てみよう。

Chapter 3 国民のために書く——叙事詩

「叙事詩（エピック）」という語は、今日では広く使われているが、かなり大雑把な使われ方をされている。たとえば、今私が読み終えた新聞には、サッカー（残念ながらイングランドが大きなタイトルを勝ちうるスポーツはサッカーぐらいになってしまった）の試合が「叙事詩的（エピック）葛藤」と書かれていた。しかし、文学における「叙事詩」というのは、正確に用いるなら、こんな意味では全然ない。それは、「英雄的な（ヒロイック）」（「英雄的な」という語も、今日かなり大雑把に用いられるようになったが）美徳を表明する極上の古い文のことを言う。人間が最も男らしい状態になったところを示すものとも言える（今の発言にジェンダーの偏見があることは認めるが、残念ながら叙事詩とはそういうものなのだ。「叙事詩的（エピック）ヒロイン」は言葉の矛盾になってしまう）。

叙事詩について真剣に考えると、おもしろい問いにぶち当たる。それがそんなに偉大な文学なら、なぜ今は叙事詩を書くことがなくなったのか。もう何世紀も叙事詩が書かれていない（少なくとも成功例はない）のはなぜか。叙事詩という言葉は残っているのに、どういうわけか、作品は過去のものだ。

最も古色蒼然たる叙事詩で現在に伝わるものは、紀元前2000年にさかのぼる『ギルガメッシュ叙事詩』である。《西洋文明のゆりかご》と呼ばれたメソポタミア（現在のイラク）ではじまった文学だ。この《肥沃な三日月地帯》は、小麦が最初に栽培された場所でもあり、そのおかげで人類は狩猟採集から農耕へと生活スタイルを大きく変えることができたのである。そうして町ができ、私たちができたと言える。

ほかの叙事詩同様、今に残る『ギルガメッシュ叙事詩』は断片的なものであり、粘土版に書き記され、何千年もの年月ゆえに失われた部分もある。主人公は、まずウルクの王として登場する。なかば神であり、なかば人間であり、自分を称えるために壮大な町を築き、暴君として残酷な統治をしていた。専制的な悪い為政者だ。神々はこれを正すために、ギルガメッシュと同じぐらい強く、より高潔な「野人」エンキドゥを創った。ふたりは取っ組み合って戦い、ギルガメッシュが勝つ。それからふたりは友人となり、多くの探求、冒険、試練をともにする。

いつだって予測のつかないことをする神々は、エンキドゥに不治の病を与える。ギルガメッシュは、親友の死にひどく取り乱す。死を恐れるようになったギルガメッシュは、不死の秘密を発見しようと世界じゅうを旅する。彼の求めに応じた神が、ある課題を出す。永遠に生きたいのであれば、1週間くらい寝ないで起きていられるはずだ、と。ギルガメッシュはこれに挑むが、失敗し、自分が死すべき人間であるという事実を受け入れ、より善良でより賢い為政者となってウルクに戻る。そして、やがて時が過ぎて、死ぬのである。

このきわめて古い物語のテーマ――英雄主義によって文明を築き、人間性のなかに残る野蛮さを飼い馴らすこと――は、「叙事詩」と呼ばれる文学作品全体に共通している。

歴史的に見れば、叙事詩は神話から生まれたものだ。このふたつの物語形式の接点はかなりはっきりしている。たとえば、偉大なイングランドの叙事詩『ベーオウルフ』において、主人公である（8世紀の時点での）現代の戦士は、「怪物」グレンデルとその母親を殺す。怪物たちは暗き沼深くに棲み、夜になるとやってきては、見つけた人間を誰彼かまわず殺していたのだ。ベーオウルフ自身、のちに竜に殺される。竜は神話的存在であり、グレンデルのような怪物もそうである。ベーオウルフとその仲間の戦士は歴史上の人物だ。その鎧兜や武器は、ベーオウルフのような英雄や王が最期の試練の末に果てた船葬墓のなかに、叙事詩が描写するとおりの形で発見されている。そうした船葬墓のなかでも最も有名な、サフォーク州のサットン・フーで発掘されたものが大英博物館に展示されている。剣や兜や鎖帷子や盾と一緒に竜の骨は展示されていないが。

英文学は、この３１８２行のアングロサクソンの詩『ベーオウルフ』を礎としている。おそらく8世紀に、さらに古代の霧の奥にさかのぼる古い寓話をもとに作られたのだろう。侵攻してきたヨーロッパ人によって古い形でイングランドへもたらされ、それから何世紀にもわたって口頭で伝承され、無数の変奏を経て、10世紀に無名の僧侶によって書きとめられたのだ。僧院は、その国の古い書物を保存し、学問や読み書き能力を育む機関だった。今日まで伝わっている『ベーオウルフ』は、異教とキリスト教との狭間にあり、野蛮と文明との狭間にあり、口承文学と書かれた文学との狭間にある。読むのは大変だが、それが何を意味するのか知ることは歴史的に重要である。

最初期に口承文学という形をとった叙事詩は、まさにそうした歴史的推移の瞬間に生まれた。すなわち、今日「社会」として認識されている世界が、初めて近代的形をとって、私たちが今住んでいる世界になってきたことがわかる時代だ。叙事詩は、英雄物語の形で、基本的な理想を称え上げた。そして、「国民の誕生」をはっきりと記したのである。

『ベーオウルフ』に戻って、その冒頭の数行を見てみよう。下に附したのはもともとの古英語である。

見よ！　我らは知る、古代の槍使い
デーン人を統治せし王たちの栄誉。
その壮大な武勇は鳴り響けり、愈々。

Hwæt. We Gardena in gear-dagum,
þeodcyninga, þrym gefrunon,
hu ða æþelingas ellen fremedon.

詩は「古英語」で書かれており、何世紀もイングランドで読まれてきたが、舞台はイングランドではなく「デーン人の国」であり、「遥かかなた遠くの国」と言い換えてもよい。しかし、明らかなのは、この偉大な詩は、比喩的に国旗——槍の誉れ高いデーン人の国の旗——を掲げるところからはじめていることだ。この詩において、ギートランド（現在のスウェーデン）の王族の英雄ベーオウルフは、グレンデル一族に破壊されようとする生まれたての文明を救う。もしベーオウルフが、その身を挺して実に驚くべき英雄的行為によって勝利していなければ、アングロサクソンをはじめとする全ヨーロッパ世界は今日存在していなかったことだろう。恐ろしい古代の怪物によって、誕生時に抹殺されていたことになる。文明は生まれるために死に物狂いの戦いをしなければならなかったのだと、この叙事詩は告げているのである。

ここでさらなる重要な点を加えておく必要がある。文学的叙事詩——つまり、書かれたのち何世紀（場合によっては1000年）にもわたって読まれ続けてきたもの——が語る物語は、どんな国民の話でもよいのではなく、弱小の国を呑み込みながらやがては大帝国にならんとする国民の誕生を語るものだという点である。のちに成熟したとき、帝国は「自分たちの」叙事詩をその偉大さの証として大切にするようになる。叙事詩が自分たちの偉大さを保証してくれるのだ。言語学者は次の頓智問題を好む——「質問＝方言と言語のちがいは何か。答え＝言語とは、背後に軍隊のある方言である」。それでは、原始的な人々の初期の奮闘についての長詩と叙事詩のちがいは何か。叙事詩は、背後に大いなる国民がいる長詩である。あるいは、より正確に言えば、大いなる国民が描かれる長詩である。

最も有名な詩を考えてみよう。現在はギリシャとなった場所で生まれた叙事詩、ホメロスの『イーリアス』と『オデュッセイア』である。ホメロスの生涯については何も知られておらず、今後もわからないだろう。伝説によれば盲目だったという。女性だったという説もある。しかし、その名は古代から、この偉大なる2篇の詩と結びつけられてきた。どんな詩だろうか。『イーリアス』では、美しいギリシャ人女性ヘレネが、若く美しい異国の王子パリスの恋人となる。ふたりの愛は、ヘレネが既婚者であったために面倒なことになる。ふたりはパリスの故郷トロイ（現在のトルコ）へと駈け落ちする。恋愛物語（ロマンス）だ。しかし、客観的に見ると、ギリシャ（当時はまだアカイアと呼ばれていた）とトロイというふたつの新興都市国家の衝突の話なのだ。海洋貿易で栄える両国にとって、互いは邪魔でしかなかった。トロイ戦争において、どちらかの国が燃え尽きなければならない。燃えたのは、「トロイの高く聳える塔の数々」（エリザベス朝劇作家クリストファー・マーロウの言葉）〔『ファウスト博士』第五幕第一場〕だ。トロイが炎に包まれ、ギリシャはその灰のなかから立ち上がって偉大なる国となったのだ。もし逆だったら、世界史はずいぶん様変わりしていたことだろう。ギリシャ悲劇など存在せず、民主主義（ギリシャの言葉だ）もなかったのではないかと言う人もいる。ギリシャ哲学もなければ、「人生哲学」とも呼ばれる「人生観」そのものも変わっていただろう。

ホメロスによる『イーリアス』の続編である『オデュッセイア』は、前作よりもさらに神話的である。第2章で見たように、ギリシャ人の英雄オデッセウスは、10年に及ぶ冒険を経た末に、トロイ戦争から自らの小国イサカへ帰還する。その途中、ひとつ目の巨人ポリュペーモスから逃れたのち、仲間たちとともに孤島に流れ着き、そこで美しい魔女キルケに呪文をかけられそうになり、海の怪物であるスキュラとカリュブディスに脅かされる。最後にオデッセウスは、イサカにたどり着き、ずっと貞節を守ってきたペネロペーとの結婚を貫く。安定性が（多くの虐殺の果てに）回復する。文明が繁栄し、帝国は興隆する。それこそがホメロスのふたつの叙事詩の主たるテーマである。

『イーリアス』と『オデュッセイア』は今でも、非常に読みごたえがある（映画化もされている）。しかし、その中心にある叙事物語は、古代ギリシャ――現代民主政治や現代社会のゆりかごと呼ぶべきもの――が、いかにして生まれたかを描いているのだ。叙事詩は、詩人ジョン・ミルトンが「気高く強力な国民」と呼ぶ人々の所産だ（ミルトンは、英国自体が「世界の強国」となった17世紀なかばに、英文学最後の偉大な叙事詩『失楽園』を書いた作家である。第10章を参照のこと）。

ルクセンブルクやモナコ公国が、どんなに才能のある作家を輩出したところで、叙事詩の舞台になれるだろうか。多国籍の欧州連合が叙事詩の舞台となれるだろうか。そうした国家でも文学は生み出せるし、名作だって書かれるだろうが、叙事詩は生み出せない。ノーベル賞作家のソール・ベローが「ズールー族にトルストイがいるか。パプア島にプルーストがいるか？」という侮蔑的な質問をしたとき、偉大な文学を生み出せるのは偉大な文明だと言いたかったのだ。そして、偉大な国民のなかでも最も偉大なものだけが、叙事詩を生み出せるのである。強大国の文学なのだ。

次に挙げるのは、世界の最も有名な叙事詩のいくつかと、それを生んだ強大国ないし帝国である。

『ギルガメッシュ叙事詩』（メソポタミア）
『オデュッセイア』（古代ギリシャ）
『マハーバーラタ』（インド）

『アエネーイス』（古代ローマ）
『ベーオウルフ』（イングランド）
『ローランの歌』（フランス）
『わがシッドの歌』（スペイン）
『ニーベルンゲンの歌』（ドイツ）
『神曲』（イタリア）
『ウズ・ルジアダス』（ポルトガル）

ソール・ベロー自身の国アメリカ合衆国は選外だ。リストに入れるべきか。これほど強い国はない。しかし、歴史的に言えば、アメリカ合衆国は若い国だ――ギリシャや（アメリカの大部分を支配していた）英国と比べればヒヨッコだ。現代アメリカ文明が西へ広がっていくとき、西部辺境での葛藤は、D・W・グリフィス監督の映画（『國民の創生』、1915）や西部劇（ジョン・ウェインやクリント・イーストウッドは明らかに英雄的なカウボーイだ）といった形でいくつかの叙事詩的作品を生み出しはした。ハーマン・メルヴィルの書いた（神話的な？）白鯨を追い求めるエイハブ船長の執念の物語『白鯨』（1851）は、単に「偉大なるアメリカ小説」であるのみならず、「アメリカの叙事詩」だと言われることもある。現代の人気投票では、ジョージ・ルーカス監督の映画『スター・ウォーズ』シリーズが偉大な現代叙事詩だとして票を集める。しかし、こうしたものは本当の意味での叙事詩ではなく、残念ながら、アメリカ合衆国は世界の檜舞台に登場するのが遅すぎて、叙事詩は——真の叙事詩は——生み出せないのだ。依然としてがんばってはいるけれども。

伝統的に言って、文学における叙事詩には４つの要素がある。長く、英雄的で、国家主義的であり、そして最も純粋な文学形式——つまり詩の形——をとる。賛辞（賞賛の長い歌）と嘆き（悲しみの歌）が主たる構成要素となる。『ベーオウルフ』の前半は、若き英雄がグレンデルとその母親を打ち負かす武勇を長々と称賛する。後半は、老いたベーオウルフの死を嘆く。王国を脅かした竜を倒した際に致命傷を負うのだ。王は国家の未来を、命を賭けて守ったのである。英雄の死は、叙事詩の語りにおけるクライマックスとなることが多い。

叙事詩はふつう、過去の偉大な時代を舞台とする。後代が懐かしく思い返し、その叙事的壮大さ——英雄主義（ヒロイズム）と名誉——が過去のものとなってしまったことを哀しく感じつつも、その過去がなければ現在の私たちはいないとも思う。文学がよく感じさせてくれる複雑な感情だ。

偉大なる叙事詩は今読んでもおもしろいものだが、たいていの人は、翻訳というフィルターを通して読まざるを得ない。多くの場合、叙事詩は文学的恐竜だ。かつてはその圧倒的な大きさによって強い力を発揮していたが、今では文学の博物館に収まっている。古代の人たちが建てた壮大な建築物をすごいと思うのと同様に、今でも感心させられる。しかし、悲しいかな、私たちにはもはや叙事詩は作れないと言わざるを得ないのである。

Chapter 4 人間であること——悲劇

悲劇という完全な文学形式は、文学の長い発展において新たな高みを示した（頂点だという説もある）。それは、神話、伝説、叙事詩といった素材に「形式」を与えた。なぜ私たちは、2000年も前に、私たちの世界とはあまりにもかけ離れていてどこか別の惑星の話ではないかとさえ思えるような、私たちのほとんどが理解できない言語で書かれた演劇作品を、依然として読んだり観たりするのか。答えは単純だ。アイスキュロス、ソフォクレス、エウリピデスといった古代ギリシャの劇作家ほどじょうずに悲劇を書いた者はいないからだ。

だが、「悲劇」や「悲劇的」という用語は、本当はどういう意味なのか。ジャンボジェット機が墜落する。滅多にないが、残念ながら事故は起きる。何百人もの旅客が死に、新聞の見出しをにぎわす。『ニューヨークタイムズ』紙は1面に「悲劇的事故、死者385人」と報じ、『ニューヨーク・デイリーニューズ』紙はさらにセンセーショナルに「39000

フィートの恐怖――何百人もの死！」と報じる。どちらの新聞を読んでも、誰もおかしいとは思わない。

しかし、「恐怖」というのは、「悲劇」的事故と同じ意味なのだろうか。この問いは、約２５００年前に書かれた劇において、きわめて精確に取り扱われている。劇を書いたのはソフォクレス。劇を観たのはアテネの観客。上演は戸外で、日中、野外劇場――すり鉢状の観客席にかこまれた石造りの円形劇場――において、仮面（ペルソナ）をつけてヒールの高い靴（バスキン）をはいた役者たちによって演じられた。仮面は、拡声器の機能を果たしたかもしれない。ハイヒールは、役者たちをずっとうしろの客席にすわる観客にも見えるようにした（劇場の音響効果は、ブロードウェイやロンドンのウェストエンドの劇場よりも優れていた。エピダウロスで最も保存状態のよい古代劇場へ行くと、案内役はあなたを石造りの客席の最後尾列にすわらせてから演技空間の中央へ行ってマッチを擦る。すると、はっきりと音が聞きとれる）。

ソフォクレスの傑作『オイディプス王』（そのラテン語の題名「オイディプス・レックス」でも知られている）は、古代ギリシャ神話に基づく因果応報の物語を語る。デルフォイの巫女――その予知能力によって広く知られていたが、その予言の謎めいた難解さでも有名だった――が、テーバイの王ライオスと王妃イオカステに生まれる息子はその父を殺して母と結婚するだろうと予言する。その幼子（おさなご）は怪物となる運命なのだ。王夫妻のひとりっ子であり、その子が死ねば誰が次の王になるのかというやっかいな問題が出てくるものの、テーバイのためにその子はいないほうがいいのだ。赤ん坊のオイディプスは、山に捨てられ、死んだものとされる。しかし、死にはしなかった。羊飼いに助けられ、さまざまな出来事の末に、自分が本当は誰の子か知らないままに、コリントスの別の王夫妻の養子となる。神々が情けをかけたのだ。

大人になったオイディプスは、自分は父の子ではないという噂に悩んで自ら神託に伺いをたてる。神託は、「おまえは父を殺し、母と近親相姦の罪を犯す」と警告する。神託が言う父母とは自分の養父母のことだと思ったオイディプスは、コリントスを逃れて、テーバイへ向かう。ある三叉路で、向こうから二輪馬車がやってくるのと出会う。御者はオイディプスを道から押しのける。オイディプスが男を殴ると、乗っていたもうひとりの男がオイディプスの頭をしたたかに打った。激しい争いとなり、頭に血がのぼったオイディプスは、その男を自分の父親とは知らずに殺してしまう。ライオス王だったのだ。路上でかっとなって相手を死に追いやってしまったのだ。

オイディプスは、その先に何が待っているか知らずにテーバイへの旅を続ける。まずは、山に棲んでテーバイの町を恐怖のどん底へ突き落していた怪物スフィンクスと出会う。スフィンクスは、テーバイへの旅人全員に謎をかける。正しく答えられなかったら殺される。謎とは、こうだ――「朝は4本足で歩き、昼は2本足、夜は3本足で歩く者は何か?」オイディプスは正しく答える。正解したのは彼が初めてだ。それは「人間だ」と。赤ん坊はハイハイし、大人は2本足で歩き、老人は杖をついて歩く。スフィンクスは自殺する。テーバイの町は感謝して、オイディプスを自分たちの王として迎える。王となったオイディプスは、王妃イオカステ――どういうわけか夫と死に別れていた――と結婚することで、その王座を確固たるものとする。ふたりはどちらも、ライオスに何が起こったのか、そして自分たちがどんなおぞましいことをしているか何もわからなかったのである。

オイディプスは、よい王となり、よい夫となり、そして、イオカステとのあいだに生まれた子供たちのよい父親となった。しかし、数年後、恐ろしい謎の疫病がテーバイを襲う。何千人もの人が死んだ。作物は枯れ、女たちは子供を産めなくなる。ソフォクレスの劇がはじまるのはこの時点からだ。明らかに町には呪いがかかっている。なぜだ。盲目の予言者テイレシアスが、忌まわしい真実を明らかにする。神々は、オイディプスの父殺しと近親相姦（母との結婚）の罪のために、町を罰しているのだと。恐ろしい詳細がついに明らかになる。イオカステは自ら首を吊って死ぬ。オイディプスは、妻のブローチの針で自分の両目をつぶし、余生をテーバイの最下層の物乞いとなって暮らす。そんなみじめな状態となって、世話をしてくれるのは孝行娘アンティゴネーだけだ。

『オイディプス王』が、ただ恐ろしいだけでなく、悲劇的だと言える理由は何かという最初の問いに戻ろう。名もなきテーバイの多くの人々の死や苦しみのほうが、視力を失い、心も打ちひしがれて生き残るたったひとりの男の物語よりも悲劇的でないのはなぜなのか？

この問いは、偉大な古代ギリシャの文学批評家アリストテレスによってなされている。その悲劇――とくに『オイディプス王』――の研究は『詩学』と呼ばれている。そのように題されているからといって、詩のことばかり考えているわけではない（確かに『オイディプス王』は、その多くの翻訳も含めて韻文で書かれているけれども）。アリストテレスが考えるのは、作品の中身がどのようにできているかという、文学の仕組みについてなのだ。アリストテレスは、この問題に『オイディプス王』を主たる例として次のように答える。

アリストテレスはわかりやすい逆説からはじめる。たとえば、次のように想像してほしい。シェイクスピアの『リア王』――『オイディプス王』とよく似た劇だ――を上演していた劇場からちょうど出てきた友人にばったり会う。「おもしろかった?」と、あなたはたずねる。「ええ、こんなにおもしろいお芝居、観たことないわ」と、彼女は言う。「この冷血女め!」と、あなたは言い返す。「悪魔のような娘たちに苦しめられて死んでしまう老人と、舞台上で目をつぶされる老人の劇を観て、おもしろいだって。それを見て楽しんだと言うのか! 今度は闘牛でも観に行くといい」。

もちろん、ナンセンスだ。アリストテレスは、私たちを感動させ、審美的喜びを与えてくれるのは、悲劇が描く内容(物語[ストーリー])ではなく、その描かれ方(筋[プロット])なのだと論じる〔本書18ページにあるように、アリストテレスは「プロット」を「はじまり」「中間」「終わり」のあるものと考えた。E・M・フォースターは『小説の諸相』において、「ストーリー」は出来事を順に並べたもので、「プロット」はその因果関係をも含むものとしたが、ここでは「プロット」は語られ方と定義される〕。『リア王』を観て楽しめる――その言葉を用いるのは適切なのだ――のは、その残酷さではなく、その技巧、その《表象》なのである(アリストテレスは、模倣[ミメーシス]と呼ぶ)。

アリストテレスは、『オイディプス王』のような劇が悲劇として機能する理由を教えてくれる。「偶然の出来事[アクシデント]」という言葉を考えてみよう。この悲劇では、劇が進むにつれて、偶然の出来事はないとわかってくる。すべて予言どおりなのだ――だから、神託と予言者はこの物語の中心となる。何もかもがぴったりと、収まるべき場所に収まる。最初はそうだとわからないが、やがてわかってくる。アリストテレスが言うとおり、悲劇が演じられるのを見るとき、その出来事は「必然であり、しかたない」と感じられるべきなのだ。悲劇で起こることは、起こるべくして起こるのだ。しかし、前もって運命の定められた出来事が展開していくその向こうに何があるかを見ることは、生身の人間には耐えがたい。そうならざるを得なかったのだとわかったオイディプスが一切合切を理解したとき、彼は予言者が言っていたもうひとつのことを実現してしまう。おまえは（比喩的に）見えていないと言われていたオイディプスは、本当に目をつぶしてしまうのだ。人間にとって、現実はあまりにも耐えがたいのである。

アリストテレスの助けを得て、ソフォクレスが完璧に構築したこの悲劇を分解してみよう。機械工が自動車のエンジンを分解するように。悲劇とは、アリストテレスによれば、実在した高貴な人間の個人的な物語を描かなければならない。王であるのが理想であり（実際のところ、古代にオイディプスという王がいた）、奴隷や女性が悲劇の主人公になるという発想は、アリストテレスに言わせれば、ばかげている。悲劇は「過程」に集中しなければならず、気が逸れてはならないとアリストテレスは主張する。暴力行為は舞台奥で起こったことにして、理想的には――『オイディプス王』がそうであるように――終盤の悲劇的過程は語られなければならない。悲劇とは、チェスで「大詰め（エンドゲーム）」と呼ばれる終盤戦、最後の結果のところを描くものなのである。

現代フランス人劇作家ジャン・アヌイ（1910〜87）は、ソフォクレスの別の劇（オイディプスの娘アンティゴネーに関する劇）を翻案したうえでそれを論じて、悲劇の筋を「機械（マシン）」と描写した。すべての構成要素が――スイス時計の機械仕掛けのように――互いに絡み合って劇のクライマックスの効果を生み出しているからだ。この仕掛けを動かす者は何か。アリストテレスは、引き金を引くのは、悲劇的英雄でなければならないと言う。その引き金のことを「ハマルティア」と呼ぶ。たいていは、「判断の過誤」と訳されるが、すっきりした訳ではない（「的外れ」の意味。聖書においては神の計画からずれたものとして、「罪」と訳されている）。オイディプスは、むかつく相手をかっとなって三叉路で殺してしまったことで、結局は自ら破滅する悲劇の引き金を引くのだ（父親のライオスの血を引いて激情型の人間だったというわけ）。それが判断の過誤（ハマルティア）であり、車のエンジンをキーでスタートさせるように、仕掛けを動かす。車は暴走し、死に至る激突をする。それが恐ろしいのは、私たちの誰もがそうした過誤を日常生活において犯すかもしれないからである。

劇が想定どおりに機能している場合、観客が悲劇の上演の経験全体にどのように関わっていくかという点で、アリストテレスは実にうがったコメントをしている。悲劇が感情的にきわめて強い影響を及ぼすことを論じて、妊婦が悲劇を観ていて急に産気づいた例も挙げている。それほど悲劇的効果は圧倒的なのだ。悲劇がもたらす特定の感情は、「哀れと恐怖」であると言う。哀れは、悲劇の主人公の苦しみを見て感じられる。そして、悲劇的主人公がこのようになってしまうなら誰にだって起こり得るわけで、私たちだって免れないと思うから、恐怖を覚えるのである。

アリストテレスの議論のうち最も物議を醸しているのが、カタルシスである。この言葉は翻訳不可能であり（たいていは、そのままカタルシスと呼ぶ）、せいぜい「感情を静めること」ぐらいの言い方しかできない

〔感情の「浄化」と訳されることもある〕。『リア王』や『オイディプス王』のような悲劇の優れた公演を観終えて劇場をあとにする我らの観客のところへ戻ってみよう。その雰囲気は、まじめで、思い出しながら考えているようすだろう。観劇で少し疲れているかもしれないが、奇妙に高揚しているだろう。まるで宗教的経験をしたかのように。

アリストテレスが言うことをすべて杓子定規に真(ま)に受ける必要はない。役に立つ道具をくれたと思えばいい。だが、なぜ『オイディプス王』は、何世紀も前の作品であるにもかかわらず、私たちに感動を与え続けるのだろうか。たとえば、アリストテレスの奴隷や女性に対する社会的な見解など、少しも賛同できないし、王や王妃や貴族だけが歴史上の重要人物だという政治的見解にも同意できない。

それなりの答えがふたつある。ひとつは、劇があまりにもじょうずに出来上がっている点だ。パルテノン神殿やタージ・マハルやダ・ヴィンチの絵画のように、審美的な傑作なのだ。第2に、人間の知識の蓄えは膨大にふくれあがってきたものの、人生や人間の条件は、思考する者にとっては、まだまだ謎につつまれている点だ。悲劇はその謎に立ち向かい、大きな問いを考えようとする。人生とは何か。何が私たちを人間らしくするのか。その目的において、悲劇こそが最も野心的な文学ジャンルとなる。アリストテレスに言わせれば、当然ながら「最も高貴」ということになるのである。

Chapter 5 イングランドの話――チョーサー

英文学は、現在の理解では、700年前のジェフリー・チョーサー（1343頃〜1400）からはじまる。いや、「英文学」ではなく、「英語で書かれた文学」はチョーサーからはじまると言い直そう。イングランドに国民全体の話し言葉と書き言葉をひとつにまとめた英語ができあがるまでずいぶん時間がかかった〔書き言葉は主にラテン語だった〕わけだが、チョーサーは、14世紀頃まさにそれが起ころうとする点を刻む人なのだ。

次のふたつの引用文を比べてほしい。どちらも14世紀の終わり頃、ほぼ同時期に、現在はイングランドとされる場所で書かれた偉大な詩作品の冒頭だ。

Forþi an aunter in erde I attle to schawe, （我が語らんとする冒険は
Þat a selly in siȝt summe men hit holden, 驚異なりと思う者もあらん）

Whan that Aprill, with his shoures soote,　（4月の驟雨（しゅうう）の甘き恵み
The droghte of March hath perced to the roote,　3月の旱（ひでり）の根も潤（うるお）いて涙ぐみ）

最初の引用は「ガウェイン詩人」としてのみ知られる人が書いた『サー・ガウェインと緑の騎士』の冒頭部であり、アーサー王時代のなかばの神話的物語（第2章参照）である。ふたつめは、チョーサーが書いた『カンタベリー物語』の最初の二行連句である〔行末の語が同じ音で終わってライム（押韻）を形成する2行のこと。ここでは sooteとrooteが押韻しており、訳では「恵み」と「涙ぐみ」の「ぐみ」の音を重ねて表現した〕。

たいていの読者は、アングロサクソンの詩的語法や、その〝弱強〟や〝強弱〟のリズム（韻律）、ハーフライン〔1行の韻律を2行で分割した、半分ずつの行〕や語彙といったものに馴染みがなくて、『サー・ガウェインと緑の騎士』の原語を見てクリンゴン人〔『スタートレック』の異星人〕の言葉かよと思いながら、かなり苦戦するだろう。英語っぽい単語はちらほらあるだけだ。ふたつめの引用は（sooteはsweetの意味だという知識さえあれば）、現代読者にとって、かなりわかりやすい。作品全体もこの調子であり、その脚韻（ライム）も韻律（リズム）も理解できる。いくつかの単語に注釈をつけてくれたら、原詩をそのまま読めそうだ。しかも、オリジナルのまま読んだほうが楽しめる。訴えかけてくると言うべきか。

『サー・ガウェインと緑の騎士』はよい詩ではあるのだが、古英語の語彙や文体をとどめているがゆえに、文学的な袋小路にある。この詩が訴えかけた人々はずっと昔にいなくなってしまった。今日でも、これが書かれている言葉の独特な用法を研究する労をとる人たちにとっては美しい詩かもしれないが、このような書

き方に未来はない。一方、チョーサーの新たな英語は、これから何世紀にもわたって生まれ来る偉大な文学の入り口にある。チョーサーは、その追随者である偉大なエリザベス朝詩人エドマンド・スペンサーによって、ダン・チョーサーと称賛された。「ダン」とは、ドミヌス（学術の称号）の略で、「首領」と同じだ。チョーサーは「イングランドの澄んだ井戸」なのだと、スペンサーは言う。私たちの文学に言葉を与えてくれた。そして、チョーサー自身がその言葉で真っ先に偉大な作品を創り、ほかの者も偉大な作品が創れるように道を拓いてくれたのである。

チョーサーが実際に何者であるかわかっていて、作品を読みながら心の目にチョーサーという人物が見えてくることは重要だ。チョーサー以降の文学には、「作者」がいるのである。『ベーオウルフ』は誰によって書かれたかわからない。おそらく多くの無名の人たちが考え、さまざまな人が書きとめたものであろう。「ガウェイン詩人」が誰かもわからない。複数だったのかもしれない。誰にわかるだろう？

『ベーオウルフ』から『カンタベリー物語』までに至る500年ほどのあいだに、英国のいくつかの王国や領国（領主が支配する地域）には大きな変化があった。単に英語が生まれただけではない。イングランド自体が生まれたのだ。イングランドは1066年にノルマン公ウィリアムによって征服された。この「征服王」は、今日の近代国家と言えるものの機構をもたらしてくれた。ロンドンを首都とし、公式言語を導入し、慣習法、貨幣制度、階級制度、議会など、現代まで続く多くの制度を打ち立てながら、侵略した国を統一し続けたのだ。チョーサーはそのイングランドの草分けの作家であり、その英語はロンドン方言だった。アングロサクソン文学の古いリズムや語彙は、チョーサーの韻文のなかにもまだ聞き取れるが、それは通奏低音のように、大地を通して振動が伝わる太鼓の音のように感じられる。

では、この人は何者なのか。ジェフリー・ドゥ・チョーサーとして生まれ、その家名 Chaucer はフランス語の「靴屋」(chausseur) に由来する。この一家は数世紀を経て、靴の修繕屋よりもずっとよい暮らしをするようになり、ノルマン・フレンチの出自から離れた。ジェフリーの時代、一家はイングランド宮廷と関わるようになり、恩恵を受けていた。フランスはこのあと500年にわたってイングランドの敵国となるわけで、この時代にも時折フランスに襲撃をかけることはあったが、幸いなことに、エドワード3世の治世下でイングランドはほぼ安泰となった。ジェフリーの父親はワインの輸出入業者だった。この仕事は、ヨーロッパ大陸と密に接する類のものであり、ジェフリーはのちにヨーロッパ文学(当時はイングランドよりずっと進んでいた)を取り込んでいくことになる。

ジェフリー・チョーサーは、当時あったケンブリッジかオックスフォードかのどちらかの大学で正規ないし非正規の学生として学んだか、あるいは家庭教師からすばらしい教育を受けたのだろうが、本当のことはわかっていない。明らかなのは、大人になった彼には驚くべき教養があり、多言語に精通していたということだ。若者として冒険を求め、軍人として人生を歩み出した(その偉大な詩『トロイルスとクリセイデ』は、文学史上最大の戦争であるトロイ戦争を舞台としている)。この若きイングランド人兵士はフランスで捕虜となり、身代金を払ってもらって釈放された。晩年親しんだ思想家は、大論文『哲学の慰め』を監獄で著した古代ローマの詩人ボエティウスであった。チョーサーは、それをラテン語の原著から、フランス語版を参照しながら英訳した。そして、その考え方を身につけ、とりわけ人生の浮き沈み――つまり「運命」の不確かさ――についての思いを深くした。

戦争から帰還すると、結婚をして落ち着いた。妻のフィリッパは貴族の出で、夫に地位とともに収入をもたらした。その私的生活については絶え間ない議論がなされてきたが、そのしばしば卑猥な書きぶりから察するに、チョーサーは潔癖主義ではなさそうである。「チョーサー的」という語は、人生を謳歌する人を示すものとして用いられてきた。

作家として活動をはじめた頃は、宮廷の友人に援助を受けた。当時はパトロンがいなければやっていけなかったのだ。1367年、国王はチョーサーに、「親愛なる近侍（宮廷人）」としての奉公に対して20マルクもの寛大な年金を与えた。今日ではチョーサーは公僕（公務員）と看做されている。1370年代初期に海外で公的職務についたが、そのときイタリア――当時における現代文学の首都――で偉大なイタリア人作家ペトラルカやボッカチオと出会ったかもしれない。どちらからも大きな影響を受けている。

1370年代なかばに、チョーサーはロンドン港税関監査官に任命された。これが公務員キャリアとしての頂点だ。この調子で出世を続けていれば、『カンタベリー物語』は生まれなかったことだろう。しかし、1380年代に没落がはじまる。友人からもパトロンからも援助が得られなくなるのだ。今や妻も失ったチョーサーは、宮廷での愛顧も失い、ケント州（イングランド南東部）に引きこもって、そこで偉大なるケント州にあるカンタベリーの物語を書いた。このときチョーサーは、田舎に引きこもってできる限り人生を楽しむ以外のことは考えていなかったようだ。

『カンタベリー物語』と『トロイルスとクリセイデ』は、実に偉大な2篇の詩作品である。どちらも、ものすごく革新的なのだ。これにより文学が変わった。『トロイルスとクリセイデ』は、チョーサーがさまざまなイタリアの題材のなかからホメロスの偉大なる叙事詩『イーリアス』を選び出し、その戦争物語を恋愛物語に置き換えて本格的ロマンスとした作品である。トロイの城壁の外では激しい戦闘の嵐が吹き荒れているのに、トロイ王子のひとりであるトロイルスは、夫を失ったクリセイデと狂わんばかりの恋に落ちている。ふたりの関係は――「宮廷恋愛」のお約束どおり――その純潔さを守るためにも、世間には秘密にしておかなければならない。ところが、女は男を裏切ってしまう。それでトロイルスは破滅する。心の問題は大戦争よりも大きいのだと、この詩は教えてくれる。このあと書かれる劇、詩、小説のどれほど多くが、この作品に機先を制されたことだろう。

現代の読者にとって、『カンタベリー物語』は、チョーサー入門には最適である。その形式は、かなり近い時代のボッカチオの『デカメロン（十日物語）』から採られたものと思われるが、『デカメロン』は、疫病が蔓延したフィレンツェから逃れてきた住人が互いに物語を（100篇も）語り合って、隔離生活の憂さを晴らすという趣向になっている。『デカメロン』は散文で書かれている。『カンタベリー物語』は、大部分すらすらと流れるような韻文で書かれているものの、ボッカチオの本と同様に、初期の小説――ないしは短編の集まり――のように読める（初期の小説風文学作品については第12章参照のこと）。

チョーサーの物語のどれもが、それぞれにおもしろく、まとまってひとつの小宇宙（ミクロコスモス）を形成している。18世紀の詩人ジョン・ドライデン（イングランド初の桂冠詩人――第22章参照）は、ここには「神の豊饒さ」があると述べた。高尚な宮廷恋愛を嘆く「騎士の物語」から、下層階級の巡礼者が語る下品などんちゃん騒ぎや、牧師が与える昔ながらの宗教的忠告に至るまで、あらゆる人生がここにある。残念ながら、今日私たちが手にしているテクストには、すべての詩はそろっていない。チョーサーが詩を書いたのは、印刷が発明される1世紀前なのだ。不完全な形で残っているさまざまな書き写し原稿があるのみで、チョーサー自身が書いたものは残っていないのである。

物語は、1387年4月にはじまる。29人の巡礼者（チョーサーも含まれているが、ずっと脇にいる）が、ロンドンのテムズ川南岸のタバード宿屋に集まっている。一同は、カンタベリー大聖堂に祀られている殉教者トマス・ベケットの墓に詣でるために、馬で100マイル強の巡礼の旅を4日かけて一緒にしようとしている。宿屋の主人ハリー・ベイリーは、この旅の案内役を買って出て――一体感を強め、協調性を高めるために――カンタベリーまでの道々、巡礼者ひとりにつきふたつの話をし、帰り道にもひとり2話ずつ話そうと決める。これは、およそ116話ということになる。この計画は決して達成されないし、そもそもやりとげるつもりはなかったのかもしれないし、あるいはもっと可能性が高いのは、途中でチョーサーが死んでしまったのかもしれない。私たちに伝わっているのは24の物語であり、なかには断片的になってしまっているものもある。じれったく思われるが、この作品の壮大さは十分つかめるだろう。

チョーサーの描く巡礼者たちは、当時の社会を映し出している――驚くべきことに、多くの点で、今日の社会と似ている。巡礼という信心行為が中心にあるものの、「キリスト教」の詩ではない。チョーサーが主張しているのは、キリスト教とは、一般的に世俗社会のさまざまな人々を包み込める柔軟な宗教だということだ。世間ずれしている人でも宗教的になれるのだ。1週間の毎日が日曜なのではない。チョーサーが執筆していた時代において、それはかなり画期的に新しい考えだったようだ。

巡礼者のなかには何人かの宗教関係者（教会の人たち）の男女がいる。修道士、僧侶、尼僧院長、召喚士、免罪符売り（罪の赦しを「売る」人で、チョーサーがとくに軽蔑している人）、そして牧師（チョーサーが尊敬している人）だ。教会関係者といっても互いにあまり似ていないし、読者もこの人たちが全員好きになれないように書かれている。

これに対して世俗的な人たちの末端にいるのは、料理人、代官（荘園管理人）、粉屋、船乗りといった人々。そのトップにいるのは、商人と郷士という新興ブルジョワ階級であり、どちらも裕福だ。おそらくさらに裕福（エルサレムに3度行ったことがあるほど）なのは、「バースの女房」である。独立独歩の女性で、布（《ニームの生地》と呼ばれたデニム）の製造で財を成した。結婚を5回して今は独り身の人生のベテランであり、これまでの夫から虐待を受けたり教育を受けたりしてきて、まさに肝っ玉母さんの貫禄である。元気いっぱいで、仲間の巡礼者たちと結婚生活のことで喧嘩をし、とくに独身の学僧がやりこめられる。結婚のことに人一倍どころか5倍くわしいのだから、学僧はたじたじだ。

こうした中流階級の商人たちの上に、知識階級と現代では呼ばれる、医者、法律家、学者（読み書きの技能で生計を立てている学僧）がいる。巡礼者のひとりひとりがどのような人物か、全体の「プロローグ」とそれぞれの話の前についている短いプロローグではっきりと説明されている。どの人も、読者の想像力のなかで生き生きと活気づく。物語の全体的な構造のなかで、いくつかの論点が浮かび上がってくる——結婚（妻は従順であるべきか、言いたいことを言うべきか）、運命（運命などという異教の概念はキリスト教とどう結びつけられるのか）、そして恋愛（尼僧院長のモットーとなっているように「愛はすべてを制圧する」のか）。

最も身分が高いがゆえに最初の語り手となるのが騎士である。それは、古代ギリシャの話で、宮廷恋愛の約束事やら、あらゆる不幸にじっと耐えるというボエティウスの忍耐の思想に満ちていて、まさに「騎士道的」で、騎士にふさわしい話だ。そのあとすぐ、《ファブリオー》と呼ばれる卑猥な話が粉屋によって語られる。老いた大工、その若い妻、悪さをする若者たちについて粉屋が語る恋愛は、まったく宮廷的ではない。『カンタベリー物語』のテクストは、20世紀に至るまで、若い読者に害をなさないようにと何度も検閲を受けた（私が学校時代に使ったテクストにも修正が入っていたのを思い返すと、癪にさわる）。

24の物語は、さまざまな語られ方をして、最後はふさわしく、牧師による高尚でまじめな説教で締めくくられる。そのあと、読者はすっかり楽しんだことに満足して穏やかに本を閉じることができる。ドライデンの言うとおりだ。あらゆる人生がそこにある。私たちの人生も含めて。

Chapter 6 街頭演劇――ミステリー劇

15世紀末から16世紀初頭にかけて、文学界には、印刷と演劇の両方が登場した。ページ（本）とステージ（舞台）という、この2大装置は、次の4世紀にわたって偉大な文学が興る場となる。本章では、イングランドにおける初期の演劇発祥のようすを見ていこう。それは舞台ではなく、イングランドの非常に活気づいた町々の街頭で生まれたのである。

演劇が、本当に生まれたのはどこだろう。アリストテレスにたずねれば、子供を見よと答えたことだろう。それは人間がそもそもそのようにできているということだ。人間は演劇的な生き物なのだ。アリストテレスはその偉大な批評書『詩学』（第4章参照）の第3章で、次のように記している。

模倣は、幼少から人間が自然に行うものであり、人間は世界一真似をしたがる生き物である点で下等動物よりも優れているのであり、人はまず模倣によって学ぶのである。誰もが模倣の作品を喜ぶのも自然なことだ。

「模倣」（ミメーシス）という語が意味するのは「演技」である。俳優が舞台に現れ、たとえばリチャード3世役を務めて、自分がその人物だというふりをしたとしよう。その人は、2013年にレスターシャーの駐車場で遺体が発掘された歴史上のリチャード3世その人ではない。そのふり――模倣（ミメーシス）――こそが、演劇の本質だ。それは、フットライトの向こうに立つ俳優にとっても、こちら側にいる観客にとっても、演劇経験の最も不思議な要素となる。

もちろん、イアン・マッケランやアル・パチーノ（どちらもリチャード3世を演じて大喝采を浴びた）が「演技」によってリチャード3世であるあいだ（この「ある」という語が、ここで曖昧になってくるわけだが）本当は誰なのかは、考えてみればわかることである。俳優はマッケランやパチーノであって、それは本人もわかっていることだ。しかし、劇を観ているあいだ、私たち観客は「夢中になって」いるのか。詩人・批評家・哲学者のサミュエル・テイラー・コールリッジが言ったように、「不信の停止」（すばらしい表現だ）（虚構世界を楽しむために自分から猜疑心を抑えて虚構を真実と受け取ること）を行って、騙されようとしているのか。知っていることを、わざと知らないふりをするのか。それとも、自分が映画館や劇場にほかの客と一緒にすわっていて、顔にメーキャップをしてほかの誰かが書いた言葉を暗唱している人を見ているという事実は意識したままなのか。それは観ている劇次第だ。だが重要なのは、演劇体験には、観客としての私たちの側にもある種の熟練が必要である点だ。反応の仕方、楽しみ方、判断の仕方がそれによって変わってくる。劇場に通えば通うほど、通（つう）になるわけだ。

演劇は、シェイクスピアの時代にグローブ座やローズ座といった壮大な名前〔バラは赤バラと白バラを結合したテューダー朝の紋（テューダー・ローズ）によりイングランドの紋章となった〕の巨大な木造の劇場がロンドン南岸に建てられるずっと前からはじまっていた。それらの新しいテムズ川岸の劇場は、1500人もの観客が収容でき、その多くは立ち見だった。しかし、それ以前にあった演劇、そしてそこで上演された芝居には、何万もの観客がいて、立ち見どころか通りすがりに眺めることすらできた。通りにいる人全員を楽しませる街頭演劇だったのだ。

ヨーロッパ諸国において、聖書物語を描く芝居が街頭へと出て行ったのは、中世の時代だった。イングランドでは、「ミステリー」劇と呼ばれている。フランス語は mystère だが、英語の mystery はフランス語の métier を語源としており、職業や商売という意味もあったのだ〔ミステリー劇は「神秘劇」や「聖史劇」などと誤訳されることがあるが、正しくは「同業組合による劇」の意〕。芝居とは、世俗化した宗教儀式から発達したものであり、とりわけ復活祭の礼拝では会衆が重要な役を「演じる」伝統があった。そうした慣習は、シェイクスピアとその仲間の劇作家たちが登場する以前に大いに人気を博していた。

ミステリー劇のスポンサーとなって、なおかつ上演にも携わったのは、初期の同業組合（ギルド）だった。新興のヨーロッパ諸国の近代化が進む時代、ギルドは、ますます都会化していくイングランドの繁栄した町々で生まれたが、巨大都市ロンドンの外にある「地方」のものであって、「都市」のものではなかった。この、ロンドン（ロンドン子は、英文学界と演劇界はロンドンにありと考えるが）で生まれたものと、ロンドンの外（「ド田舎」と呼ぶロンドン子もいる）で生まれたものとの文学的緊張は、今日に至るまで続いている。ミステリー劇は、まさに「ロンドンの外」のものであり、それを誇りにしているのである。

イングランドの大きな町々では、ギルド（同業組合）が商売の術（と裏技）を育んでいた。組合員になる条件は厳しく、手に職があるのみならず、たいてい読み書きもできなければだめだった。この当時は人口の大多数は読み書きができなかった（あるいは少し読めても書けなかった）。ギルドは徒弟制度という現在まで続く制度によって技を伝え、しかも商売を独占した――たとえば、きちんとしたギルドに属して「支払い」をしなければ、石屋や大工として働けなかった。それゆえ、ギルドは裕福になり、力を持った。けれども、自分たちを裕福にして力を与えてくれた社会に対して、奉仕の義務を強烈に感じていたのである。

中世において、最も重要な本は聖書だ。それがなければ、当時の人たちにとって、生きるのは無意味だった。しかし、多くの人々は、標準的聖書の訳語であるラテン語はおろか、自分たちの言語すら読めなかった。本は、15世紀末に印刷が発明されたのちですら、依然としてひどく高価だった。ギルドは、福音を説き、聖書の言葉をひろめるのは自分たちの責任だと感じ、街頭での余興を行うことにした。演劇はその目的を完璧に果たしたのである。

毎年、キリスト教の暦のいくつかの聖なる日（たいていはコーパス・クリスティの聖餐の日）に、劇的な「サイクル」（つまり、聖書の物語全体）が上演されることになった。各ギルドがひとつずつパレードの山車を出した。聖書の物語のなかから自分たちの職業にふさわしいものを選んだ。たとえば釘を作る職人たちは、十字架の物語を語り、はしけの船頭たちはノアの洪水の話を語った。教会側はこれを大目に見ていた。実際のところ、その地域で一番学がある牧師などは、劇を何本か書いていたようだ。ギルドは、豪華な衣装、小道具、台本を保管して何度も使用した。とくにヨーク、チェスター、ウェイクフィールドといった町を基盤としたサイクル劇の演出台帳が現存している。

ミステリー劇は、当時大人気を博し、2世紀もの長きにわたり人気が続いた。若きシェイクスピアがストラットフォード・アポン・エイヴォンで子供時代にそれを観て、楽しみ、生涯にわたる影響を受けたことはまちがいない。シェイクスピアは劇中で、観客もまたよく知っているものとしてこれらの劇に言及している。

ミステリー劇のとくに優れた例は、ウェイクフィールド・サイクルにある『第二の羊飼いの劇』である。あまり耳目(じもく)を惹く題名ではないが、古いにもかかわらず偉大な劇である。1475年頃に書かれ、それから毎年5月ないし6月にコーパス・クリスティの祭りで、ときどき手を加えられたり、時事的に翻案されたりしながら、何十年も上演された。ヨークシャーにある町ウェイクフィールドは、中世において、羊毛と皮革で栄えた町だ。羊や牛が町をかこむ緑の丘で草を食(は)んでいるが、町は国じゅうの他の地域との交流が盛んで、その商品を大きな都市の市場へ送っていた。ウェイクフィールドは、祭りやその他の公的イベントが楽しめる町だとの評判が高く、「愉快なウェイクフィールド」というあだ名を得ていた。町民は大笑いが好きで、『第二の羊飼いの劇』は大笑いできる。

ウェイクフィールド・ミステリー・サイクル劇全体は、30本の芝居から成っており、創世記における天地創造からはじまって、新約聖書のユダの首吊りで終わる。羊飼いの劇は2本あり、どちらも町の主たる繁栄のもととなった商品（羊毛）を祝う。第2の劇は、3人の羊飼いがベツレヘムの丘（パレスチナの丘ではなく、明らかにヨークシャーの丘）で羊たちの番を夜通ししているところからはじまる。

12月は、外で羊の世話をするには寒さが厳しすぎる月だ。最初の羊飼いは、怒って天気を恨み、金持ち連中が腹いっぱい食べてベッドでぬくぬくとあったかくしているというのに、自分たち貧乏人は、税金も含めていろいろ大変だとこぼす（税金は、町の行政のみならずギルドにも払わなければならなかった。ちょっとした内輪のジョークである）。

つらすぎるぜ、やってられねえ、
税金高いし、人手は足りねえ、
にっちもさっちも動けねえ、
お偉いやつらに手なづけられた。
俺らの休みを奪ったあいつらに不幸よ、襲え！
やつらのせいで畑仕事も遅くなった、遅(おせ)え！
やつらにゃよくても、俺たちにゃつらい

We're so burdened and banned,
Over-taxed and unmanned,
We're made tame to the hand
Of these gentry men.
Thus they rob us of our rest, may ill-luck them harry!
These men, they make the plough tarry,
What men say is for the best, we find the contrary—

ひでえ目にあわされ、できるのはお弔い　Thus are husbandmen oppressed, in point to miscarry,
生きてても　In life,
こうして首根っこ踏みつけられちゃ　Thus hold they us under
まともな暮らしはもうめちゃくちゃ。　And from comfort sunder.

驚くべき不満の発露だ。しかも、何世紀も経て今日にまで伝わるような直接さと力をもって話される。今日のウェイクフィールドで職業安定所の外に立つ町民に話しかければ、その遙か昔の先達であるこの羊飼いのように文句を言うことだろう。もちろん、このようなヨークシャーの方言をたっぷりきかせて。

しかし、劇は、このまま怒った調子で続いたりはしない。ひどく滑稽なエピソードになるのだ。3人の仲間の羊飼いが一晩じゅう骨まで凍りつく思いで見張っていた子羊の1頭を、マックという別の羊飼いが盗んでしまう。マックはその盗品を家へ持ち帰り、生まれたばかりの赤ん坊に見せかけてゆりかごに隠す。

3人の羊飼いたちはマックの小屋へ（聖書の《三博士》のように）やってきて、赤ん坊に銀製品を渡す――3人にとっては大変な出費だ。かなり滑稽なやりとりがあったのち、ゆりかごの「赤ちゃん」の正体が発見される。羊を盗むのは重罪であり、死刑である（それゆえ「子羊を盗んで首をくくられるなら、羊を盗んでくくられたほうがましだ」という諺がある）。しかし、時はクリスマスであり、罪を赦すべき季節だ。その慈悲のためにキリストは身代わりに死んだのだと劇は暗示する。羊飼いたちは、ただマックを毛布にくるんで転げまわすだけで赦してやる。

それから劇は、お馴染みの宗教的な教義を語る。主（しゅ）の天使が現れて、3人の善良な羊飼いたちに、ベツレヘムの厩（うまや）で2頭の動物のあいだに横たわる新生児を崇めるようにと指示する。

『第二の羊飼いの劇』は、街頭演劇の嚆矢（こうし）の傑作だ。しかし、同様のエネルギー、活気、そして人々の声が、すべてのサイクル劇に充満している。1500年代後半に、町の暮らしの重要な部分を占めていたこうした劇はすたれてしまうが、なぜすたれたかはよくわからない。改革派に好かれなかったのでは、という意見もある。すたれたのではなく大発展を遂げて、シェイクスピアが支配した17世紀のロンドン演劇へと形を変えたと考えるべきなのか。それとも、都市化や人口大移動、ギルド制の崩壊、室内劇場の建設といった影響のもと、印刷によって聖書がより手に入りやすくなったこともあって、消えていったのだろうか。聖書物語は、そのあと何世紀も別の形で人々に伝えられたから、ミステリー劇はもはや必要とされなくなったとも考えられる。

その答えがどうであれ、この2世紀にわたって栄えた街頭演劇から導き出せるひとつの重要な結論がある。すなわち、舞台——山車の行列をごろごろと転がしていくものであれ、現代の劇場のような板張りの舞台であれ——の上での文学への反応は、印刷された本で読む文学への反応とはちがうということだ。

本ならいつでも好きなときに取り上げて、好きなときに置くことができる。劇場ではそうはいかない。幕は決まった時間に上がり、きっかり予定の時間が経ったところで下りる。観客は芝居を観ているあいだ、席から動かない。21世紀であっても、人々は劇場へ出かけるときはドレス・アップする。テレビを観るときとちがって、観劇中に食事をしたりおしゃべりをしたりしない。アメの包み紙をごそごそやったり、もっとひどいことに携帯電話が鳴ってしまったりすれば、ジロリとにらまれるだろう。観客は同時にどっと笑い、最後に一緒に拍手をする。

　くだくだと説明するまでもなく、一種の教会にいるようなものだとわかるだろう。会衆と観客と、どこがちがうだろう。「本を抱くようにして読む」のは実にプライベートな行為だが、劇場では文学を皆と一緒に楽しむのだ。ひとつの共同体となって。経験をともにし、一緒に反応する。それが演劇の喜びのすばらしいところだ。皆とひとつになるのだ。

『第二の羊飼いの劇』のように今日に伝わっているミステリー劇は、英国演劇史においてそれなりに重要であるが、その題材は、現代の観客にとってみれば、文学的というよりは歴史的な興味の対象となるだろう。それでも、大いに重要ではある。それを読めば、演劇がどのようにはじまって、どうして続いてきたかがわかる。芝居を楽しむためには街頭に立たなくてもよくなった今日においてさえ、演劇は「共同体」の文学なのだ。人民の文学だ。

Chapter 7 詩聖――シェイクスピア

英語圏の最大の作家は誰かを投票したら、何度やっても同じ結果になって勝負にならないだろう。だが、いかにしてシェイクスピアはダントツになったのか。シンプルな問いだが、シンプルな答えはできない。

優れた文学批評家たち（何世代にもわたる観客は言うまでもなく）が、これまで頭を悩ませてきた、どうにも納得のいかない謎は次のようなものである――なぜストラットフォード・アポン・エイヴォンという田舎で生まれ育ち、中等教育しか受けていない、商店街の息子風情が、しかも引退できるだけの十分な金を稼ぐために劇を書き続けたように思えるようなやつが、英語圏で最大の作家になれたのか。しかも、これ以上の作家は今後も出てこないだろうと多くの人たちは言う。

シェイクスピアを説明することはできないだろうし、説明しようとするのは愚かしい。確かにその業績はすばらしいし――全体像はもどかしいほどに不完全ではあるが――その生涯の大筋は追っていけるので、どうして英語圏で最大の作家になったかについてのヒントぐらいは得られよう。

ウィリアム・シェイクスピア（1564～1616）は、女王エリザベス1世の治世の6年目に生まれた。その頃のイングランドは、その前の君主である「ブラッディ・メアリ（血なまぐさいメアリ）」とあだ名されたメアリ1世の治世が起こした騒動（カトリックを信奉する女王はプロテスタントを迫害し、300人に及ぶプロテスタントを処刑した）がまだ冷めやらないでいた。メアリ1世の時代にはプロテスタントであることが危険だったのだが、エリザベスの時代になると、カトリックであることが危険となった。シェイクスピアは、家族と同様に、このふたつの信仰のあいだを慎重に綱渡りしていった（ただし、シェイクスピアは生涯にわたる隠れカトリックだったと主張したがる人もいる）。その劇作品では、宗教問題は慎重に避けられている。文学的にも危険な話題だった。へたなことを言えば、火あぶりで焼き殺されたのだ。

この焼けるような焦眉の問題の中心にあったのは、誰が王座を継ぐのかという問いだ。シェイクスピアが演劇界に入ったとき、1533年生まれのエリザベスは高齢だった。この処女女王は後継者を指名しておらず、はっきりした法定推定相続人もいなかった。王座の空位は危険だった。知識人は皆、「エリザベス女王のあとは誰が継ぐのだろう」と自問していた。

シェイクスピアの多くの劇（とりわけ歴史劇）における最重要な政治問題は、「王（クレオパトラの場合は女王）を別の王に置き換える最善策は何か？」という問いだった。劇によってその答えは異なる――暗殺（『ハムレット』）、公的な殺害（『ジュリアス・シーザー』）、内乱（『ヘンリー六世』3部作）、強制退位（『リチャード二世』)、王位簒奪(『リチャード三世』)、正統な血統による継承(『ヘンリー五世』)などだ。この問題をシェイクスピアは最後の劇(と思われる)『ヘンリー八世』に至るまで扱っている。イングランド自体は、もっと長いあいだこの問題と葛藤することになり、解決策を模索しながらも内戦〔ピューリタン革命〕を経験していく。

シェイクスピアの父親は、それなりに繁栄した手袋職人であり、ストラットフォード・アポン・エイヴォンの町の参事会員だった。父親は息子よりもカトリックに傾倒していたようだ。ウィリアムの母親メアリは、夫よりも身分の高い生まれだった。おそらくこの母親が、賢い息子の心に出世願望を植えつけたのだろう。若きウィリアムは、故郷の町のグラマー・スクール〔ラテン語を教える学校〕に通った。劇作家仲間で友人のベン・ジョンソンが、シェイクスピアには「少ないラテン語と、より少ないギリシャ語」しかないと嘲(あざけ)ったのは有名だ。しかし、私たちの基準から言えば、シェイクスピアは大変すばらしい教育を受けていた。

10代で学校を卒業し、1、2年は父親の手伝いでもしたのだろう。鹿泥棒をして逮捕されたこともあったかもしれない。18歳のとき、8歳年上で妊娠数か月のアン・ハサウェイという近隣の女性と結婚した。この結婚で娘がふたりと息子がひとり生まれる。息子ハムネットは、幼くして死んだ。シェイクスピアの最も有名で陰鬱な劇の悲劇的英雄の名前に、息子の名がとどめられている。

シェイクスピアの結婚生活は不幸なものだったという説がある。マクベス夫人のような、気難しく、冷淡で、支配的な女性が作品中多く描かれ、子供も当時としては少なかった(3人だ)というのがその理由だ。しかし、実際のところ、シェイクスピアの私的生活については何もわかっていない。さらに不満に感じられるのは、作家になりはじめたはずの1585年から1592年の時期にシェイクスピアが何をしていたのか、何ひとつわかっていないことだ。このいわゆる「失われた年月」について、故郷を離れて田舎教師になったとか、イングランド北部のカトリックの貴族の邸(やしき)で家庭教師となって、その危険な信条を吸収したとか諸説ある。旅役者の一座に入って、演劇的技能を身につけ、それがかなり初期の戯曲からはっきりと表れているとする説もある。

ふたたびその姿が見えてくる1590年代初頭には、ロンドン演劇界の新星として戯曲を書いたり演じたりしていた。その驚くべき才能にふさわしい活躍の場を得たのだ。テムズ川南岸には、熊いじめ場や居酒屋と並んでいくつかの劇場が栄えていた。そこは、法学院や聖(セント)ポール大聖堂や国会議事堂や王宮が並ぶ北岸と比べると、無法地帯だった。

さらに重要なことだが、シェイクスピアがその巨大な才能を開花させるために利用すべき文学形式がすでに存在していた。それはまだ未成熟ではあったが、先達のクリストファー・マーロウ（1564〜93）が『ファウスト博士』などの劇で刷新した無韻詩(ブランク・ヴァース)と呼ばれる、いわゆる「迫力の詩(マイティ・ライン)」だ。それは何か。次の詩行を見てほしい。おそらく英文学で最も有名な詩行である（父親の亡霊に命じられたこと——義父を殺す——ができずに、自殺を考えているハムレットのセリフだ）。

To be, or not to be, that is the question:
生きるべきか、死ぬべきか、それが問題だ。

どちらが気高い心にふさわしいのか。
非道な運命の矢弾をじっと耐え忍ぶか、
それとも怒濤の苦難に斬りかかり、
戦って相果てるか。

Whether 'tis Nobler in the mind to suffer
The Slings and Arrows of outrageous Fortune,
Or to take Arms against a Sea of troubles,
And by opposing end them

この韻文にはライム（押韻）がない〔行末が同じ音で終わっていない〕（それゆえブランク・ヴァースと言う）。日常の言葉のような柔軟さがある一方で、詩の威厳（迫力）があるおかげで、たとえば「怒濤の苦難に斬りかかり」といった複雑な表現もすんなり受け入れられる。しかも、これは、シェイクスピアがとりわけ巧みに使いこなした「独白」にもなっている。すなわち、自分に向かってひとりで語るセリフだ。しかし、ハムレットは実際に語っているのか、それとも考えているのか。1948年の映画版でロレンス・オリヴィエ（当時最大のシェイクスピア俳優）は、この場面をヴォイス・オーバーにした。つまり、顔はじっとしたまま唇を動かさず、声だけ聞こえてくるやり方だ。シェイクスピアは、登場人物の心のうちを舞台上で伝える方法を完成したのだ。その偉大な戯曲の数々――とりわけ悲劇――では、心のなかで起こっていることを表明する独白が重要になる。

1594年までにシェイクスピアはロンドンの演劇界のトップにのぼりつめる。役者であり、劇場株主であり、そして何よりも戯曲に何ができるかという発想をすっかり変えた注目の劇作家だ。それから長年ロンドンで暮らすようになり（一方、家族は遠いストラットフォードにいて、遠ざけられていた）、時折、商売に手を出して、自己資産を大きく増やしていた。20年以上の作家生活で約37本の戯曲をものし（誰かと共同で執筆したこともある）、多くの詩も書いた。詩作品で注目すべきは、1590年代に書かれた一連のソネットだ。疫病が発生して野外劇場が頻繁に閉鎖されることがあったが、おそらくそんな夏に書き溜められたのだろう。

ソネットは、人としてのシェイクスピアの顔をふっと見せてくれることがある。多くは若い男性に向けて書かれた恋愛詩であり、既婚の女性（「ダーク・レイディ」）に向けられたと思しきものもある。シェイクスピアはバイセクシャルであったかもしれず、それはシェイクスピアが同時にカトリックとプロテスタントだったという説と似ている。これもまた、はっきりしない謎のひとつだ。

シェイクスピアの各戯曲の正確な執筆と上演の時期は不確かではあるが、劇がどういう段階を経て書き進められたかはわかっている。戯曲のテクストも同様で、生前、自ら印刷させたものはない。作家となって最初に手がけたのは歴史劇であり、いわゆる「バラ戦争」に関わるものだ。イングランドの王座をめぐる前世紀の抗争であり、エリザベス女王のテューダー朝の開祖が勝利して最終的に決着がつく。

シェイクスピアはそのすばらしい劇を（まだ20代の若さで）書きながら、歴史をどんどん虚構化していった。たとえば、その壮大な権謀術数主義（マキャヴェリアン）のリチャード3世は、歴史に実在したリチャード3世とは似ても似つかない。「おもしろい芝居、つまらない歴史」というのが、シェイクスピア作劇の標語だ。しかも、時の国王を楽しませることも常に意識していた。1603年にエリザベス女王が没してスコットランド王が王座に就くと、すぐさまスコットランドの王に関する傑作『マクベス』を書き、同時に、ジェイムズ1世が魔術に夢中であると知られていたので、魔女も登場させた。

シェイクスピアが中期に書いた喜劇は、いずれもイングランドの外に場面が設定されている。イタリアが多く、架空の国イリリアも舞台となる。喜劇は強力な女性（『から騒ぎ』のビアトリスがすぐ思い浮かぶ）が活躍する場を提供している点も見逃せない。その一方で、はつらつとした初期の喜劇であっても、現代観客にわかりづらいところもある。元気いっぱいのビアトリスと肩を並べる『じゃじゃ馬馴らし』のケイトは、ひどい目にあい、妻としてむりやり服従させられる（いったん馴らされると、公衆の面前で夫の足の下に自ら進んで手を入れるようにと強制されるのだ）。文字どおり、踏みつけにされるのである。

『ヴェニスの商人』のハッピーエンドも、後味が悪い。ユダヤ人のシャイロックは、娘を（キリスト教徒の恋人に）誘拐され、財産を没収され、すべて失ったところでキリスト教への改宗を強制される。観客がこうした結末に納得するには、かなり優れた詩の言葉が必要となる。

シェイクスピアはローマ共和政――王も女王もいない国家体制――に魅了されていた。この政治問題は（君主制への尽きぬ興味に触れながら）『ジュリアス・シーザー』で掘り下げられる。シーザーは支配者となりたいらしい。共和政を守るためなら、ブルータス（「誰よりも高貴なローマ人」）はシーザーを暗殺してもよいのか。『コリオレイナス』も似たような問いを立てる。軍功ある英雄は、ローマを守るためにローマに侵攻してよいのか。シェイクスピアは答えを出すことはない（たとえば『リチャード二世』では正しいことでも、『ヘンリー四世』では正しくないという具合に)。『アントニーとクレオパトラ』では、マーク・アントニーは、愛のために帝国を捨てる。アントニーの言うように「この世などなくなってしま」ってよかったのか、それとも彼はただの恋におぼれた愚か者か?

シェイクスピアの中後期の劇――『から騒ぎ』や、書きながら演劇を再定義しているような『尺には尺を』など――は、10代前半で学校(それも有名でない学校)を辞めたような人がこんなすばらしい作品を書けたのかと疑う人が出てくるほどすばらしい。シェイクスピアの生涯について知られているかすかな手がかりを頼りに、シェイクスピア作品を書いたのはほかの人物ではないかと、別人説も浮上した。しかし、「別のシェイクスピア」のどれも疑わしい者ばかりだ。証拠が指し示す方向は、やはりストラットフォード・アポン・エイヴォンの手袋職人の息子なのだ。シェイクスピアがその円熟期に開拓したジャンル――喜劇、悲劇、問題劇、ローマ史劇、ロマンス劇――では、言葉遣いも徐々に洗練されていき、筋も複雑化していく。とりわけ喜劇には、暗い影が差しこんでいく。

1610年、キャリアの頂点にあった(まだ40代の)シェイクスピアは、今や裕福になってロンドンを引き払い、新たに入手した家紋を誇らしげに示しながら、生まれ故郷のストラットフォード・アポン・エイヴォンに紳士階級となって引退した(ふつうは1611年に『テンペスト』を執筆した直後と考えられている)。残念ながら長生きはしなかった。1616年、おそらくはチフスが原因で亡くなった――飲酒が原因などという世評があるが、それはちがうだろう。

シェイクスピアの最大の業績は4大悲劇――『ハムレット』、『オセロー』、『リア王』、『マクベス』――である。その偉大さにも、シェイクスピアの後期をおおう陰鬱な雲が暗い影を落としている。ひとり息子ハムネットを1596年に失った影響もあるだろう。たとえば、マクベスが最期の戦いとなったと気づいたときの最後の独白を見てみよう。

人生は歩く影法師。哀れな役者だ、
出番のあいだは大見得切って騒ぎ立てるが、
そのあとは、ぱったり沙汰止み、音もない。
白痴の語る物語。何やら喚きたててはいるが、
何の意味もありはしない。

Life's but a walking shadow, a poor player,
That struts and frets his hour upon the stage,
And then is heard no more. It is a tale
Told by an idiot, full of sound and fury,
Signifying nothing.

見事な複雑さがある。ここで役者が語るのは——そのほかのシェイクスピア作品でも同じだが——この世は舞台であり、グローブ座／地球（グローブ）と同じだということである。最後の「何の意味もありはしない」という言葉の虚無感たるや、まるでバタンと閉じられる扉のように耳を打つ。似たような響きは、4大悲劇のうち最も悲劇的な瞬間にも感じられる。すなわち、老いたリア王が——自ら瀕死の状態にありながら——愛する娘コーディーリアを腕に抱えて舞台に登場するときだ。

そして哀れな阿呆は首をくくられた。だめだ、だめだ、
生きていない。なぜ犬や馬やネズミには命があるのに、
おまえは息をしないのだ。おまえはもう戻らない。
もう二度と、二度と、二度と、二度と、二度と！
And my poor fool is hang'd! No, no, no life!
Why should a dog, a horse, a rat, have life,
And thou no breath at all? Thou'lt come no more,
Never, never, never, never, never!

「二度と」を5回繰り返すなんて、ほかの人がやったら、まったく陳腐、陳腐、陳腐、陳腐、陳腐だったことだろう。『リア王』の恐ろしいクライマックスはあまりに強烈で、優れたシェイクスピア批評家であるサミュエル・ジョンソンは、この場面を劇場で観ることも本で読むことも耐えがたいと述べた。
シェイクスピアが英語圏で最大の作家であることは、疑う余地はない。しかし、その全体像は決してわかりやすいものでも、また、心地よいものでもない。その点ももちろん、偉大さの秘訣なのである。

Chapter 8

本のなかの本——欽定訳聖書

何気なく文学作品ではないと思ってしまい、文学作品のつもりで読まないのがふつうだが、ジェイムズ王欽定訳聖書は、英文学の正典(キャノン)のなかで一番よく読まれているものだ(ちなみに、この「正典」という語は、ローマ・カトリック教会の「必読書」目録が語源である。教会はまた「読んではならない本」——禁書——の目録もさらに厳しく作り上げた)。

ジェイムズ王欽定訳聖書は今もって、世界じゅうで最も広く読まれている聖書である。どのアメリカのモーテルでも、ベッド脇の引き出しに1冊入っているのは、ギデオン協会の尽力のおかげだ。しかし、とても入手しやすいから広く読まれているわけではない。欽定訳聖書を第一級の聖書としているのは、その文体の秀逸さである。シェイクスピアが偉大な悲劇を書いたのとほぼ同時期の1611年に初版が出た。そして、シェイクスピアの悲劇と同様に、最高級の雄弁さ、繊細さ、美を備えた英語の見本となっている。だからこそ、キリスト教徒でない異教徒からも称賛を受けているのだ。聖書の翻訳は数々あれど――欽定訳聖書より正確で、より現代語に近いものもあるが――欽定訳聖書はその表現ゆえに世界じゅうで評価されている独特な本だ。その表現は、私たちの使う表現のなかにシェイクスピアの言葉よりも深く浸み込んでおり、場合によっては考え方にも影響を与えているとさえ言える。
欽定訳聖書の「文学的資質」は、説明するより示したほうがわかりやすいだろう。次の引用を比べていただきたい。新約聖書の最もよく知られた箇所であり、マタイが書きとめた主の祈りである。最初が欽定訳聖書、ふたつめが最近のアメリカでの翻訳である。

天にまします我らが父よ
願わくは御名(みな)の尊まれんことを
御国(みくに)の来たらんことを
御心(みこころ)の天に成る如く
地にも行われんことを
我等の日用(にちよう)の糧(かて)を今日も与え給え
我等が借りを赦し給え
我らが我らの借り手を赦すが如く

Our Father which art in heaven,
Hallowed be thy name.
Thy kingdom come.
Thy will be done in earth,
as it is in heaven.
Give us this day our daily bread.
And forgive us our debts,
as we forgive our debtors.

天におられるわたしたちの父よ
み名を敬うのをお助けください。
あなたがその王国を打ち建て、
地上の皆があなたに従いますように、
あなたが天で従われているのと同様に。
今日食べるものを私たちにください。
私たちの罪をお赦しください。
私たちがほかの人を赦すように。

Our Father in heaven,
help us to honor your name.
Come and set up your kingdom,
so that everyone on earth will obey you,
as you are obeyed in heaven.
Give us our food for today.
Forgive us for doing wrong,
as we forgive others.

かなりちがう。「私たちの罪」とは、「借り」と同じなのか。法律的には異なる。たとえば何かを抵当に入れて金を借りたところで罪にはならない。もちろん、どちらの訳がよいと思うかは、個人の好みによるだろう。しかし、文学的資質を聞き分ける耳がある人なら、最初の引用のほうが、どのような文学的基準に照らしても、美しいことを否定しないだろう。しかも、さまざまなイメージを喚起する。「我等の日用の糧を今日も与え給え」には視覚に訴えるものがあるが、「今日食べるものを私たちにください」はそうではない。

欽定訳聖書を文学と看做しにくいひとつの理由は、これが委員会によって作られたからだ。王が「権限を与えた」（authorized）けれども、「作家が書いた」（authored）わけではないのだ。だが、少し調べればわかるように、背後にはたったひとりの天才がいる。シェイクスピアが呼ぶところの「唯一の創造者」だ。そしてそれは、本の題名とは異なり、ジェイムズ王ではない。その人が誰かは、今すぐ明らかにしよう。

英語での欽定訳聖書の刊行には、おもに政治的な思惑が働いていた。ジェイムズ王は、ローマのラテン語訳聖書や礼拝方法とはまったく異なるプロテスタント礼拝の核となるテクストを提供することにより、宗教改革を強固にしようと――つまり、ローマ・カトリック教会ときっぱり袂を分かとうと――望んだのだ。ローマ法王からの独立を確実にするとともに、国を安定させることができる。それこそがイングランドの聖書となるはずであり、イングランドが生み出しうる最高の英語で書かれなければならない。

16世紀以前は、聖書はラテン語にしか翻訳されていなかった。ほとんどのキリスト教徒は、口頭で教えられたことを信じるしかなかった。1522年にドイツで初めて新約聖書をきちんとした俗語（民衆の言葉という意味）に翻訳したマルティン・ルターは、聖書は万人のものであるべきだと信じていた。信じるべきは神であって、神の解釈者を自任する者ではないと、ルターは主張した。かなり革新的なことだ。

ルターが嚆矢となり、英語の翻訳が続いた。最も重要で、かつ最も文学的な英訳が、ウィリアム・ティンダル（1491頃～1536）が1525年から手がけたものだ。「ティンダルの聖書」は、新約聖書と、旧約聖書の最初の5書（いわゆるモーセの5書）から成っている。ルターと同様にティンダルも、神の言葉は、すべてのイングランド人男女によって理解されるべきものだと信じていた。それは、当時のイングランドにおいては、ドイツにおいてと同様、急進的な考え方だった。

このウィリアム・ティンダルという男は何者なのか。その若い頃についてはあまり知られていない。その苗字さえ不確かだ。ある文書には「ヒッチェンス」と記載されていたりする。オックスフォード大学へ通い、1512年に卒業すると、さらに神学研究を深めるために大学に残り、個人教授をして生計を立てた。しかし、その経歴の最初から、ウィリアム・ティンダルを突き動かしていたふたつの大きな念願があった——どちらも、当時命に関わるほど危険だった。1520年代のイングランドはまだヘンリー8世が君臨していたカトリック国であったにもかかわらず、ティンダルは、ローマやローマ・カトリックに関するものすべてに反発しようとしていたのである。そして、聖書を自国語である英語に翻訳したいと願ったのだ。たとえ野を耕す者でも、労働者の言葉で神の言葉が読めるべきだという目標を掲げたのである。

1524年、ティンダルはドイツへ赴いた。そこで師匠のルターに出会った——と考えたくなるが、会ったかどうかはわからない。それから数年をフランドル地方で過ごして、ヘブライ語とギリシャ語の原典から直接翻訳にとりかかった。その新約聖書の訳本は、まずイングランドへ出荷され、当局側がそれを破棄しようと画策したにもかかわらず、広く読まれた。ティンダルは、ヘンリー8世の離婚問題で王と対立したため、帰国しようものなら命が危なかった。ヨーロッパでは、ティンダルの活動は、強烈な反プロテスタント派の神聖ローマ皇帝カール5世の注意を引いていた。ティンダルはどこでも問題を起こしてしまう性質なのか、フランドル政府とも仲たがいを起こし、裏切られ、異端のかどで逮捕され、ブリュッセルの北部にあるビルボールデ城に幽閉された。その裁判と死の模様は、数十年後に書かれた反カトリックのフォックス著

『殉教者の書』（1563）に記されている。きわめて感動的な本であり、ティンダルのような作家が自らの信条と自ら書いたもののために火あぶりにされるさまをまざまざと描いた貴重な資料となっている。

ジョン・フォックスによれば、「マスター・ティンダル」は、弁護のために弁護士をつけてやると言われたという。ティンダルは、自分の言葉で弁護できるとして断った。彼と会話をし、その祈りを聞いた者たちは、「この人が善良なるキリスト教徒でないとしたら、誰がそうなのかわからない」と強く思ったという。彼は、牢番のみならず、その妻や娘をも改宗させて、宗教とは何であり、何であるべきかという彼の新しい考え方を受け容れさせたのだった。

ウィリアム・ティンダルは、公平な裁判を受けることなく、自説を主張する機会も与えられなかった。カール5世はただこの面倒な男の処刑を命じただけだった。しかも、異端者として残酷な処刑法――生きたまま火あぶり――を採るように定めた。この判決内容は1536年10月にビルボールデにて施行された。死刑執行人は（この筆舌に尽くしがたいほど野蛮な状況下においては）人道的に、皇帝の命令に逆らって、ティンダルの体が燃える前に絞殺することでその苦痛を免除してやった。ティンダルの最後の言葉は、「神よ、イングランド王の目を開けさしめよ」であったという。ヘンリー8世の目は開くことはなかった。自分の結婚の取り決めに反対する者を決して赦すことはなかったのである。

ヘンリー8世は、ローマと劇的な訣別をすると、英語での大聖書の準備を命じ、ティンダルの聖書をそのテクストの基盤とすることを認めた。このティンダルによる最初の英訳聖書と1611年の欽定訳聖書とのあいだには、狂信的なカトリックのメアリ1世の治世があり、この女王はこうしたプロテスタントの聖書を異端として禁じていた。メアリの治世（1553〜58）の5年間は、新たな宗教的恐怖の時期だった。エリザベスが即位してプロテスタントに戻ると、ティンダルの聖書を含む英訳聖書はふたたび寛容されたのだ。

エリザベスの跡を継いだジェイムズは、イングランドのジェイムズ1世となる前はジェイムズ6世としてスコットランドを統治しており、以前から新たな公式英訳聖書に公的認可を与えたがっていた。急激に力を増し、政治的に不服従な清教徒（ピューリタン）たちも、これまでの聖書にあった不正確さを排除した翻訳を求めていた。ジェイムズは、1604年のハンプトン・コート会議にて、その壮大な計画を発表した。このいずれは欽定となる聖書がどの党派や宗派にも属せず、エリート階級にも特定の権利団体にも（もちろんウィリアム・ティンダルにも）属せず、イングランド国教会の長たる国王の所有となることは最初から明確にされていた。これによって世俗と精神界の権力が手を結び、政治と宗教が融合して、イングランドをローマの権威から永遠に解き放つのである。要するに、国王がその王座をさらに強固にするというわけである。今日に至るまで、新しい欽定訳聖書の印刷は、英国王室の許可がなければできない。

欽定訳聖書の作成委員会は、6つの学識団体から成り、約50名の学者が参加した。この委員会というよりは軍隊とも言うべき頭脳集団の存在にもかかわらず、欽定訳聖書の8割は80年前のティンダルの聖書から一字一句変えずにそのまま採用されているのである。創世記の冒頭の行句を、最初はティンダル訳で、それから欽定訳で比べてみれば、すぐにはっきりするだろう。

元始(はじめ)に神　天地を創造(つく)れり。
地は空虚にして闇深く、
神の霊は水の面(おもて)を動けり。
而して神言へり　光あれ　されば光ありき
神　光を善(よし)と観給ひ
光と闇を分かちて
光を昼　闇を夜と呼べり
かくして夕べと朝(あした)もて
最初の一日成れり。

はじめに神　天地を創造(つく)れり。
地は定形(かたち)なく空しく、
闇は深淵の面(おもて)にあり
神の霊は水の面(おもて)を動けり。
神　光あれと言ひ給ひければ　光あり

In the begynnynge God created heaven and erth.
The erth was voyde and emptie and darcknesse was
vpon the depe and the spirite of god moved vpon the water
Than God sayd: let there be lyghte and there was lyghte.
And God sawe the lyghte that it was good:
and devyded the lyghte from the darcknesse
and called the lyghte daye and the darcknesse nyghte:
and so of the evenynge and mornynge
was made the fyrst daye

In the beginning God created the heaven and the Earth.
And the earth was without forme, and voyd;
and darknesse was upon the face of the deepe.
And the Spirit of God mooved upon the face of the waters.
And God said, Let there be light: and there was light.

神　光を善と観給ひ
光と闇を分かちて
光を昼　闇を夜と呼べり
されば夕と朝が最初の一日と成れり。

And God saw the light, that it was good:
and God divided the light from the darknesse.
And God called the light, Day, and the darkness he called Night.
And the evening and the morning were the first day.

この調子で旧約聖書の5書が続く。ウィリアム・ティンダルの思いはこうして完全に日の目を見たことになり、現代であれば一字一句真似された盗作だとして学者6団体を訴えるところだろう。

この「本のなかの本」を労働者にでも誰にでも手に入るようにしたいというティンダルの思いどおりに、１６１１年の欽定訳聖書は、ジェイムズ王が定めた目標を見事に達成した。イングランド国教会の構造を強固にし、国王と議会とともに国教会が、現代にまで至る英国の礎となっていくのである。また、(ジェイムズ王は日曜の教会拝礼を義務化したので)少なくとも週に一度人々は地方地方での英語——「方言」——も耳にすることになった。毎週、欽定訳聖書から読み上げられる説教は、その後何百年と続く英国の知的かつ文化的素地に浸み込み、とりわけ作家はその恩恵を受けたのだ。必ずしもいつも聞こえるものでも見えるものでもないが、それははっきりとした影響を与え続けている。

欽定訳聖書——国王に感謝できる唯一の真の文学作品——を大切に思うとき、ウィリアム・ティンダルを忘れてはならない。彼こそは、シェイクスピアを含む英語の第一級の作家に匹敵する作家なのである。

Chapter 9 縛られぬ心――形而上詩人

英文学において短い「抒情」詩を書く名手は誰かと詩を愛好する人にたずねれば、しばしば挙げられる名前はジョン・ダン（1572〜1631）だろう。ダンは形而上（メタフィジカル）と呼ばれる詩人の一派を率いていた。ちなみに、その呼称は無視してよい。なぜこれらの作家がそのように呼ばれるか満足のいく説明ができた人はいまだかつていたためしがないのだ。正確を期したければ、ほとんどの文学史家たちが呼びならわしてきたように「ダンの一派」と呼ぶのがよいのだが、形而上（メタフィジカル）には実に興味深い響きがある。

ダンは、後代の世評を気にして書いたりはしなかった――少なくとも、今日ダンが最も称賛を受けている若書きの恋愛詩はそうだ。年をとって青春期の無謀さを後悔するようになってから――友人にして伝記作家のアイザック・ウォルトンが呼ぶところの「悔悟の年」において――立派な司祭となると、初期の作品を廃棄しようとした。そんなものは「埋葬」してしまいたいと述べたのだ。

ダンは、晩年、宗教詩を最も評価してもらいたがった。確かにすばらしい詩であり、とりわけ「聖なるソネット」のなかの最も有名な「死よ、驕るなかれ」では、真のキリスト教徒は死を恐れる必要はなく、戦うべき敵として死に立ち向かい、打ち倒すのだと勇ましく語っている。その詩は（たいていのソネットと同様、14行の長さであり）このようにはじまる。

死よ、驕るなかれ。汝を恐ろしき強き者と
呼ぶ人あれども、さにあらず
汝が倒せしと思ふ者、死してはをらず、
哀れ死よ、知れ、そは我をも殺し得ぬものと

Death be not proud, though some have called thee
Mighty and dreadful, for, thou art not so,
For, those, whom thou think'st thou dost overthrow,
Die not, poor death, nor yet canst thou kill me.

「汝」(thou, thee) は今では古めかしく聞こえるが、当時は自分より下の者（子供とか召し使いとか）へ呼びかけるくだけた表現だった。「あなた」(you) は改まったときに用いられた。つまり、ここでは、この表現は見下す気持ちを表わしているのだ。のっけから、相手に対して、そんなに強いなら、かかってこいと挑戦しているのであり、多くのダンの詩がそうであるように逆説――ふたつのことを同時に成立させる矛盾――の上に成り立っている。この詩の逆説とは、死が殺したと「思ふ」人は実は永遠の生を得ているということだ。死は敗者であり、これからも敗者であり続けるのである。

ダンは、宗教的な主題をめぐる説教や荘厳な瞑想によって人々の記憶に残りたいとも願っていた。それらはすばらしく書かれてはいるが、今日その全体を読もうとする人はあまりいない。説教の一部は純粋に文学的楽しみのために読まれることはあるものの、ダンは、そんなふうに読まれることには腹を立てるだろう。次の「瞑想17番」からのすばらしく長くうねるような文は、神学的真理を表現するダンの好例であるが、真に偉大な文学でなければこのように胸に迫ってくることはないだろう（原文の綴りも、効果を増すと思うので、そのままに引用する）。

何人(なんぴと)も島にはあらず、
己(おのれ)のみにて成らず。
人は誰もが大陸(おか)の土塊(つちくれ)、
大なるものの一部なり。
土塊の海に流さるれば、
欧州はそれだけ欠くる。
そは岬欠くるに似て、
友或は汝の土地失くすに似る。
誰(たれ)が死すとも我縮む、

No man is an Iland,
intire of itselfe;
every man is a peece of the Continent,
a part of the maine;
if a Clod bee washed away by the Sea,
Europe is the lesse,
as well as if a Promontorie were,
as well as if a Manor of thy friends or of thine owne were;
any mans death diminishes me,

我は人とつながり居(を)るため。　because I am involved in Mankinde;
故に誰(た)がために鐘は鳴るかと　and therefore never send to know
人を遣(つか)はし問ふなかれ、　for whom the [funeral] bell tolls;
そは汝(な)がために鳴るなり。　It tolls for thee.

人は皆死ぬ。現世から生きて逃れるすべはない。だが、それを個人的な悲劇と捉えるべきではなく、私たちは地上のほかの全員の運命と強い絆で結ばれていると考えればよいのだ。今の私のような言い方をすると身も蓋もないが、ダンのような表現ならすばらしいものとなる。

ダンの宗教詩や散文は偉大ではあるが、最も影響力があって今日でも詩集などに収められることが多いのは奔放な青年時代に書かれた「唄とソネット」である。もともとは、ダンと同じように賢く知的で大胆な友人たちの小グループで楽しむために、手書き原稿の形で読みまわされたものだ。ダンの詩は、きわめて洗練されたものであり、挑戦的で、ときにはすさまじい。現代の読者は、詩を読んでいるのではなく、難しいパズルを解いている気になるかもしれない。正しいアプローチをすれば、それもまた楽しみのひとつとなる。

形而上詩人たちは博識だが、とりわけ《ウィット》に富んでいる。《ウィット》とは、機知という意味だが、それが彼らのもくろみの核を成す。そして形而上詩人のうち、ジョン・ダンほど《ウィット》に富んだ者はいない。彼らが最も評価するのは、《奇想(コンシート)》と呼ばれる、こじつけぎりぎりの大胆な発想だ。文学の場合は常にそうだが、説明するより示したほうが早い。最もよい例は、ダンがおそらく若い頃に書いた短い詩「蚤（のみ）」であろう。

この蚤を見よ、そしたらわからないか、　Mark but this flea, and mark in this,
君が拒んでいることが如何に些細（ささい）か　How little that which thou deniest me is;
蚤は僕の血を吸い、君のを吸う、そののち　It suck'd me first, and now sucks thee,
この蚤のなかで交じり合うのさ、僕らの血　And in this flea our two bloods mingled be.

詩人は何を言おうとしているのか。謎を解くために詩を少し分析する必要がある。この詩が語りかけている若い婦人は、どうやら詩人の熱心な口説きに応じようとしないらしい。詩人のほうは、その詩心を最大限に生かして、婦人の心を射止めようとしている。

ダンは、ふたりが一緒になるとはどういうことかを問う。そして、蚤のつまらなさでもって説明する。ちっちゃくて、些細なものだ。たった今見つけた蚤を指さして（たぶん指先でつぶして、血が飛び出たのだろう）、さらに口説こうとする。蚤はふたりの体から血を吸った——そうすると、ふたりの体液はすでにひとつになったことになる、と。この詩のほかのところで、英国国教会の礼拝や、キリストの血を表す聖体拝領のワインへのかなり際どい言及もある。

ふたりの血がもう交じり合っているなら、どうしてふたりも交じり合ってはいけないのだろうと、この詩は《ウィット》を利かせてたずねる。この詩が語りかける若い婦人が、頭のいい恋人に身を任せたかどうかはわからない。しかし、若き欲望の対象となる女性が、これほど文学的に口説かれることも滅多にないだろう。そして、何百年も経って、私たちはこれを単純に詩として楽しめるのである。

ダンが死んで、クロムウェル率いる清教徒（ピューリタン）がイングランド内戦（１６４２～５１）に勝利すると、不道徳な恋愛詩は厳しい検問を受け、否定された。当然「蚤」のような詩も——この若い男女は明らかに結婚していないのだから——禁じられた。そのあとの18世紀は洗練された古典（ラテン語とギリシャ語の）世界の模倣をしたため、ローマ文学史上最盛期のアウグストゥス時代の名をとって「文芸全盛期（オーガスタン）」と呼ばれた。形而上的な知的想像力など無謀すぎると批判した時代だ。古典主義者が問題としたのは不道徳性ではなかった。文学的手法があまりにも大胆すぎると考えたのである。

文芸全盛期における最も権威ある人物サミュエル・ジョンソンは、ダンの詩は「まったく異質な概念がむりやり——暴力的に——つなげられている」と批判した。たとえば、蚤の血を宗教的な形象（イメジャリ）とつなげるなど無茶だと思われたのだ。別の有名な例では、ダンは離れ離れの恋人たちを、頭だけつながっているコンパスに喩（たと）えたが、ジョンソンに言わせれば、これも「不作法（インデコーラス）」であり、上品さに欠けることになる。そうした《奇想》が至る所にある。ジョンソンは、詩は規則に従うべきものであり、規則をばかにするものではないと信じていたのだ。

そうした抗議の声はあるにせよ、形而上詩人の評判は、何世紀もあとになって上昇してきている。イングランドの詩の発達において重要な働きをしたとますます評価されてきているのであり、それも当時の詩が優れているからだけではなく、現代の作家へ与えてきた影響の大きさゆえである。この17世紀の詩人たちの偉大さと重要性を最も効果的に論じたのは、偉大な20世紀の詩人T・S・エリオットだ。ダンのような詩人は、エリオットに言わせれば「非分離の感受性」があるのだと言う。この聞いたこともないような表現でエリオットが意味しているのは、次のようなことだ――ダンとその一派には、書くべき「詩的題材」とか、書いてはならない「非詩的題材」とかはない。詩人はナイチンゲールやキジバトについて詩を書くように、蚤について抒情詩を書いたってよいのであり、形而上詩には高きものと低きものを結びつける力があると、エリオットは評価しているのである。あらゆる生命がその詩には含まれるのであり、除外されるものはない。それこそ、エリオットのような詩人としては、学びたいところなのだ。

晩年、きちんとした結婚をしてロンドンの聖ポール大聖堂の参事会長となったときも、ダンの詩は――もはや不道徳な調子はなくなり、神聖なものとなっていたが――驚くべき知的大胆さに彩られていた。ジョンソンの言う、想像力の「暴力」は最後まで健全だったのだ。文字どおり最期まで。その死の床で、ダンは自らの迫りくる死について「病床から、神へ、わが神へ捧ぐ賛歌」と題した詩を書いた。捧げるのは若い女性ではなく、もうあと1、2時間もすれば対峙することになる創造主である。この詩は、これから神の美しい聖歌隊に永遠に加わって歌う歌のリハーサルともなっている――詩人は死の部屋にいるのではなく、一種の教会付属室にいて、これから教会のなかへ入っていこうとしているのだ。最初の3連を紹介しよう。

あの聖なる部屋へ、いざ行こう。
　そこで永遠(とわ)なる聖者の合唱隊に参加しよう。
汝の音楽に、私はなるのだ。行く前に聴こう、
　わが楽器の音色がよいか、入り口で調整しよう。
　そのときすべきことを、今ここで考えよう。

Since I am coming to that Holy room,
　Where, with Thy choir of saints for evermore,
I shall be made Thy music; as I come
　I tune the instrument here at the door,
　And what I must do then, think here before;

わが医者たちは、私を慈(いつく)しむ
　地理学者となって、地図となった私を診療。
この床に平らに横たわる私に告げ聞かしむ、
　わが探検の最終目的地は南西にある秘境、
　私が死ぬのは、この熱の海峡という苦境。
嬉しい哉(かな)、海峡から西の果てが見える。
　その潮流は、確かにどこへも戻らぬ流れ。
だが、西で傷つくことはない。西は東に蘇る、

Whilst my physicians by their love are grown
　Cosmographers, and I their map, who lie
Flat on this bed, that by them may be shown
　That this is my south-west discovery,
　Per fretum febris, by these straits to die;
I joy, that in these straits I see my west;
　For, though their currents yield return to none,
What shall my west hurt me? As west and east

平たい地図（私もその一部）の端と端がつながれ、　In all flat maps (and I am one) are one,
復活の朝（あした）と接する死の黄昏（たそがれ）。　So death doth touch the resurrection.

この賛歌は、ダンが書いたもののなかでも最も大胆だ。複雑な思考の線をたどるには、読者はかなりの努力をしなければならない。《奇想》は、イワシ缶のようにぎゅっと詰まっている。詩人の死は、探検の旅となる。人生の最期の旅において大航海に乗り出すのだ。詩人の医者たちは——やがて解剖をすることになるのだが——宇宙学者たち〔詩における cosmographer は現代英語の「宇宙学者」ではなく、「地理学者」を意味するが〕が宇宙を発見するように、詩人の遺体を地図と看做してその目的地を確認するだろう。詩人はどこへ行くのだろうか。西へ、墓という冷たく暗い夜のなかへ。しかし、そこへ着くためには、東を通過せねばならず、死に至る「熱の海峡」という熱い「苦境」を通らなければならない。詩人の友人ウォルトンは、ダンが「ほかの人には恐怖の王者と思える死を恐れるどころか、自分が溶けてなくなる日を待ち望んでいる」と記した。全能の神が、私たちと同じように、すばらしい詩を称賛してくれることを祈るばかりだ。

ダンの複雑さが少し濃すぎてなかなか呑み込めない人には、仲間の形而上詩人ジョージ・ハーバート（１５９３〜１６３３）のずっとシンプルな詩がお薦めだ。ダンと同様に、ハーバートは聖職者だったが、あまり身分の高い地位にはつかなかった。田舎の教区牧師であり、そのような身分の低い聖職者が日々の務めをどのように実行すべきかについての手引書を著している。そしてまたきわめて平易な韻文も書いた。次に記すのは、その詩「美徳」の冒頭部分である。

甘き日よ、涼やかで、静かで、明朗、
大地と空との婚礼から
生まれて今夜倒れる君を、露は目にして泣くだろう
　君は死なねばならぬから

Sweet day, so cool, so calm, so bright,
The bridall of the earth and skie:
The dew shall weep thy fall to night;
　For thou must die.

ここでの《奇想》、つまり主たる発想は、夜とは死の予兆だということである。夜は大地と空の子である――暗闇でふたつは交じり合い、境目がわからなくなったとき、地平線に夜が生まれる――という第2の発想は、美しくも独特なものだ。しかし、この表現の平明さを見てほしい――どの単語も単音節で、例外はbridall（ブライダル）だけだ（「婚礼」の意味と、2頭の馬をつなぎとめる馬勒（ばろく）（bridle（ブライドル））などの「束縛」の意味との掛詞になっている）。

これほど単純な――ダンの場合で言えば「低級な」――素材から複雑な詩が書かれたことがあっただろうか。エリオットの言うとおりだ。形而上詩は、あらゆる規則を破壊する詩なのだ。だからこそ偉大なのである。

Chapter 10 国民の興隆——ミルトンとスペンサー

「よき女王ベス」の愛称で親しまれたエリザベス1世の治世の45年間に、文学には新たな感覚が——国民的な誇りとあふれるような自信が——生まれた。イングランドは自らを「偉大」であると感じており、古代ローマの偉大さに匹敵すると大胆に考える人々もいた。その感覚は、文学においてはふたつの形をとった。他のきわめて優秀な国の文学形式を取り込みつつ、イングランドについて書くことと、英語で書くこと。要するに、国民主義が舞台中央へ出てきたのである。

イングランドについての最初の偉大な英詩は、エドマンド・スペンサーが1590～96年に書いた『妖精女王』である。エリザベス女王の成熟した治世時代に執筆され、女王に献呈された。スペンサーは、詩人であると同時に宮廷人であり、軍人であり、大胆な賭けに出る政治家でもあった。プロの作家ではなかったのだ。作詩はスペンサーの主たる収入源ではなく（金を与えてくれるパトロンがつくのも夢ではなかったかもしれないが）、英文学における傑物になろうという野心があったわけでもない。皮肉なことに、そうなってしまったわけだが。

エドマンド・スペンサー（1552頃〜99）は、勃興中産階級の裕福な布職人の息子として生まれ、ケンブリッジ大学で教育を受けた。卒業後は、アイルランドで植民地統治官として、主に軍法を施行し、問題を起こす者たちを排除し、叛乱を鎮圧する仕事をしていた。実に手際よく、ときに残酷な手段で任務を果たした。その褒美として、女王からアイルランドの土地を与えられた。

スペンサーは野心家だった。エリザベスから与えられた以上を求めた。褒美はその野心に火をつけ、女王に取り入ろうとして『妖精女王』を構想した。この詩には、別なやり方で女王を喜ばせようとしていたサー・ウォルター・ローリーへの手紙が序文としてついている。ローリーは、英国を世界の海洋を支配する大帝国にしようとしていたのである。

『妖精女王』のおかげでスペンサーはわずかの年金を得たが、残念ながら、求めていた大きな愛顧は得られなかった。その結果、人生は失望へと落ち込む。その城は1597年のアイルランド叛乱で焼け落ち、この襲撃で家族の何人かを失ったようだ。彼はロンドンへ戻って、40代なかばで困窮のうちに死んだ。なぜ一文無しで死んだのかはわからない。

スペンサーは政治家としては芽が出なかったが、詩人としての業績は目覚ましかった。その墓が、ウェストミンスター寺院の《詩人のコーナー》の師匠ジェフリー・チョーサーの墓の隣にあるのは、スペンサーにふさわしいことだ。その死に際しては、当時の有名詩人たち（シェイクスピアも含んでいたと言われる）が、追悼詩を墓に投げ入れた。彼の死を悼んだというよりは、彼によって英文学の新時代がはじまったとして詩人たちは言祝（ことほ）いだのである。

『妖精女王』の主題はイングランドそのもの、つまり栄誉と栄光（グロリアーナ）だ（「グロリアーナ」は、妖精の宮廷における女王の名であると同時に、エリザベス女王の異名でもあった）。叙事詩として、当初全12巻となる予定だったが、スペンサーは6巻しか完成しなかった。それでも英語で書かれた最長の詩の部類に入るし、さらっと読めるものではない。『妖精女王』の計画の半分となる完成した6巻は、国家形成に必要な6つの美徳を1巻ずつ掲げている。6つの美徳とは、神聖、節制、貞節、友情、正義、礼節である。それぞれ別々の、5人の男性とひとりの女性からなる英雄的騎士として具現化され、いずれも鎧を身にまとい、世界を正して異教や原始社会に文明をもたらすための冒険へと乗り出す。この詩の誕生経緯や題名を考えると、第3巻に登場する女性騎士ブリトマートにはとくに興味を惹かれる。本書が称賛してはばからない処女女王エリザベスと同様に、ブリトマートは戦闘的な貞節の権化だ。誰も彼女を支配したり自分のものとしたりはできない。エリザベス女王がこの詩で好きな箇所があったとしたら、まちがいなくここだろう。

スペンサーの詩は、今日では「スペンサー詩体」と呼ばれる形式で韻を踏む韻文で成っている。複雑な押韻形式であり、修得するのはひどく難しい。《詩語》、つまり高尚な言葉で書かれている。『妖精女王』から、英詩の言葉は当時の日常語でもふつうの書き言葉でもないという約束事がはじまるのである。『妖精女王』の主たる詩的技法は《アレゴリー》――あることを、別のまったくちがうもので表す方法――である。

詩の最初の《スタンザ》（連）を見てみよう。詩語とアレゴリーの好例となっている。

気高き騎士が平野を突き駈ける。
強き鎧に身を固め、その盾 銀（しろがね）なれども、
そこには古傷、深く刻まれける。
血塗れの数多の戦（いくさ）の惨き跡。されども、
その武器未だ振るふことなし、一度も。

A Gentle Knight was pricking on the plaine,
Y cladd in mightie armes and siluer shielde,
Wherein old dints of deepe wounds did remaine,
The cruell markes of many' a bloudy fielde;
Yet armes till that time did he never wield:

16世紀でさえも、こんな擬古文で実際に話す人はいない（ちなみに「突き駈ける」とは、騎士が槍で馬を突いて疾走させていることを意味する）。しかし、これこそがスペンサーが求めていた効果――異界の（「妖精」の）効果――なのだ。そして、韻文には、「神聖」（第1巻が掲げる美徳）にまつわる意味が盛り込まれている。たとえば、なぜ騎士は傷ついた鎧に身を固めているのか。詳細に見ていくと、私たちの先祖が大いなるキリスト教の戦闘に勝利したことがわかってくる。私たちは神聖さを証明するために、殉教者となったり火あぶりにされたりする必要はないのだ。詩のどのスタンザにも、アレゴリーがぎっしり詰まっていて、スペンサー風の作られた言葉遣いがこってり盛り込まれている。

次の世紀に、英詩はまた重要な一歩を踏み出す。ジョン・ミルトン（1608〜74）の登場だ。エリザベ

ス女王の死以降、イングランドは宗教闘争に巻き込まれ、そこでミルトンは共和派として活躍した。国はまだどのような形になるか定まっていなかった。しかし、『妖精女王』に顕著に表れていた国家としての自信は、共和政府時代にミルトンが書きはじめた『失楽園』にも同様に表出していた。この本はチャールズ2世時代の1667年に印刷された。ミルトンは、自らの文学的先達スペンサーから主たる影響を受けたことを率直に認めている（スペンサーがチョーサーからの影響を認めたように）。英文学は今や偉大な「伝統」となったのだ。これらの3人の詩人は、鎖のようにつながっている。

『失楽園』において、ミルトンはかなり大胆なことをはじめている。ウェルギリウスの『アエネーイス』やホメロスの『オデュッセイア』に匹敵するような叙事詩を書こうとし、ミルトンの言葉を引用すれば、「人に対する神のやり方の正しさを示す」ために、その叙事詩を用いようとしたのだ。言い換えれば、聖書の最初の数書を語り直し、そこに書かれた神学的難問をはっきりさせようというのである。たとえば、「知恵の実」を食べるのは本当に悪いことなのか。エデンでは、アダムとイヴは何の仕事もしていなかったのか。ふたりは「結婚」していたのか。ミルトンはそうした問題をこの詩で扱った。それは、ミステリー劇（今やそれを生んだ町々からもすっかり消えてしまった街頭演劇）にあったのと同じ種類の使命である。しかし、ミルトンが作り上げたのは、決して街頭文学ではなかった。『失楽園』は高度に教育を受けた読者を想定しており、できればある程度のラテン語の知識もあったほうがいい。

ミルトンは『失楽園』執筆をライフワークと捉えて、信じられないことだが、視力を失ってから書いている。『失楽園』は、ふたつの難問からはじめられた。ひとつめは、何語で書くべきか。ミルトンは学者だった。学者の言語は、これまで何世紀も古代ギリシャ語とラテン語だった。ミルトンはどちらにも精通していた。ラテン語でたくさんの詩も書いてきた。この詩が真にウェルギリウス的ないしホメロス的なものとなるべきなら、彼らの言葉を用いるべきではないのか。結局、英語を用いることにしたが、古典語にかなり影響された英語にしたので、ラテン語のように聞こえるところがある。

第2の難問は、どのような「形式」で書くべきかである。学者としてアリストテレスの『詩学』は熟読しており、このギリシャ人批評家が悲劇を最も気高い文学だとしたことを覚えていた。ミルトンは自分の大作を、ソフォクレスの『オイディプス王』ばりに悲劇として書く構想をしばらく温めていた。「楽園を失いしアダム」という悲劇の計画さえ書いていた。結局、よりゆったりとした語りの形式である叙事詩を選んだ。なにしろウェルギリウスのように、偉大な国民の誕生を祝うような文学作品を作るつもりだったからだ。イングランドは今や偉大な国だとミルトンは信じていた。それこそが、『失楽園』を書くにあたってミルトンが選んだふたつの選択の背後にある考えなのである。

ミルトンがその大いなる使命を成功させたかどうかは、議論が分かれる。蛇がアダムとイヴを誘惑する物語を語り、さらにはサタンと神との戦いをこの詩の最初の2巻で語ることで、詩人ウィリアム・ブレイクが述べたように、ミルトンは「いつの間にか悪魔の側へ寄っている」のである。ミルトンは、自分がどちら側なのかはっきりとわかっていない。サタンは叛逆者であり、そしてまたミルトン自身も叛逆者だった。命を賭してチャールズ2世と敵対したのだ。「天国で仕えるよりは、地獄を支配したほうがましだ」と、サタンは言う。文脈上、それは英雄的に聞こえる。それにミルトンは、彼個人が「知恵の実」を食べなかったかどうか、明らかに自分でもわかっていない。「罪はない」という意味で無垢（イノセント）であったとしても、「まったくの無知」という意味でイノセントでいられたか――結果がどうあれ、「知恵の実」を欲したのではないか。しかも、ミルトンの男女関係の見方は、多くの現代読者が首をひねるものだ。アダムとイヴは最初このように描写される。

きわめて気高き姿をした直立の背高きふたり、
神の如くすっくと立ち、生まれ乍（なが）らの名誉を纏い、
裸の荘厳さを召し、万物の主と見えたり。
男は豪胆を糧に沈思黙考を成し、
女は魅力的な優雅さ以て柔和を成した。
男は神だけのために。女は男の神のために。
男の美しき大きな額（ひたい）と崇高な目は
絶対的支配を告げていた。

Two of far nobler shape erect and tall,
Godlike erect, with native honour clad
In naked majesty seemed lords of all.
For contemplation he and valour formed,
For softness she and sweet attractive grace;
He for God only, she for God in him.
His fair large front and eye sublime declar'd
Absolute rule

「男は神だけのために。女は男の神のために」は、現代読者が引っかかる行だ。ミルトンのほのめかしを受

けた挿絵画家たちは、伝統的に（お決まりのイチジクの葉をつけた）アダムがうやうやしく天を仰ぎ、そうしているアダムの顔をイヴがうっとりと眺めている絵を描いてきた。しかし、詩の後半で、イヴはこの「絶対的な」妻としての服従に叛旗を掲げ、自分ひとりでエデンの園の世話をしに行くと主張する。イヴが家庭内で抵抗をしたことで、もちろん悪知恵の働くサタンの誘惑に屈しやすくなり、サタンは（今は蛇となって）イヴを口説いて、さらに自分のやりたいようにやりなさいと、禁断の知恵の実を食べるようにと唆す。

もうひとつの議論の核は、ミルトンがこの詩のために作った「英語」だ。圧倒的に、ときには激しくラテン語化されている。まるで古典語で書こうとした思いを諦めきれなかったかのようだ。次の、エデンの植栽について描写する第7巻からの引用は、ミルトン的語法のよい例である。

立ち上がりたるトウモロコシの葉、
野に戦隊を組んだ。慎ましき木立、
茂みが模糊とした縮れ毛生やし、最後に
踊り上がるは堂々たる木々、大枝を広げ
豊穣たる実を垂らす。あるいは宝石の
花を咲かせ……

... up stood the corny reed
Embattled in her field: and the humble shrub,
And bush with frizzled hair implicit: last
Rose as in dance the stately trees, and spread
Their branches hung with copious fruit; or gemmed
Their blossoms ...

BBCラジオの人気番組「庭園愛好家の質問コーナー」で使われるようなわかりやすい園芸用語ではない。詩人T・S・エリオットに言わせれば、『失楽園』におけるミルトンのラテン語的語法は、文学のまわりに一種の「万里の長城」をめぐらせているような不快感を抱かせるという。文学の言葉は、ロマン派詩人ワーズワースが言う「人々の言葉」に近いものであるべきで、ラテン語で思考してその思考を英語に翻訳するような——ミルトンはときどきそうしているように思えるのだが——衒学者や学者の言葉であるべきではない。しかし、ミルトンの詩と英詩一般にとって一番重要なのは、ミルトンのような偉大な詩人の手によって、英語でも古代の叙事詩に匹敵する叙事詩が書けることが証明されたことだ。

『失楽園』には、ほかにもいろいろ問題がある。たとえば、詩は、聖書を読んでわかる以上に、聖書の説明となりえるのだろうか。答えはすぐに出ない。偉大な文学は常にものごとをすっきりとはさせない。難問にサクッと答えたりはしない。むしろ、ものごとの複雑さを教えてくれる。

ミルトンは、その12巻のうちの第1巻で、この詩の目的は読者をよりよいキリスト教徒とすること、少なくともより賢いキリスト教徒とすることであると、自信たっぷりに宣言している。本当だろうか。その高邁(こうまい)な宗教的使命が果たされたと言う読者もいたかもしれない。しかし、『失楽園』の主たる業績はそこにあるのではなく、完全に文学的なものだ。つまり、英文学や英語で書く詩人たちが発展してゆける道を示し、その礎を築いた点こそが重要なのだ。その礎が、その後、主題においても、表現においても、イングランド独特な英文学を支えていったのである。

Chapter 11 文学は誰の「もの」?——印刷・出版・著作権

皆さんが今手にしている本は文学作品ではないが、わかりやすい例として本書を取り上げてみよう。書いたのは私であって、私の名前が表題に記されており、著作権者としても記載がある。だから、これは私、ジョン・サザーランドの本だ。しかし、あなたが持っている本を私が所有していることになるだろうか。ならない。物理的な本は私のものではない。あなたが買ったのなら、あなたの本だ。しかし、私がこの本を書いている最中に誰かが私の家へ押し入り、私のコンピュータを盗み、書きかけの原稿を見つけて、自分の名前で出版したとしてみよう。どうなるか。もともとの原稿が私のものだと証明できるとして、私はその泥棒を著作権侵害で訴えることができる。私の許可なく私の原稿をコピーして自分のものとして出版したからだ(「盗作」に相当する)。

現代の著作権法(コピーライト・ロー)が18世紀の初頭から発達した背景には、文学作品が新しい形式でどんどん入手できるようになってきたことがある。20世紀の映画への翻案（第32章）や今日の電子書籍やインターネットの挑戦（第40章）などを含めて、新しい技術革新に常に対応する必要があった。しかし、その本質において、コピーライト（著作権）とは、「コピーしてよい権利」なのだ。あなたが今読んでいる本の著作権者として、私はイエール大学出版局にのみ、原稿をこの本の形で刊行することを許可したのである。

「文学作品」と呼ぶのは、作家が――文字どおりに――作った品だからだ。それを入手した出版社は、その会社の目録（カタログ）に「タイトル」として記載する。「タイトル」とは「所有権」の意味でもある。最後に、販売のために本が大量に作られ、その一冊一冊を英語では「コピー」と呼ぶ。皆さんは、私の作品のコピーを手にしているわけだ。それぞれの立場の人がちがった形で本を自分のものとする。本の愛好家たちが集まる会を想像してみよう。主催者は本でぎっしりの棚を指して、「私の蔵書を見てください！」と誇らしげに叫ぶ。作家は、本棚に目を走らせて、「私の本をお持ちですね――おもしろかったですか？」とうれしそうに言う。出版者もまた本棚を調べて、「私どもの本をたくさんお持ちでうれしいです」と言う。皆ある意味で正しい。主催者は物理的な品の所有者であり、出版者は特定の形式を作ったのであり、作家は書かれた言葉を生み出したのだ。現在、本が書かれ、出版され、販売される過程に多くの人たちが関わっている証左にもなる。

本書が生まれたのは、私がイエール大学出版局との契約に署名し、私の原稿を本として出版する権利を出版局に与えたときだ。私の原稿がきちんと出版局に届けられると、出版局の費用によって編集され、装丁され、校正刷りを経て印刷され、表紙をつけて製本され、販売に備えて倉庫で保管される。そのすべての費用は出版社が負担し、できあがった物理的な本は出版社のものとなる。次に、さまざまな小売店へ配本される。物理的な店もあれば、インターネット販売もある。図書館もある。物理的な本は、配本された先の所有となる。ついには、皆さんが客としてこの『若い読者のための文学史』を購入し、家へ持ち帰る（あるいは、図書館から借りたなら図書館に返す）。今日では、書籍の刊行は、印刷会社や書店とはちがう会社によって行われるのが一般的だ。しかし、20世紀まで、出版と印刷は、たいてい書店（書籍販売業者）によってなされていた。

歴史上さかのぼれるかぎりの昔から、本の出版を規制してさまざまな人の権利を守るための法律ができるまで、何千年もかかった。守るべき大量の文学作品が必要だったのだ。そして、そうした法律ができて初めて、文学作品を商業ベースで配本する仕組みとしてのちゃんとした産業が発展し、雑多な書き物や口承物語や小唄と区別された「文学」がしっかりと大きく成長するようになったのである。

現在、文学が生まれる環境を整えている法律と商業の枠組みは、これまでいろんなことがあってできあがったものだ。読み書きの能力や教育機関は、市場の形成に欠かせない。もうひとつ重要な前提条件は、巻物からの脱却だ。アレクサンドリアにあるような大きな古代の図書館にあった巻物から、写本と呼ばれる、あなたが読んでいる本のように、切られてページ番号が振られた本の形への切り替えがあったのだ（写本の英語「コーデックス codex」は木塊を意味するラテン語 caudex に由来し、複数形は codices となる）。

手書きの写本は、言葉そのものと同様に、古代ローマが発祥の地である。迫害されたキリスト教徒たちが（聖書を持っていなかった異教のローマ人とはちがって）大切な聖書を、詮索好きな目から隠しておこうとしていたからだ。写本のほうが、大きな巻物よりも小さく、こっそり隠しておけたのである。

昔は、手書き写本を作成するには、膨大な手作業が必要だった。美しい挿絵が入っていたり、立派な装丁がされていたりして、職人というよりは芸術家のような技能の高い写字生が写す場合には、場合によっては何年もかかる作業だった。大きな図書館に残っているこうした写本の多くは、裕福な個人か機関（君主、教会、尼僧院、貴族など）が作成を依頼したものである。写本が作られる作業場のことを写字室（スクリプトリウム）と呼ぶ。15世紀までに教育のある読書家が容易に手にし得た文学作品の総数は、1000ないし2000に及ばないと言われている。たとえば『カンタベリー物語』の学僧は、仲間の巡礼者たちからすごく学があると言われているが、6冊しか本を持っていない。

このように本が少なかったので、多くの人は自分で本を読んだり所持したりせずに、読んでもらう慣習があった。印刷機の登場より50年前の時代、チョーサーが自らの偉大な詩を書見台から人々に読んでいる有名な19世紀の絵がある（書見台は、大学の講義室にまだ残っているが、もともと一冊しかない本を声を出して読むために用いられた。講義を意味する英語「レクチャー」は、ラテン語の「読者（レクトール）」に由来する）。

大衆消費市場への本の供給の前提となったそのほかの条件としては、13世紀頃東洋から導入された製紙法の発見がある。それ以前は、重要な書き物は羊皮紙かベラム（洗って乾燥させた動物の皮）に書かれたり、木に彫られたりしていた。安い紙のおかげで15世紀後半に大きな革命への道が拓けた。印刷である。

印刷といえば、ドイツのヨハネス・グーテンベルク、イングランドのウィリアム・キャクストン、イタリアのアルドゥス・マヌティウス（斜字体(イタリック)の発明者）といった有名な先駆者たちを思い出して、西洋のものだと思いがちだ。実は、発祥は中国なのである。しかし、中国人は大きな問題を抱えていた。中国の書き言葉は、漢字という何千もの文字に基づいており、そのひとつひとつが小さな積み木サイズの木片に彫られていた。ちょっとした文を書くのにそれが60個は必要となり、ちょっとした壁ができてしまう。

西洋の表音のアルファベットは、26文字しかなく、句読点を示す記号も6つぐらいだ。印刷するにはすばらしく適していた。「フォント」と呼ばれるものへ溶けた鉛を流し込んで必要な活字(タイプ)を作る（大文字は上段の棚に保管したので、いまだに大文字のことを「アッパー・ケース」と呼ぶ）。初期の印刷業者の多くは、グーテンベルクのような金細工師であり、熱い金属を扱うのに慣れていた。活字をページの形をした組版に並べ、インクを塗れば、「プレス」と呼ばれる機械で必要な枚数をいくらでも印刷できた。この印刷機(プレス)は、小さくしたければかなり小さく――現在のズボンプレッサーの2倍程度に――することができた（ズボンプレッサーも同じ原理で機能している）。

最初に印刷された本は、凝った形の文字を用いていて、まるで手書きの写本のように見える。15世紀にグーテンベルクによって印刷された聖書を手に取る機会があったら、それが手書きなのか印刷なのか判別に困ることだろう。ちがいは、ドイツのマインツにあったグーテンベルクの工房では、写字室で1冊を作るあいだに1000冊の聖書を生み出せたという点にある。

これは大躍進だったが、新たな問題が出てくることになった。喫緊の課題は、昔からある「所有権」だ。イングランドで最初期に印刷された本は、チョーサーの『カンタベリー物語』だった（よい選択だ）。1476年にキャクストンが印刷しており、聖ポール大聖堂のすぐ外にあるキャクストンの小さな売店で販売された。偉大なる詩人はもはや生きていないので販売許可を得ることはしなかったが、たとえ生きていたとしても、キャクストンは自分の印刷による収益から1ペニーもジェフリー・チョーサーに支払わなかっただろう。

それから200年間、書籍業は写し取る者の天国となり、「写す権利（コピーする権利）」を規制する何らかの法的措置が必要となった。とりわけ、莫大な数の消費者——読者層——がひしめくロンドンではなおさらだった。書籍業を規制する法律を制定するように議会に圧力をかけたのはロンドンの書店だった（前述したとおり、書店の裏に印刷機を置いて出版業も兼ねていた）。

1710年、議会はすばらしく洗練された法律——「アン法」として知られる——を制定した。「学問の推奨」をはっきりと謳（うた）った法律である。前文は次のとおりだ。

最近印刷業者や書籍業者その他の者が、著者ないし本や書き物の所有者の許可なしに、印刷、再版、出版を自由に行い、あるいは行わせており、著者や所有者に大きな損害を与え、本人やその家族を破産に至らしめることが多い。こうした行為を将来にわたって防ぐため、また学識ある者が有益な本を作成執筆することを奨励するために……

初めて著者はオリジナルなものを作っていることが認められたのだ。現代の表現を用いれば、著者自身の「知的創造」が認められたのであり、しかも価値あるものと認められたのである。その知的創造が書きとめられ（のちにはタイプライターやパソコンで作成され）るやいなや、著作権が生まれ、著作物は今で言う「知的財産」とされたわけである。それは印刷された本や電子書籍として「物化」することができ、舞台や映画にすることもできる。しかし、重要なのは、1710年以降、著作権法に基づいて、知的創造は著者のものとされ、他の者は著者の許可のもとでのみそれを用いることができるとされた点だ。

最初の著作権法は、「永続所有権」の危険を予見していた。作品を作った者、あるいはその作品を買った者は、一定期間のみ著作権を保持するとされた。その期間が過ぎると、「パブリックドメイン」に入り、誰のものでもなくなり、みんなのものとなる。1710年の時点で、著作権保護期間はかなり短かった。それが何年もかけて延長され、ヨーロッパでは現在、作者の死後70年までとなっている。

アン法におけるもうひとつの注意深い点は、「思考における著作権はない」としたところだ。これによって、アン法は、たとえばアイデアを守る特許法とははっきり異なるものとなった。こんな説明はどうだろうか。私が推理小説を書き、最後のページで「やったのは執事である」と明らかにしたとして、今度はあなたがあとで推理小説を書き、最後のページで――なんとまあ――そっくり真似をして同じように種明かしをしても、まったくかまわない。やってはいけないのは、私の言葉を写すことだ。守られたのは表現であり、言葉の裏にある考えではないのである。

このように著者が「自分が植えたものでないものを収穫する」〔「マタイによる福音書」25章24節〕ことを許されるのを一例として、限定つきの自由のおかげで文学（とりわけ物語文学）は大いに開花することとなった。自由を制限するそのほかの法律網もある。名誉毀損法は、生存中の人に対して悪意ある嘘を書くことを違法としている。検閲法は、何世紀にもわたって（その当時に）猥褻ないし冒瀆と看做されるものを出版することを違法としてきた。さらに最近の規制では、人種差別や暴力を扇動する出版は禁じられている。しかし、文学をならしめている基本的自由と自制は、３００年前の賢い国会議員たちが制定してくれたものなのである。

英国の著作権法は外国でも取り入れられ、諸外国で独自の約束事が定められたが、時間がかかった。アメリカは１８９１年まで国際著作権法に署名せず、それまでは英国や他の国々の文学作品を荒らし放題だった。それでディケンズが腹を立てたのは有名な話であり、憎むべきヤンキーの海賊たちを決して赦すことはなかった。国際法については、第37章で取り上げることにする。

今でも５００年以上も昔の活字本を読むことができる。キャクストンが現代の街角の書店でチョーサーの本を見つけたら、自分が作った印刷本がこうして現代にまで伝わっているのだなと思ってくれるだろう。しかし、21世紀になって、書籍はもうその寿命が尽きることになるのだろうか。写本が羊皮紙の巻物にとって代わったように、電子書籍にとって代わられるのだろうか。誰にもわからないが、何らかの共存が可能だろう。昔ながらのやり方には、実際に手に触れる喜びがある。本棚まで自分の足で歩いていって、自分の手で本を取り出し、自分の指でページをめくる。キンドルやiPadでは味わえない感覚だ。おそらく、印刷された本の感触（触れることのみならず、匂いだって重要）は、文学の世界でしばらくのあいだは——絶対に必要というわけでなくとも——大切にされるのではないだろうか。

Chapter 12

フィクションの家

人間は、物語を好む動物である。それは人間の歴史の遙か昔にさかのぼってもそうだ。フィクションというと、小説を考えるだろうか。実は、小説なるものがはじまるのは、文学史における18世紀のきわめて明確な特定の時点からなのだ。そのことは次の章で話すこととして、まずはフィクションが小説とはちがう形をとった話をしよう。最初の小説よりも前に、ずっと前と言ってもよいが、文学には「小説の元型」とでも呼ぶべきものがあった。5つのヨーロッパの文学作品がその点を明確にしてくれる。それらは小説ではないが、小説になりかかった「新しいもの」だったのだ。

『デカメロン（十日物語）』（ジョヴァンニ・ボッカチオ作、1351年、イタリア）

『ガルガンチュアとパンタグリュエル』（フランソワ・ラブレー作、1532〜64年、フランス）

『ドン・キホーテ』（ミゲル・デ・セルバンテス作、1605～15年、スペイン）
『天路歴程』（ジョン・バニヤン作、1678～84年、イングランド）
『オルノーコ』（アフラ・ベーン作、1688年、イングランド）

ジョヴァンニ・ボッカチオ（1313～75）の『デカメロン』は、とくに1470年に印刷されてからは、ヨーロッパじゅうできわめて人気が高く、影響力があった（たとえばチョーサーにインスピレーションを与えた）。『デカメロン』の枠組みとなる話は単純でおもしろい。14世紀にたびたびあったことだが、フランダース地方で黒死病が猛威をふるった（第6章で見たウェイクフィールドでは町の人口の3分の1が病死した）。治療法はなく、ただ逃れて、自分が罹らないようにと祈るしかなかった。裕福で教育のある若者10名——男性3名、女性7名——が田舎の村に逃れて、疫病がおさまるまで10日間こもった（それゆえに、ギリシャ語で10を意味する「デカ」が題名についている）。時間をつぶすために、この一行は毎日ひとり1話ずつ語ることにした。それゆえこの本には100話収められている。当時最も有名なイタリアの文学者であったボッカチオは、これらの話のことをおもしろい言葉で呼んでいる——《ノベラ》——「ちょっとした新しいこと」を意味するイタリア語だ。これらの話は、夕方の温もりのなか、オリーヴの木の下で、セミの柔らかい鳴き声を聞きながら、手に飲みものを持ちながら語られたのである。

話題は、信じがたいもの（童話に近いものもある）から新古典主義的な（古典文学に依拠した）ものまで、卑猥なものからドタバタ喜劇までいろいろで、人生の限りない多様性を強調している。物語には巧みな構成があり、その調子は圧倒的に反体制的だ。教会や政府を諷刺する話が多い。これは若者の文学なのである。そしてこの《ノベラ》と呼ばれる「新しいもの」こそが、文学的規則をわざと打ち破り、約束事を嘲る文学ジャンルとなる。だからこそ新しいのである。

ラブレーの『ガルガンチュアとパンタグリュエル』は、もともと別々の5冊の本として出版されたもので、『デカメロン』のような枠組みはない。たくさんの無関係な逸話の集積であり、親子のくせに全然似ていない巨人の父とその息子についての冗談話になっている（この父親の名から「途方もない」を意味する「ガルガンチュアン」という形容詞ができた）。『デカメロン』よりもいたずらっぽく、放縦であり、何世紀にもわたって禁書とされてきた。「ラブレー風」とは、「ぎりぎり出版可能な」という意味になり、道徳的風土が厳しいと発禁となり、場合によっては焚書にされた。

長いあいだ発禁処分を食らいはしたが、『ガルガンチュアとパンタグリュエル』の陽気ないたずらには、さもしいところは何もない。フランス人が《エスプリ》と呼ぶもの――英語にはそれに相当する言葉がないが、《ウィット》が一番近い――が満ちあふれている。『デカメロン』とちがって、一般市民の、下品な民話や庶民の会話にその力がある。そうしたものが、2世紀後にやってくる小説の構成要素となるのである。フランソワ・ラブレー（1494頃〜1553頃）自身は庶民ではなかった。恐ろしく学のある元僧侶であり、その奔放な幻想世界において、あらゆる立派な古典文学を吸収して、それを自らの個人的な遊び場としたのだ。笑いを起こすことが文学の使命である、と、ラブレーは序文で宣言している。その使命は確かに最大限に果たされている。

小説の元型の第3として挙げた『ドン・キホーテ』は、誰もが知っている作品だが、最初から最後まできちんと読んだ人は最近ではほとんどいないだろう。ミゲル・デ・セルバンテス（1547〜1616）は、外交官助手であり、波瀾万丈の生涯を送った兵士でもあった。スペインで囚人となったとき、暇をもてあそび、この偉大な作品を思いついたと言われている。筋はかんたんで――実のところ、筋と言えるものはない。『ドン・キホーテ』は、《ピカレスク小説》と呼ばれる文学形式のもとになった。話があちこちする形式だ〔《悪漢小説》と訳されることもあるが、英国ではエピソードの連続として語られる冒険物語と理解されている〕。主人公（反英雄であるが）は、アロンソ・キハーノという、ラ・マンチャの村で静かな隠居生活を送る中年紳士である。しかし、静かであっても落ち着いた引退生活ではなかった。頭が、古い騎士道物語に毒されてしまっていたのだ。自分が騎士――ラ・マンチャのドン・キホーテ――だと思い込み、手製の厚紙の兜をかぶって、「探求」の冒険に出かけるのである。家来として、サンチョ・パンサという太った農家の男を連れていく。よぼよぼ馬のロシナンテが、その名馬だ。

それから滑稽な冒険ないし「突撃」の連続となる。最も有名なのが、狂乱のドン・キホーテが風車小屋を巨人と思いこんで戦いを挑む話である。そうした悲惨な冒険の末に、すっかり消沈して、だがついに正気に戻って帰郷する。今ふたたびアロンソ・キハーノとなるのである。その臨終の床で、彼は遺書を書き、自分の心を毒して人生を破滅させたすべての物語を拒絶する。

しかしながら、このよろよろの頭のおかしな老人と、おんぼろ馬と、太った腰抜け従者が勇敢にも風車小屋に突撃するところには、感動的なところ——惚れ惚れするところと言ってもいい——がある。『ドン・キホーテ』は私たちの心を二分するのだ。だから最高のフィクションと言えるのである。こいつは、ばかなのか、愛すべき理想主義者なのか。その二重性は、この物語から私たちが一般的に用いるようになった「ドン・キホーテ流」という語に含まれている（「理想を追い求めすぎて非現実的な」と「ありえないほど理想主義的な」の両方の意味がある）。

小説の元型その4である『天路歴程』は、3世紀前に出版されて以来、ダントツのベストセラーであり、のちの英語のフィクションに大きな影響を与えた。作者ジョン・バニヤン（1628〜88）は、労働者階級の子で、完全に独学で勉強し、「異端の」（つまり非公式の）宗教的教義を説教したかどで投獄されたあと、その作品の大部分を書いた。バニヤンの父は行商人で、荷物を担いで杖を手に、国じゅうをとぼとぼと歩きまわった。息子にとって、それこそが人生のイメージだった。しかし、ジョンには、もうひとつのヴィジョン——聖書に約束された、正しき者のための永遠の至福というヴィジョン——があった。ただし、ジョンの考える正しさとは、権力側の正しさではなかった。それゆえに投獄されたのであり、それゆえに——私たちにとって幸運なことに——『天路歴程』が生まれたのだ。

セルバンテスと同様に、バニヤンは人生を、生涯をかけた探求と捉えた。バニヤンの場合、それは何かへ向かっての探求であり、その何かは丘の上の輝ける都市だ。そして、途中で倒さなければならないのは、敵ではなく、宗教的な心を苦しめる障害である——陰鬱（「落胆の沼」）、疑念（「疑惑の城」）、妥協（両側を向く男）、そして最も危険な誘惑の町「虚栄の市」である。

物語は劇的にはじまる。主人公クリスチャンは本を読んでいる（聖書であることはあとからわかる――そして、重要なことに英語の聖書だ。第8章を参照のこと）。今読んだばかりのことで、彼の心にひどい疑問が沸き起こる。救われるために何をしたらよいのだろうか。急に、彼は「生を、生を、永遠の生を」と叫んで、外に飛び出す。何をすべきかわかったのだ。妻と子供たちが止めようとするが、彼は両手で耳をふさいで、家族を置き去りにして走り去ってしまう。なぜそんな無情なことを。なぜなら、人は皆自分自身を救わなければならないからだ。それがピューリタンの教義の鍵となる。次の章で説明するように、個人主義が、小説という形式では重要な要素となるのであり、だからこそ題名に人の名前が掲げられるのである――『トム・ジョーンズの物語』、『エマ』、『サイラス・マーナー』など。

『天路歴程』には、のちの数世紀の小説に受け継がれる別のいくつかの点がある。20世紀の作家D・H・ロレンスは、小説を「人生の輝ける本」と読んだ。伝統的な聖書よりも長命な現代の聖書という意味である。ロレンスが書いた小説は（ジェイン・オースティンや、ジョージ・エリオットや、ジョゼフ・コンラッドその他大勢と同様に）、人生でどのように正しいことをして充足を得るか――その歴史的かつ個人的状況に応じた充足を得るか――についてであった。バニヤンが言う「救済」を求めたのだ。

小説の元型の最後の例は、女性の手になる点で興味深い。アフラ・ベーン（1640～89）という立派な名前の女性だ。女性が男性に対して完全な社会的平等を主張できるようになるまでは、あと200年以上待たねばならなかった。その事実だけでも、この著者を興味深く思わせる。しかし、ベーンがさらに魅惑的なのは、彼女が、自ら生きた王政復古期という波乱の時代にその偉大なる文学的才能を発揮した巧みさなのである。

少し背景的な知識があると、ベーンの偉業がわかりやすくなるだろう。内乱があってチャールズ1世が処刑されたのち、勝利したオリヴァー・クロムウェルは議会を掌握し、コモンウェルスとして知られる共和政を打ち建てた。彼はまた、強力な鉄騎隊をバックに、鉄のように厳格なピューリタンの独裁体制を敷いた。これらの戦争と共和政の時代に、のちにチャールズ2世として王位に就くことになるチャールズ1世の息子は、供回りを連れてヨーロッパ各地を転々として避難し、とりわけフランスの洗練された余興を楽しんでいた。

クロムウェルとその体制は、道徳的にひどく厳しいものだった。多くの居酒屋は閉鎖され、競馬場、闘鶏場、いかがわしい店もだめで、何より大打撃だったのは国じゅうの劇場が閉鎖されたことだ。印刷された言葉は厳密な検閲を受けた。文学にとっては厳しい時代だった。演劇にとっては、ありえない時代だった。

やがて、自由を求める声(「てめえが堅物だからって、酒もお菓子もだめだっていうのか?」というシェイクスピアのサー・トービー・ベルチが上げたような声)が庶民から沸き起こって、王政が復古することになる。1660年、オランダからチャールズ王子が帰国し、翌年即位した。宗教的寛容の問題については妥協され、クロムウェルの遺体はウェストミンスター寺院から掘り起こされて、ばらばらにされた。劇場も、いかがわしい店も、居酒屋もふたたび営業し、貴族のパトロンと寛容とを得たのである。チャールズ2世はとりわけ舞台を愛し（とくに舞台周辺にいる女性を愛し、オレンジ売りだったネル・グウィンを愛妾としたのは有名な話だ）、王として演劇を保護した。

イーフリ・ジョンソン（「アフラ」は自分でつけた名前なのだ）は、内乱期に育った。影響力のある顧客を持っていた理髪師だった父が、1663年に南アメリカの英国領スリナム領事となったとき、父に連れられてスリナムへ渡った。そこの砂糖栽培の大農園で働かされていた奴隷は、残酷な扱いを受けていた。父が死んでアフラはイングランドへ帰国するが、その頭にはスリナムで受けた心象風景がつまっており、奴隷たちが耐えた過酷な虐待、そのキリスト教徒の主人たちの偽善が頭から拭い去れなかった。結婚し、やがて夫をなくしたアフラは、1670年代初頭に、劇場のために作劇をはじめた――史上初の女性劇作家の誕生だ。1688年に出版されたフィクションの物語『オルノーコ――あるいは王の奴隷、実話』がその傑作と正しく評価されている。アフラ・ベーンは、ウェストミンスター寺院に埋葬される名誉を得た最初の女性作家である。その墓には、ヴァージニア・ウルフが「全女性よ、花を捧げよ……女たちが声をあげる権利を勝ち得たのは彼女のおかげだ」と記している。

「実話」と題名にあるが、アフリカの王子オルノーコとその妻でスリナムの大農園で働かされることになったイモインダについての完全なフィクションである。この物語は、ある無名の若いイングランド女性によって書きとめられており、彼女は、この植民地の領事代理に任命されながら最近亡くなった男の娘だという。

オルノーコ王子は2頭の虎を殺し、電気ウナギ（触るとしびれて感覚がなくなる）との戦いが詳細に記述されている。王子は蜂起を組織し、勝利を目前にして騙されて降伏すると、捕らえられ、残酷なことに白人の群衆の楽しみのために処刑される。『オルノーコ』は短い作品（約80ページ、28000語）であり、30年後にダニエル・デフォーの『ロビンソン・クルーソー』が初めて出たときに読者を興奮させてくれたような洗練された技巧もなければ巧みなサスペンスもない。しかし、これは類稀なる努力の結晶であり、小説になりかかっている小説以前のフィクションの先駆的作家としての栄誉を、アフラ・ベーンに与える作品なのである。

ヘンリー・ジェイムズは、小説を「フィクションの家」と呼んだ。その家は、これら5人の作家の作品を礎としている。そしてその家は、次の章で取り上げる『ロビンソン・クルーソー』をもって建ち上がるのだ。

Chapter 13 旅人の法螺話――デフォー、スウィフト、小説の興隆

前の章で現代小説のルーツ（根っこ）を探った。今、その植物の最初に熟した実とも呼ぶべきものを手にしよう。『ロビンソン・クルーソー』の著者ダニエル・デフォー（1660〜1731）こそが、イングランドで小説というジャンルを興した人物であると一般に言われている。18世紀初頭となかばにおいては、デフォーやサミュエル・リチャードソン、ヘンリー・フィールディング、ジョナサン・スウィフト、ローレンス・スターンといった作家たちが出てきて、これまで人類がずっと味わってきたさまざまな種類の「語り」というごった煮のなかから現代の小説が現れてくるのだ。

このきっかけとなった出来事があったはずだ。《ノベル》（小説）、つまり「新しいもの」と呼ばれるものは、なぜこの時期に、この場所（ロンドン）で生まれ出てくることになったのか。答えは、小説の興隆は、資本主義の興隆と同時期に同じ場所で起こったから、である。このふたつはちがうものに思えるかもしれないが、密接にからみあっているのだ。

別の言い方をしてみよう。ロビンソン・クルーソーは、孤島に流れ着いたとき、自分の運命を自分の努力によって形作るが、これは新たな（ノベル）経済体制を模索する新たな（ノベル）人間の姿にほかならない。経済学者たちは、クルーソーを「経済人（ホモ・エコノミカス）」の例としてしばしば引き合いに出す。デフォーの小説は、よくよく見てみれば、当時のロンドンの経済活動を映し出している――会計課、銀行、倉庫、事務所、テムズ川の波止場などが形を変えて描かれているのだ。当時は商業的冒険の時代であり、資本主義と企業家精神の時代だった。好きなように生きることができた。ディック・ウィティントン〔貧乏から身を起こして大金持ちになった話の主人公〕のように、ロンドンに一文無しでやってきて、一攫千金の夢をつかむかもしれないし、つかまないかもしれない。中世では、農民は騎士になる夢は抱けなかった。社会移動（ソーシャル・モビリティ）〔個人の社会的地位の移動〕こそ、資本主義というきわめて複雑なシステムの中核を成している。ロンドンで最下層にいる売り子が、企業トップにもなれるのだ。あるいは、ディックのような小僧がロンドン市長にもなれる。それが資本主義だ。

ロビンソン・クルーソーとその島の物語は、実際に小説を読んだことがない人たちにもよく知られた話だろう。かんたんに言えば、こんな話である。ある若者が商売をしている父親と喧嘩をして、自分の金を1ペニーも持たずに海へ出る。さまざまな冒険の末に、貿易商人となり、奴隷やコーヒーなど、旧世界と新世界のあいだで運ぶに値するものを商っていた。クルーソーは時代の男であり、かなり「新しい人間」だった。

あるときブラジルから帰る途中、クルーソーの商船がひどい嵐で遭難する。乗組員全員が亡くなり、クルーソー自身は孤島に流れ着いて、28年間暮らす。流れ着いたときは、着ていた服しか所持品はなかったのに、この島を植民地化し、島を離れるときは裕福になっていた。どうやってそんなことができたのか。企業家精神である。島の自然な資源を利用して（文字どおり）財を成したのだ。しかも、この試練のあいだ、一度も神への信仰を失うことはなかった。実のところ、創造主がこの試練をお与えくださったのであり、ロビンソンがこの島でなすことを嘉（よみ）したもうておられると信じていたのである。これはロビンソンのみならず神のなしたもうことでもあるのだ。

小説が——文学のひとつのジャンル、あるいは別の様式として——どのように機能しているかは、初版にある『ロビンソン・クルーソーの人生と奇妙にして驚くべき冒険』という表題を調べることによってわかってくる（出版されたのはこの本にふさわしい都市ロンドンだ）。1719年にこの本を最初に購入した人たちは、表紙にロビンソン・クルーソーの名前を見、「本人によって書かれた」との一文を見る。デフォーの名はどこにもない。この本は、本物の旅と冒険の実話ということになっているのである。当然ながら、最初にこの本を読んだ多くの人たちは、南アフリカのオロノク河口沖の孤島にたったひとりで28年間も暮らした末にそこでひと財産を成したロビンソン・クルーソーという人が本当にいたと信じてしまった。『ロビンソン・クルーソー』によって、私たちは初めて《リアリズム》という本格的な語りの約束事に直面する。本物ではないが、あまりにも本物のようであるため、よくよく見なければそのちがいがわからないように描く手法である。デフォーの小説の場合、「本物」なのか、ただ「リアリスティック」なだけなのかは、この本が出る4年前に、孤島に漂流した船乗りの似たような話が（デフォーの本のように）ベストセラーになっていたがゆえになおさら判別がつきにくい。デフォーは明らかにその本を読んで利用したのだ。たまたま、そのもうひとりの漂流男は裕福にはならず、ひどい目にあっただけだった。しかし、それこそが実人生であり、フィクションではない。1719年当時の騙されやすい読者は、デフォーの本の表題を見て、『ロビンソン・クルーソー』がもうひとりの旅人の実話ではないとは、思いもよらなかったわけである。

事情を何も知らない者の目には、『ロビンソン・クルーソー』の冒頭のわかりやすい一節を読んでも、これが本当の自伝でないとは気づけない。読んでみて、もし皆さんが事の真相を知らなかったと仮定して、わかったかどうか考えてみてほしい。

> 私は1632年、ヨーク市の良家に生まれました。ただ、父はブレーメン出身で、最初ハルに住んでいたため、ヨークではよそ者でした。商売で財を成して引退してからヨークに移り住み、そこで母と結婚しましたが、母の実家がここでは名家のロビンソン家でした。それで私はロビンソン・クルーツナーと呼ばれました。けれども、イングランドによくある訛りのせいで、私たちは今ではクルーソーと呼ばれ、いえ、呼ばれるだけでなく自分たちでもそう名乗っていて、仲間も皆、私のことをそう呼ぶのです。

まるで「本当のこと」のように読める。かつてクルーツナーと呼ばれたクルーソーという男の話だ。

物語が進むにつれ、クルーソーはわくわくする冒険をしていく――若い読者がこの小説をいつも愛してきた理由だ。おぼれかけたこともある。海賊に救われ、アラビア人に奴隷にされ、あらゆる困難にもかかわらず、南アフリカで裕福な農場経営者となり、奴隷所有者となる。しかし、さらに金を稼ごうとして航海に出ると、何もかも失って孤島でひとりきりになってしまう。物語の展開だけを見ても、先が気になってしかたがない話だ。主人公はどうやって、食料もなく、誰の助けもないままに、風雨に打ち勝ち、野生の動物に負けず、人食い人種を倒すのか、と私たちは、きっとだいじょうぶだろうと密かに思いながらも、考えてしまう。しかし、語りの表面の裏側にあるのは、クルーソーは経済人であるという発想だ。この物語は、富および富の生成の話なのだ。それがテーマであり、わくわくする筋も大冒険も上面でしかない。

　遭難した直後、クルーソーは、ばらばらになった船からその積荷が永遠に失われる前に回収しようとして必死の努力をする。急ごしらえの筏に乗せて、役に立ちそうな物を持ち帰ってくる。何を持ち帰ってきたのか綿密に正確なリストを作る。その品のなかにあった船長の金庫には36ポンドがあった。島では役に立たないし、それをとるのは泥棒になってしまうと思いながらも、とにかくそれを手にする。この出来事はなかなか意味深長だ。何が最も重要かが問われているのだ。お金だ。そのことを忘れないようにするために、この話が挟み込まれているのである。

　それからの28年間、クルーソーは船から持ってきたもので生活をはじめ、次第にこの島を開発していく。この島にあるものは彼のものだ。クルーソーは自分を島の「王」と称する。この観点からは、『ロビンソン・

クルーソー』は帝国のアレゴリーとして、イングランドを表していると看做せる。ちょうどこの頃イングランドは、地球にある何もかもを自分たちのものとして所有しはじめていたのである。

何年もして、クルーソーには仲間ができる。近くの島に生まれ育った男で、人食い人種から命からがら逃げてきたのだ。クルーソーは彼を（金曜に発見したので）「フライデー」と名づけ、召し使いにする。重要なのは、フライデーは彼の財産となったということ、はっきり言ってしまえば、奴隷になったということだ。帝国に奴隷はつきものだ。

ダニエル・デフォーは、英文学史上最も興味深い作家のひとりである。しかも、多種多芸だ。（当時としては）長いその人生において、彼は小冊子を書く著述業や、ビジネスや、当時発明されたばかりの株式市場での投資も手がけ、政府のスパイもやっていた。本、小冊子、雑誌などを何百冊も書いて、「イングランドのジャーナリズムの父」として認められていた。生活はいつも苦しく、法律にひっかかることもあり、晩年はかなり赤貧であった。しかし、今日英語の小説として知られるものを彼が発明したのは、その晩年だ。ヴァージニア・ウルフが女性たちにアフラ・ベーンの墓に花を捧げよと命じるなら、私たちは、経済人で年代記作家であるダニエル・デフォーの墓にポンド硬貨やドル紙幣を投げるべきであろう。

小説は、デフォーの厳格なリアリズムに縛りつけられたままではなかった。このジャンルは同時に「幻想化（ファンタジー）」し得た。つまり、童話のような想像的な内容でありながら、同時にリアリスティックな外部構造を維持し得たのだ。「ファンタジー小説」の偉大なる先駆けは、ジョナサン・スウィフト（1667〜

1745）である。

アイルランド人のスウィフトは、いわゆる「支配階級」の家に生まれた。イングランドの支配者たちに優遇されたアイルランドの上流階級で、一般のアイルランド人には与えられなかった特権を得ていた。その生涯のほとんどを祖国で過ごし、英語で執筆した最初の偉大なアイルランド人作家と看做されている。高等教育をダブリンのトリニティ・カレッジで受け、学者として優秀な成績を収めた。野心家で、イングランドへ出て貴族の秘書となり、出世したいと考えていた。そのためには、パトロンが必要だった。当時はまだ自力で何かができる時代ではなかったのである。

パトロンが彼を宮廷に紹介してくれて、保守党（トーリー）の考え方を彼に植えつけ、スウィフトは生涯この考えを抱くことになる。やがて神学の博士号を得て（「スウィフト博士」と呼ばれていた）、アイルランド教会の司祭（プロテスタント）となる。博士にして司祭のスウィフト師は次々に教区を与えられ、やがてダブリンの聖パトリック大聖堂の首席司祭の職に就く。しかし、イングランドの宮廷や政府から期待したような愛顧は得られなかった。彼の怒りは狂暴なまでに研ぎ澄まされた。彼は「穴のなかのネズミ」の気分だと言った。

1720年代に、『ロビンソン・クルーソー』がベストセラーとして大ヒットしていたとき、スウィフトは、その名が最も知られることになる作品、『ガリヴァー旅行記』を書きはじめた。デフォーの話と同様に、1726年にこの本が出版されたとき、本物の「旅行者の話」として流通した（『ロビンソン・クルーソー』のときと同様に、騙された人たちは多かった）。物語は4つの航海から成り立っている。最初はリリパット国への旅。この国の人たちは小さいが、自分たちを偉大だと思い込んでいる――スウィフトは宮廷やアン女王の取り巻き連中を諷刺しているのである。2番目の航海で、主人公レミュエル・ガリヴァーは、ブロブディンナグ国へやってくる。その住民は田舎の巨人で、今度は主人公のほうが小人扱いされる。ブロブディンナグは、スウィフトが創った4つの国のなかで最も快適な国だが、それというのも古臭くて伝統的であり、あらゆる意味で「昔気質（むかしかたぎ）」だからだ。スウィフトは進歩を嫌ったのである。

その嫌悪は、3番目の航海の物語ではっきりする。ガリヴァーはラピュータ（スペイン語で「娼婦」）という科学的なユートピアへ行く。スウィフトは科学を軽蔑していた。不必要で、宗教に矛盾すると考えたのだ。ここで、当時の進歩的な科学者たちを、たとえばキュウリから日光を取り出すといったような意味もない努力を続ける変人として描いている。第3書には、永遠に生き続けるストラルドブラグ族も登場するが、これは永遠に朽ちていくので、痛みと精神的衰弱で永遠に苦しまなければならない。体はガタガタになるが、死ねない。旅行記はどんどんすさまじいものとなっていく。

第4書は、最も困惑するものだ。ガリヴァーはフウイヌム国へ旅する。フウイヌムは、馬の嗚き声を表している。この国は馬が支配し、人間は「ヤフー」と呼ばれる心ない汚らわしい類人猿であり、糞をまき散らしている。馬は穀物や草を食べるため、排泄物もそれほどひどい臭いはしないという。これは、ジョージ・オーウェルが指摘するとおり、耐えられるものと耐えがたいものとのスウィフトの奇妙な考えの背後にある、もっともらしい嘘である。もちろん、馬には技術革新もなければ、制度も、文化も、文学もない。フウイヌム国においてもそうだ。しかし、フウイヌム国よりも理想的な「ユートピア」を、スウィフトは私たちに与えてはくれない。人類に対してあまり希望を持っていなかったのである。

『ガリヴァー旅行記』は、ロビンソンの旅行記と同様に、そのリアルさと幻想性との革新的な融合によって、その後何世紀にもわたって書かれる無数の小説に道を拓いてくれた。誰にとっても、これらの小説は、すばらしいフィクションの世界へと発見の旅へ乗り出す最高の出発点なのである。

Chapter 14 読み方――ジョンソン博士

私たちの多くにとって、最初に出会う文芸評論家は学校の国語の先生だろう。つまり、私たちの理解を助け、よりよい鑑賞の手助けをしてくれて、文学の難しいところやすばらしいところを教えてくれる人という意味だ。文学は「作家」によって生み出されるが、文芸批評は文学とはちがう。「権威」とか「私たちよりものが分かっている人」が生み出すものだ。

この章で取り上げるサミュエル・ジョンソン（1709～84）は、「ジョンソン博士」と呼ばれている。その友人や同時代の人たちがそう呼んでいたからだが、なぜ私たちもそう呼ぶのがよいのか。たとえば「ミスター・シェイクスピア」とか、「ミス・ジェイン・オースティン」などと呼ばないではないか。私たちが「ジョンソン博士」と呼ぶのは、学校で先生のことを「～先生」と呼ぶのと同じだ。教えてくれる人だから、権威があるのだ。私たちが（まだ）知らないことを知っている。「博士」とは、文字どおり、知識のある人を意味する。

興味深いことに、ジョンソン博士が最初に就いた本当の職業は学校教師だった。片手にチョークをもち、もう一方の手に生徒を叩く杖を手にして教えていたのだ。言ってみれば、博士はそうした学校教師ならではの道具を手放さなかったわけである。ひどい文学はさっさと叩き出し、文学に対するまちがった考え方も批判した。その辛辣さゆえに、博士は魅力的な人物となっている。

文学は、これまで見てきたとおり（叙事詩や神話を経て）人類そのものの原点にまでさかのぼることができる。サミュエル・ジョンソンは、英文学の最初の偉大な批評家であり、彼が表明する「修練」と同様に、文学を生み出す土壌がある程度熟成したのちの時代に現れたのである。ジョンソン博士は、社会的洗練さと「上品さ」とを誇りとするまさに18世紀という時代が生んだ申し子だった。18世紀の文学者たちは、自分たちを「オーガスタン」と称した。古代ローマ皇帝アウグストゥスの「黄金時代」の偉大なる業績を見習おうと、その文芸全盛期にちなんで自分たちの時代を「オーガスタン時代」と呼びたがったのである。今日の重要な多くの制度（議会、君主制、大学、経済、印刷業）が現代の形になったのは18世紀のことであった。そのうえ、今日「文学界」と呼ばれている世界ができたのも、このときだった。ジョンソンは、その輝かしき時代に文学界を牛耳った。「ザ・グレイト・チャム」と呼ばれることもある（「チャム」は「王様」の意味）。

ジョンソンの人となりは詳しくわかっている。若き友人にして弟子のジェイムズ・ボズウェル（1740～95）によって伝記も書かれており（それ自体がすばらしい文学作品だ）、その伝記から魅惑的で生き生きとした肖像が浮かび上がってくる。たとえば、この偉大なる男と最初に出会ったときのボズウェルの記憶を見てみよう。博士は、まるで野生動物のように晩餐をかきこんでいたという。

顔が皿に釘つけになっているかのようだった。しかも、かなりな上客と一緒でもないかぎり、一言も言わないし、他の人が何を言ったかも気にせず、ただ食欲を満たすのみだ。それはあまりにも激しく、猛烈な勢いでなされるので、食べているあいだ、額の血管はふくれ上がり、猛烈な汗が浮き出ている。

ふたりの男は、最初の会合でポートワインを2本空けた。その陽気な時間から、生涯続く友情が生まれたのである。

サミュエル・ジョンソンは、リッチフィールドの小さな田舎町に、本屋の子供として生まれた（父親がかなり年をとってからの子だった）。少年の時、瘰癧（るいれき）と呼ばれる病気に罹り、それで視力がかなり衰えた。しかし、ものすごい読書家であり、あまりにも光に近づきすぎて、読書のために灯していた蠟燭で髪の毛を焼いてしまうこともしばしばだった。

サムはほとんど独学で、3歳のときに新約聖書を暗唱し〔正確には、暗記しなさいと母親から渡された聖公会祈禱書を一度読んだだけで暗唱した〕、6歳のときに古典語を翻訳していた〔グラマースクールに通い、ラテン語に秀でた〕。9歳で家の地下にある台所にいたとき、父親の本棚から『ハムレット』を取り出していた。ページに書かれた言葉からは、エルシノアと亡霊の幻影的なイメージが読み取れて怖くなった。本を放り出して、「周りに人がいるのを目にしたくて」外の通りへと走り出した。文学との長きにわたるつき合いがはじまったのである。その後、読書はサムの人生で最も重要なものとなった。

子供時代に、家族が破産しそうになった。しかし、思いがけない遺産が転がり込んで、サミュエルはオックスフォード大学へ通えることになった。だが、金はなくなり、学位も得ずに退学せざるを得なかった（公的な敬意の印として、50年後に名誉博士号が送られたが）。リッチフィールドへ戻ると、サミュエルは若くない金持ちの後家と結婚した。それなりによい夫となり、妻のテティ〔エリザベスの愛称〕の財産のおかげで学校を経営することができたが、生徒は3人しか集まらなかった。妻が死ぬと、サミュエルはその生徒のひとり（のちに有名な役者デイヴィッド・ギャリックとなる）を連れて、人生で「最良の道」へ乗り出す――ロンドンへの道である。文学界で名を成すが、その文学界が「グラブ街」と呼ばれていたのは、ペンで生活費を稼ぐ「蛆虫のような」へぼ文士どもがロンドンのモアフィールド貧民街にあるグラブ街に住んでいたからだ。ジョンソンはパトロンもなく（パトロンを軽蔑していた）、個人的収入もないままに、なんとかやっていた。独立独歩が自慢のプロの作家として、自分で細々と稼いで食べていた。

ジョンソンは、新古典主義形式ですばらしい詩を書いた。散文の文体もすばらしいものだった。小説『ラセラス』を書いたが、母親のためにきちんとした葬式を出したいと、数日で書きなぐったものだった（そうした状況を考えると、驚くほどよい作品だ）。ジョンソンの人間観は、いつもひどく悲観的だった。「多くを辛抱しなければならず、楽しみは少ない」と思っていた。その憂鬱は、長詩「人間の願いの虚しさ」（この題名ですべてがわかってしまう）で雄大に表明されている。しかし、その陰鬱な物の見方とは裏腹に、勇気をもって人生を生きなければならないとも考えており、実際彼は勇気をもって生きたのだ。

さまざまな業績があるなかで、ジョンソンが最も尊敬されているのは文芸批評家としてである。批評家として、彼は文学の理解と鑑賞にふたつのことをもたらした。ひとつは「秩序」、もうひとつは「常識」だ。その常識は伝説になっている。ボズウェルと歩きながら、「物事は存在せず、宇宙のあらゆるものは概念にすぎず、想像の産物だ」という当時流行っていた考え（哲学者ジョージ・バークレーが流布させたもの）について話をしていたときのことである。ボズウェルは、論理的にはこの説は否定し得ないと述べた。ジョンソンは、道に転がっていた大きな石を乱暴に蹴っ飛ばして、同じように乱暴に「そんなもの、こうして否定してみせるさ！」と答えたのである。

そうした常識的な態度で文学的判断も下される。「ふつうの読者と一緒になる」のが好きだと、ジョンソンは言った。彼が私たちに対して見下した態度で語りかけないのは、大きな魅力のひとつだ。しかも、ふつうの文学批評家にはめずらしいことに、若者の考えには心からの敬意を抱いていたことも興味深い。別の会話で、ボズウェルが「子供が最初に学ぶべきものは何か」と、ジョンソン（元学校教師）にたずねたところ、ジョンソンは「何でもよい」と答えた。「君、君が子供にふたつのうちどちらを最初に学ばせようかと考えているうちに、別の子が両方とも学んでしまうよ」と言ったのである。

ジョンソンの最も影響力の大きな業績は、彼が文学鑑賞のためにもたらした秩序と扱いやすい形である。それは2つの浩瀚（こうかん）な金字塔的作品となって結実した。『英語辞典』と『詩人列伝』である。『英語辞典』執筆のためのリサーチにとりかかったのは、書籍販売業者からオファーを受けた1746年のことだった（サザーランド教授は1745年と記しているが、のちに有名な出版者となるトマス・ロングマンを含む書籍販売業者7名と契約を結んだのは1746年6月18日）。依然としてパトロンはなく、単独作業だった（助手6名の援助はあったけれども）。完成に10年かかり、残った視力もだめになりそうだった。完成すると政府から300ポンドの年金が出た。辞典は英国とその国民のために作られたのだから、ふさわしい報酬だ。

刊行してみると、2巻本の『英語辞典』はちょっとしたコーヒーテーブルぐらいの大きさだった。奇抜さと《ウィット》に富んだ定義が多いことで知られている（たとえば、「パトロン」を引くと、「たいていは、傲慢な態度で金を出して追従を買うみじめな人」と定義されている）。しかし、この辞書の根底にある原則は野心的なものであり、表題のページに次のとおり正式な説明がある。

英語辞典　言葉をその原義からたどり、そのさまざまな定義を最高の作家たちの用例で説明。巻頭に言語の歴史と英文法解説つき　サミュエル・ジョンソン修士（英語辞典刊行直前にオックスフォード大学から修士号を得た。名誉博士号は1765年にトリニティ・カレッジ・ダブリンから、1775年にオックスフォード大学から得ている）著

ジョンソンは単に「定義」を与えただけではなかった。言葉の意味が時間を経てどのように進化し、その言葉にありとあらゆる曖昧な意味合いや多重の意味が含まれるようになったかを、どこで、いつ、どのように使われていたかに応じてたどっていったのだ。その複雑な作業を約15万の歴史的用例（正確には約11万4000の引用と約4万語の定義）

をもって示したのである。

たとえば、まさに最高の作家の例として、9歳のサミュエルの心をとらえたテクストを見てみよう。『ハムレット』でオフィーリアがおぼれ死んで埋葬される際、ガートルードは「美しいものは美しい人へ、さようなら！」(Sweets to the Sweet. Farewell!) と言いながら開いた墓へ何かを投げ入れている。何を投げ入れているのか。スィーツとあるから、チョコレートか。ビスケットか。角砂糖か。ちがう、新鮮な花だ。エリザベス朝人にとって、形容詞の「スィート」は第一義的には鼻で嗅げる匂いを指すものであって、現在の一般的な用法となっている「舌で味わう味」を指すものではなかった。この昔の用法が、ジョンソンによって記録されているのである。ジョンソンが『英語辞典』で示している重要な点は、言語とは——とりわけ作家が用いる言語とは——石に刻まれて動かないものではないということだ。生きていて、有機的で、常に変化していくのである。

ジョンソンのもうひとつの大作(マグヌム・オプス)は、1779～81年に出版された『詩人列伝』である。これもまた表題がわかりやすい。


傑出したイングランドの詩人たちの生涯　その作品への批評的所見つき　サミュエル・ジョンソン著

ジョンソンが55人の「傑出した詩人たち」を選ぶことによって示したのは、文学の鑑賞には、価値があるものとそうではないものを区別することが必要だという点である。英米の大きな国立図書館には、何百万もの本が「文学」として分類されている。人間の限られた人生という短い時間のなかで、どうやったら読む価値のある本を選べるのか。批評の助けによって「カリキュラム」(学校で何を読むべきかを決めてくれる履修課程のこと)ができ、「正典(キャノン)」、つまり最高の作品群が定められる。

しかし、それでは私たちは文学批評家に常に同意見でいなければならないのだろうか。その権威にすごすご服従するしかないのか。もちろんそんなことはない。代数の問題に取り組んでいる30人の学生のいる教室を想像してほしい。どんなに難しかろうと、正解はひとつのはずだ。ところが、英語の授業で『ハムレット』という戯曲は何について書かれているか?」と問われたらどうだろう。さまざまな答えがあってしかるべきだ。「王を指名する最良の方法」だったり、「どのような状況なら自殺は正当な決断となるか」だったりするかもしれない。教室の全員が誰かの言ったことや考えたことをただオウム返しに繰り返すだけなら、とんでもないことになってしまう。

文学批評を理解し、評価し、それから自分の意見を形成するのはなかなか大変なことだ。ジョンソンにはそれがわかっていた。文学作品は、バトミントンの試合で羽根を打ち合うように、ああだこうだと語られなければならないとジョンソンは言ったことがある。意見の一致など必要ないのだ。ジョンソンその人に反対したっていい。彼はシェイクスピアを尊敬してその戯曲を編纂した(編纂とは、文学批評家ができる最も有益な仕事のうちのひとつだ)。ジョンソンはシェイクスピアが天才だと信じていた。シェイクスピアが最も偉大な英国作家と認められるようになったのは、ジョンソンがシェイクスピア作品を編纂したり作品へあれこれコメントしながら賞賛したりしてきたおかげなのである。しかし、ジョンソンはまた、『ハムレット』の作者には、繊細さと上品さが欠けているとも信じていた——ときに羽目を外すし、お下劣になるときもある。ジョンソンとその時代の人たちが何よりも尊重していた「形式性（ディコーラム）」に欠けており、シェイクスピアの作品は彼が生きた未開の時代の結果なのだという。私たちのほとんどは、そんなことはないと強く否定するだろう。そして、文学批評家のなかでも最も寛大で心の広いジョンソンは、私たちが意見を異にするのを許してくれる。彼は、私たちに自分で考えるための道具を与えてくれているのである。

Chapter 15

ロマン派の革命家たち

文学者の生涯は、おもしろい映画にはならないものだ。たいていの作家は仕事の日は紙に文字を書いているわけだが、そんな姿に劇的なところはない。ジョン・キーツ（1795〜1821）は例外だった。その短い人生は、『ブライト・スター』（2010）というすてきな映画で取り上げられた。題名は、キーツが愛した女性ファニー・ブラウンに1819年に捧げたソネット「輝ける星よ、汝の如く我も不動でありたい」から採られている。そのなかで、詩人は次のように望んでいる。

枕したい、わが美しき恋人の豊かな胸に。
その柔（やわ）き起伏を永久（とわ）に感じ、
目覚めよう、甘き不安とともに常に。
いつも、いつまでもその優しき寝息を耳にしたい。
そして永久（とわ）に生きる——でなければ気絶して死にたい。

Pillow'd upon my fair love's ripening breast,
To feel for ever its soft swell and fall,
Awake for ever in a sweet unrest,
Still, still to hear her tender-taken breath,
And so live ever—or else swoon to death.

残念なことに詩人はこのように幸せに「枕」することはなかった。ファニーの母親が、娘は結婚するには早すぎると考えたのだ（キーツは25歳、ファニーは19歳だった）。娘は、ジョン・キーツよりひとつもふたつも上の階級の人間であり、もしあえてジョンを選ぶなら「身分ちがいの結婚」をすることになった。彼は貧しい貸し馬車屋の息子で、医学生としては落第生で、まだ有名ではなく、最も困ったことに、危険な政治思想を持つ「急進的な」友人のいる詩人だった。ファニーのひとり親である母親は、気をつけるようにと娘に注意した。それにジョンは「肺病」で、肺結核の症状が出ていた。彼の弟のトムは最近肺結核で死に、その前に母親も同じ病気で死んでいた。キーツ家は、ジョンの肺が治らないかと期待してローマへ行ったが、ジョンは愛する女性へ最後まで忠実なまま、その永遠の都において——詩で予言されたように——「気絶して死」んだのだ。なぜキーツは、ファニーへの愛を「輝ける星（ポラリス）」を主題にして詠（うた）ったのだろうか。彼は「不運な星の（スター・クロスト）」と呼ばれる恋人たち、ロミオとジュリエットに言及していたのだ。自分自身の愛においても似たような悲劇的結末を予感していたのである。

キーツの生涯を短く紹介したのは、それがすばらしくロマンティックな物語であり、ロマンティックな映画になるからである。今でも感動する。しかし、キーツや、ワーズワースや、バイロンや、コールリッジや、シェリーを「ロマン派」詩人と呼ぶとき（英語では Romantic と大文字にするのが重要）、私たちがイメージするのは、彼らの恋愛生活（そのほとんどはかなりこんがらがっている）ではない。ロマン派詩人とは、西洋文学史上革命的な時期を代表する、はっきりとした特徴をもつ詩人の一派なのである。

最も単純なところでは、「ロマン派」とは、おおよそ1789年から1832年までのあいだに書かれた文学上の時代区分となる。たとえば、『高慢と偏見』の著者ジェイン・オースティンは、その作品内容からすると、ロマン派詩人のシェリー——妊娠した妻を見捨て（妻はのちに自殺）、2年後に『フランケンシュタイン』を書く16歳の少女メアリ・シェリーと駆け落ちした男——とは文学的にまったく異質であるにもかかわらず、ロマン派詩人と一緒にして考えられることがある。

なぜ1789年が出発点となるのか。なぜなら、ロマン主義は、ある世界的な事件と軌を一にするからだ——フランス革命である。ロマン主義とは、その核に「イデオロギー」を持つ最初の文学運動なのだ。イデオロギーとは、人々や人種が生きるのに拠って立つ信条のことである。これまでも政治的な文学はあった——たとえばジョン・ドライデンの「国家」についての詩がそうだし、ジョナサン・スウィフトが『ガリヴァー旅行記』でウィッグ党を揶揄しているのも政治が絡んでいる。シェイクスピアの『コリオレイナス』

は政治劇として読める。政治は、国家の運営に関連する（「ポリティックス」という英語は古代ギリシャの「都市」を意味する語に由来する）。イデオロギーは、世界を変えようとするものだ。ロマン主義はその衝動を常に心に抱えている。

「政治」と「イデオロギー」の何がちがうかは、戦死したふたりの偉大な詩人、サー・フィリップ・シドニーとバイロン卿を比較するとわかりやすい。シドニーは、オランダでスペイン軍と戦って負傷し、１５８６年に戦死した。死ぬとき、別の負傷者に水筒を渡して「君の必要のほうが、僕の必要よりも大きい」と言ったという話は美談となっている。32歳だった（正確には31歳10か月と17日）。サー・フィリップ・シドニーがこれほど若くして、これほど立派な死を遂げたのは何のためだったのか。「女王と祖国のため」と、彼は答えたことだろう。「イングランドのため」と。

バイロン卿（１７８８～１８２４）は、トルコ侵略軍に抵抗するギリシャの独立を支援しようと志願してギリシャ軍に加わり、ギリシャのメソロンギで没した。36歳だった。バイロンは何のために死んだのか。「義」のためだ。この場合の義とは「自由」だ。祖国を守るために命を棄てたのではない――そうすることは、バイロンの考えにおいては、自分をみじめに拘束することを意味した。自由こそ、１７７６年にアメリカ独立宣言が発せられたときにアメリカ人が戦って勝ち得たものだ。１７８９年にパリの大衆が蜂起して、バスティーユ牢獄へ向かって走ったのも、自由のためだった。１８２４年にギリシャ人が戦っていたのも自由のためだった。そして、自由のためにバイロンは命を捧げたのだ。

バイロンは、シドニーのように、「祖国のために死ぬ」ことはなかった。バイロンは、その優れた長詩『ドン・ジュアン』において言祝いだ自らの性的放縦の教義を、まったくもってスキャンダラスだと決めつけた国から亡命していたのだ。バイロンの分析では、ドン・ジュアンは伝説で言われるような（そしてモーツァルトのオペラ『ドン・ジョヴァンニ』で描かれるような）性的に女を食いものにする男ではなく、性的に解放された男なのだ――そうバイロンは信じた。ギリシャでは英雄とされるバイロン（どのギリシャの町にもバイロンにちなんで名づけられた通りがあり、像が立っている）だが、イングランドでは100年ほど「バイロン問題」が続いていた。1969年になってようやく、ウェストミンスター寺院の《詩人のコーナー》にバイロンを記念して石を置くのがよいと当局は判断した。バイロン自身が激動の60年代に生きていたら、きっと60年代の革命精神を気に入っていたことだろう。

できるだけ平明に言えば、シドニーの犠牲は愛国心ゆえのものであり、バイロンの犠牲はイデオロギーゆえだったということになる。バイロンやその他のロマン派詩人の作品を読むときは、詩人たちが採用し、主張し、探索し、抗議ないし問いかけているイデオロギー的立場（「義」）とは何かを見きわめていかなければならない。その作品はなぜ書かれたのか。

たとえば、スコットランドの代表的ロマン派詩人は、ロバート・バーンズ（1759〜96）とサー・ウォルター・スコット（1771〜1832）である。バーンズの最も知られた詩のひとつに「ネズミへ」がある。このようにはじまる――

おびえてふるえる、ちっこいけもの　Wee, sleekit, cow'rin, tim'rous beastie,
驚くよ、そんなに慌てふためくんだもの！　O, what a panic's in thy breastie!

農夫であるバーンズは、その鋤（すき）で野ネズミの巣を壊したのだ。自分がめちゃくちゃにした生き物の生活を見下ろして、彼は考える。

本当に申し訳ない、人間が支配力をふるって　I'm truly sorry Man's dominion
自然の社会的つながりを壊しちまって。　Has broken Nature's social union,

「けもの」とは、小さな齧歯類のみを指すのではなく、バーンズ自身のような「社会的」不正の犠牲者を指す。「お前の哀れなこの世の仲間／ともに死すべき運命の生き物！」なのである。そして、バーンズがスコットランドのローランド地方の方言を用いることで、それが民衆の言葉であって王様の英語（キングズ・イングリッシュ）ではないという意味合いが加わり、スコットランド人の心を表す効果を与えている。

ウォルター・スコットの最初にして最も影響力の大きな小説は『ウェイヴァリー』（1814）だ。その中心にあるのは、1745年の蜂起であり、「若僭王（じゃくせんおう）」チャールズ・エドワード・スチュアートを担ぎ上げたハイランド地方の叛乱軍が、スコットランドで圧勝を収め、英国王位を取り戻そうとしてイングランド北部へ突入した出来事である。もし勝っていれば、英国史はすっかり書き換えられていたことだろう。スコット自身、筋金入りの連合論者（ユニオニスト）――スコットランドとイングランドは手を結ぶべきだと信じる一派――であり、「陽気なチャールズ王子」に対して複雑な感情を抱いていた。頭ではハノーバー王家支持派（イングランド王ジョージ2世を支持する一派）だが、心ではジャコバイト（スコットランドの若僭王を支持する反革命勢力）なのだと、スコットは言うのである。しかし、『ウェイヴァリー』において重要なのは、スコットは、「1745年」を、だいたい似たような立場にあるふたつの権力が争って勝てなかった戦争としてではなく、失敗した革命として描いていることである。言い換えれば、イデオロギーの衝突として描いているのである。

英国ロマン派詩人のなかで最も強力な革命宣言は、ワーズワースとコールリッジの『抒情民謡集（リリカル・バラッズ）』（1798）であり、のちにワーズワースは、長い論争調の序文を附して、このように宣言している。

> つまり、これらの詩において提案されている主たる目的は、ふつうの生活から出来事や状況を選び出し、できるかぎり、実際に人々に用いられている言葉で一貫して語り、描写することなのである。

内容が「民謡（バラッド）」と呼ばれているのは、個々の作家ではなく、社会が口承で受け継いできた詩に敬意を表してのことである。伝統的な民謡は、一種の文学的な一体感を醸し出す。ワーズワースなら「急進主義（ラディカリズム）」という語を（「ラディカル」には「根」の意味があるので、根っこに戻るという文字どおりの意味で）用いたかもしれないし、あるいはひょっとすると、フランス革命の標語である「友愛」を用いたかもしれないけれども。

サミュエル・テイラー・コールリッジ（1772〜1834）は、この計画に大きな貢献をした。中世の語法を真似て長いバラッド「老水夫行」を書いたのだ。そのなかで、生死の複雑な問題――そもそも生きるとはどういうことか――がタン・タ・タンという単純なナーサリー・ライムのリズム、つまりバラッド形式〔弱強四歩格と弱強三歩格が交互に繰り返され、ABCBと韻を踏む4行で1連を形成する〕で表せることを示したのである。

ただ、イデオロギーだけが重要なわけではない。ロマン派詩人は、人間の心理や、人生を条件づける感情に魅了されていた。ワーズワースは「喜びに驚愕する」のが好きだと表明したし、喜びはその主要な詩作品において重要な言葉となっている。しかし、同時にロマン派詩人は、喜びとは反対の感情である「憂鬱」にも魅了されていた。キーツは、偉大なるオード〔特定の主題に寄せる抒情詩〕で憂鬱を詠（うた）い上げた。そのほかのロマン派詩人、有名なところではコールリッジとトマス・ド・クィンシー（『阿片常用者の告白』の著者）は、麻薬の力を借りて感情の状態を調べた。阿片などの麻薬（のちの詩人はモルヒネを用いた）は、老水夫がしたような大胆な探求の航海へと出かけることを可能にしてくれたのだ。麻薬自体は、さほど探さなくとも入手できた。どこの薬局でも安価で販売していたし、書店でも購入できることがあった。ジョッキ一杯の酒にモルヒネを溶かした飲み物（鎮痛薬として用いられた）と、『抒情民謡集』を一緒に買うことができたのである。

危険なのは、その道を進むと（ド・クィンシーが劇的にそうなってしまったわけだが）「ロマン主義の苦悶」と呼ばれてきた領域に入ってしまうことだ。阿片吸引を試す作家はその創造性と命とを大きな危険にさらすことになる。コールリッジは3篇のすばらしい詩を書いたと一般に言われている。2篇は残念なことに未完だ。しかも、もどかしいのは、傑作になるはずだった「クブラ・カーン」が未完であることだ。詩全体は心に刻まれており、コールリッジによれば、阿片を吸ったときの夢のなかにあったのだという。そのとき、ドアにノックがあり、覚醒した。詩は失われ、わずかな断片のみが残った。

ウィリアム・ワーズワース（1770~1850）は、詩人がいかにして自らを高めるかについて大いに思考をめぐらせた。そうする時間はたっぷりあった。ほかの代表的なロマン派詩人とちがって、彼は湖水地方で節制した規則正しい生活をずっと送っており、ロマン派のなかでも最も傑出した作家なのだ。晩年にヴィクトリア女王の桂冠詩人（第22章参照）となったとき、ロマン派を裏切ったと言う人もいる。初期の作品が最高だというのが一般に同意された評価である。若者のとき、革命時のフランスにいたのだ。その頃をふり返って、ワーズワースは『序曲』に当時の混沌とした歳月のことを書いている。

あの曙（あけぼの）に生きていたとは至福　Bliss was it in that dawn to be alive,
だが、若さこそまさに天国！　But to be young was very heaven!

若いロマン派詩人にはどこか本質的にわくわくさせられるところがある。人が本当に生きたのは、この時だけだと、詩は示唆している。シェリーは、29歳のとき、１８１９年の有名な「西風に捧ぐオード」で呼びかけたその風に翻弄され、海で突然の嵐に遭って死んだ。キーツは、弱冠25歳でローマにて死ぬ前、自分の名前を墓に記さないようにと指示していた。ただ、「若き英国詩人」とだけ書いてくれと。「老いたロマン派」というのは、矛盾語法になってしまう。スポーツ選手と同様に、最高の人のキャリアは短い。ロマン派は若いときに最高傑作を書いたのである。

　ロマン派がまるで共同の文学的努力のために手を結んでいるグループのように語ってきたが、そうではない。もちろんつながりはあったが、たとえばバイロンは、ワーズワースやコールリッジやサウジーやその弟子たちを「湖畔詩人」と呼んで軽蔑し、揶揄していた。じめじめしたイングランド北部の丘でぼんやりと時を過ごすなんて、バイロンは御免だというわけだ。スコットとそのエディンバラの一派は、「ロンドン訛りの詩人」キーツやそのパトロンのリー・ハントを毛嫌いし、当時の詩人たちの誰も、偉大なロマン派詩人（と現在では思われている）ウィリアム・ブレイク（１７５７～１８２７）の存在を認めようともしていないようだ。ブレイクのすばらしい挿絵つきの本――文も絵も本人による――は、生前は2桁も売れなかった。その『無垢と経験の歌』は、人生と宗教についての彼独特の思想がつまった作品だが、今ではどこでも読まれ、研究され、楽しまれている。どんな時代であれ、ヴィジュアルとテクストをこれほど効果的に結びつけた作家はほかにいない。ブレイクの詩は（「虎」のように）、読むばかりでなく、「見る」ものでもあるのだ。

　こうした個人的な差異や、競争心や、互いにわかっていないところなどはあるものの、ロマン派はその創造的な力を結集して、単なる文学的環境の外でも文学に何ができるか、また文学とは何かという大きな再定義をしてみせた。すなわち、どのように社会を変えていくかということだ。そして、ロマン派のなかでも楽観主義の人たちが考えたように、世界全体をどのように変えていくかということでもある。「革命」と言っても過言ではない。その運動はあまりにも熱く燃え上がったため、長くは続かなかった。1832年にスコットが死に、イングランドの「静かな」政治革命である第1次選挙法改正が制定されるまでには、燃え尽きていた。しかし、ロマン主義運動は、文学が書かれ、読まれるやり方を永遠に変えたのだ。のちにやってきてそれを使おうとする作家に新たな力を与えたのである。輝ける星ではない。燃え上がる星なのである。

Chapter 16 研ぎ澄まされた精神──オースティン

ジェイン・オースティン(1775〜1817)が英語圏の最も偉大な小説家のひとりであると人々に気づかれるまでには長い時間がかかった。見落としていた理由のひとつは、その小説世界が小さい(としか言いようがない)からだ。しかも皮相的な目で見ると、その6篇の小説のそれぞれが投げかける大問題──「誰がヒロインと結婚するのか?」──は、かりにそれほど小さくないとしても、天地がひっくり返るほど重要とは思えない。トルストイの『戦争と平和』と同じ部類でないことははっきりしている(オースティンの小説はどれも実質的に戦時中に書かれたものであり、その戦争は近代の英国が戦ったどの戦争よりも長いものではあったが)。

1816年に書いた手紙のなかで、オースティンは自分の小説を、独特の皮肉を交えて、ミニチュアの絵画に喩えている。「象牙の2インチ四方ぐらいの小さなところに、とても繊細な筆で描くのです」と。シャーロット・ブロンテは、同じイメージを取り上げているが、もっと批判的にこう記している。

この絵画には、中国風の忠実さ、ミニチュアの繊細さがある。オースティンは強烈な描き方をして読者を煽ったり、深遠な思考でその心を乱したりしない。情熱などまったく知らないのだ。嵐のように情熱的な女性たちとは口を利いたこともないし、その存在すら否定する。

辛辣な言葉ではあるが、これが一般的な批評である。『ジェイン・エア』の作者であるブロンテ（男性の偽名を使って小説を書いた）によれば、オースティンは、男性世界で自分の立場を持てない作家なのだ。そしてあまりにもおとなしすぎる――ブロンテの言葉では「嵐がなさすぎる」――のであり、それは多くを求める女性読者にとってもそうなのである。

文学的偉大さは、オースティンの小説がそうしているように、例の2インチの象牙という狭い空間でも展開できるのだろうか。しかも描かれるのは、ただ中産階級の生活のみで、ほとんど女性ばかりの限られた世界だ。現代読者であれば「できる」と答えるだろう。なぜかを説明するのは難しいが、きっぱりとした「できる」という返答を出発点とすることにしよう。

ジェイン・オースティンは、田舎牧師の娘として生まれた。それなりに裕福で、立派な家だ。兄弟と姉がおり、幸せな家庭環境で育った。姉のカッサンドラとはとくに仲が良く、長年同じベッドで寝ていたほどだ。悲しいことに姉は早世してしまい、ジェイン・オースティンの生涯について知られているわずかな事柄は、ジェインの大好きな長兄ヘンリーによる愛情あふれるジェインの思い出話や、カッサンドラ宛ての手紙で今に遺るもの（ほとんどは意図的に処分されていた）が手がかりとなっている。まちがいなく言えることは、その生涯にはあまり大きなドラマはなかったということである。

オースティンの小説は、そもそも自分自身の楽しみのために書かれたものだった。ギーと音をたてるドアのおかげで、誰かが部屋に入ってくるとわかると、書きかけの原稿を書き物机の吸い取り紙の下に隠した楽しい思い出があった。オースティンは、ドアを直さないでほしいと強く求めた。家族にのぞかれたくはないのだが、こちらの準備ができたら読み聞かせてあげた。まず家族に聞かせて反応を見るのだ。賢くて若いジェインが「第一印象」を読んで聞かせた相手も家族だった。これは16年後の１８１3年に『高慢と偏見』として出版された小説の前身であるが、この出版年より15年前に話が設定されている。ジェインの両親であるジョージ・オースティン牧師夫妻が、『高慢と偏見』に登場する娘たちの両親であるベネット夫妻――娘によってあまり同情的に描かれていない――のことをどう思ったのだろうかと考えてしまう。たぶん、ちょっと神経質気味に、クックッと笑ったのかもしれない。

オースティンはその生涯において、ほとんど旅をしなかった。彼女が描くヒロインたちも同様だ。家族は、リージェンシー様式の街並みが美しい温泉保養地バースにしばらく滞在した。バースは婚礼市場でもあり、オースティンの嫌った場所のようだ。ロンドンに行ったことはあるが、そこに住んだことはなく、作品にもあまり登場しない。たいてい、『分別と多感』においてそうであるように、ロンドンは離れていたい場所なのである。「ふるさと」——主にハンプシャー——こそがホームグラウンドだ。オースティンが地元のクリケット・チーム「ハンプシャーの紳士たち」をものすごく応援していたと知れば、なるほどと思うだろう。

魅力的な女性だったらしく（確かな肖像画は残っていない）、結婚申し込みがあったことは知られている。それを受けたのだが、翌朝にはその同意を取り下げた。どの小説でも主人公の求婚問題ばかり扱っているというのに、本人は一度も結婚しなかったのだ。オースティンが独身を貫いた動機が何かは推測するしかない。その動機が何であれ、オースティンの作品の愛読者は、彼女が1802年の運命の夜に気が変わってくれてよかったと思うことだろう。妻となり母となってしまえば、今の評判の基盤となっている6篇の小説を生み出す時間はなくなっただろうから。オースティンは、その小説のなかで最も哀れみを受けた存在である老いた未婚女性として死んだのである。

ただし、「老いた」とは言い過ぎだ。オースティンは享年41だった。その人生の詳細がわからないように、死因となった病気もわからない。しかし、急性のものではなく、最後の数本の小説は、体がいよいよ弱っていくなかで書かれていた。最後の完結作『説きふせられて』に暗い影が差しているのも、うべなるかなである。その小説の終わりで、疲れきった作者の手からペンが紙の上に落ちるのが感じられるくらいだ。オースティンは、その原稿を満足のゆくように書き直すこともできずに死んだのだ。

オースティンのヒロインたちは、ふさわしい求婚者に恵まれることもあれば、恵まれないこともある。エマ・ウッドハウスはフランク・チャーチルと結婚するのか、あるいはもっと年上でつまらないナイトリー氏の妻となるのか。エリザベス・ベネットはコリンズ牧師の申し出を受けて、家計を立て直すのか、それとも自分の立場を固守して（レイディ・キャサリン・ド・バーグの激しい反撃ののちに）ダーシー夫人となるのか。マリアンヌはバイロンのようなウィロビーに屈するのか、それとも退屈であっても立派でフランネルのチョッキを着た（中年の大尉は寒がりなのだ）ブランドン大尉の愛情を見出すのか。どの小説も教会の鐘の音で終わり、正しい選択が行われて、めでたしめでたしとなる。

ジェイン・オースティンが慎ましい「淑女」として知っていること以上の一線を越えないことは有名である（作者の名を伏せて出版された最初の小説『分別と多感』は、題名の下に「ある淑女による作品」と記された）。その小説には多くの男性が登場するが、男性たちの会話に淑女が入っていなかったり、聞いていなかったりすることはない。真に立派な貴族は少ない――例外は、『マンスフィールド・パーク』のサー・トマス・バートラムと、『説き伏せられて』のサー・ウォルター・エリオットだが、どちらも貴族としては高い身分ではない。同様に、オースティンの小説には労働者階級の登場人物は前面には出てこない。ジェイン・オースティンの世界では、うらぶれた上流階級が社会階層の最低レベルとなるのだ。もちろん、どこにでも召し使いはいる。その名前のいくつか（たとえば『エマ』の御者ジェイムズ）は知られている。しかし、オースティンの小説では、階下の生活は、立ち入ることのない別世界だ。

時折、小説が描こうとする世界より厳しい世界が垣間見られることがある。『エマ』では、ジェイン・フェアファックスが残酷なジレンマに陥る。一文無しとなりながら才能のあるジェインは、独立独歩でやっていかなければならない。結婚はひとつの解決策だが、彼女が愛する男性（その人はもしかすると残酷にも彼女を利用しているだけかもしれない）は裕福なエマ・ウッドハウスのほうに気がある。ジェインが自活できる唯一の手段は、家庭教師になることだ――かつかつの生活費を稼ぎつつ、「上級召し使い」として屈辱的な立場に耐えなければならない。そんな立場に身を置くなんて、まるで競売にかけられた奴隷のようだとジェインは思う。シャーロット・ブロンテだったら、こんなシナリオから小説『ジェイン・エア』を書いたことだろう。ジェイン・オースティンにとっては、主筋をはずれて脇筋にずれこむことでしかなく、ジェインの苦境に読者の注意を向ければ十分であって、それ以上脇筋に深入りすることは考えられなかった。

ジェイン・オースティンの小説がやらないことを数え上げてみるとおもしろい。彼女が生き、執筆したのは、歴史上でも相当大きな出来事があった時期だ――アメリカ独立、フランス革命、ナポレオン戦争など。小説には船乗り（兄弟が海軍にいた）や軍人（たとえば『分別と多感』のブランドン大佐や『説き伏せられて』の海軍の英雄フレデリック・ウェントワース）が登場するものの、ヒロインにふさわしい、あるいはふさわしくない求婚者としてのみだ。ホレイシオ・ネルソン提督〔アメリカ独立戦争・ナポレオン戦争などで活躍した英国海軍提督。ロンドンのトラファルガー広場の円柱の上に銅像が立っている〕本人がオースティンの小説に現れたとしても、ヒロインの夫にふさわしいかどうかという眼鏡でしか見られないのではないだろうか。

マンスフィールド・パークのような大地所は、西インド諸島の砂糖農園に奴隷を働かせることで経済的に成り立っていた。そうした事実は触れられてはいるが、詳しく考えられたりしない。また、そうした西インド諸島の農園で何が起こっているか少しでも考えてみることもない。オースティンの政治的かつ宗教的見方は彼女の階級の見方であり、後期の小説で少しこわばってくる程度でしかない。オースティンは信心深い英国国教会の信者であって、その小説のなかで牧師の影響力は大きい。しかし、一度たりとも教会に足を踏み入れたり、神学的な問題に頭をつっこんだりすることもない。そうしたことは日曜日にすればよいことであって、小説ですることではないのだ。

　1960年代に起こったフェミニズム運動は、オースティンの小説を高く掲げた。こうしたのちの時代の運動に対してジェインがどう考えていたかは疑わしい。その小説は、男性を女性より上に考える見方を一度たりとも問題視していないのだ。出版契約が父や兄によってなされなければならなかった事実をジェインが嫌がっていたかどうかはわからない——女性に所有権はなく、自分の頭が生んだものであってもそうだったのである。彼女が描いたヒロインのなかで最も裕福なのはエマであるが、21歳のときに3万ポンド（現代の金額に換算すると途方もない額になる）を所有していた。エマがナイトリー氏と結婚すると、それはすべて氏のものとなるのだ。小説はこの事実を静かに受け入れている。

　オースティンの文学観も、その社会意識と同様に保守的である。歴史的にはロマン主義運動の時期と重なる——そして、しばしばロマン派として分類されることもある——が、オースティンの態度はもっと前の、より安定した時代に属しており、その時代の価値観を小説は一貫して守っている。当時の小説は――とりわけ「恐怖小説」は――オースティンの文学的適正の感覚からすると、とんでもないものだった。『ノーサンガー・アビー』のヒロイン、キャサリン・モーランドは、現代小説を読んで道徳的に毒されてしまっている――ありがたいことに、一時的ではあるが。

以上のことから、ジェイン・オースティンはきわめて限られた時代の作家だったと結論づけられそうだ。重要でないとさえ言いたくなるかもしれない。では、彼女の小説がこんなにも優れているのはなぜなのか。理由はふたつある。ひとつは、オースティンが自分の小説の形態を自在に扱うその技術、とりわけ皮肉の使い方のうまさだ。ふたつめは、道徳的なまじめさ――人はどうやって生きるべきかという問題を、あらゆる意味合いを籠めながら、言葉にしているところである。その《ウィット》、人間の弱さに対する寛大な観察、そして同情といったものも加えてもいいかもしれない。

オースティンほど巧みに筋を展開できる人はいない。オースティンのファンなら、その小説を最初に読んだときのことなど覚えていられないだろう。あまりにも知悉(ちしつ)しているからだ。その熱烈な愛読者たちは、まるで聖書のように毎年6冊の本を読み返す。しかし、とくに初めて読む読者にとっても、オースティンの小説は、サスペンスの積み上げ方が最高なので、読みはじめたら止まらない。エマは（あるいは、エリザベスは、キャサリンは、エレノアは）正しい判断をするのだろうか。読者は最終章までハラハラする。

オースティンほど散文の技法を巧みに用いる作家はいないだろう。そのうえ、私たち読者に能力の限界まで自分たちの知能を使わせ、ふつうだったらしないところまで考えさせるのだ。たとえば、『エマ』の出だしを見てみよう。

エマ・ウッドハウスは、ハンサムで賢く、裕福で、快適な家庭があり、幸せな性格である。いくつもの天分に恵まれているようだ。21年近く生きてきたが、困ったことや気に病むことはほとんどなかった。

この文章ではふたつの言葉が妙なきしみを生じている。「ハンサム」とあるが、これは男性に使う言葉ではないだろうか。「可愛い」とか、「美人」のほうがふさわしくないか。「エマ・ウッドハウス」（「ミス」と、ついていないことに注意）は、独立独歩の女性で、人の言うことに唯々諾々と従わない人なのかもしれない。もうひとつ、この文で響くのは、「ようだ」という表現。「いくつもの天分」についてあまり自信を持っていてはいけないのかもしれない。そして実際、その自信は、この先のページでほとんど粉砕されていく。それから「気に病む」（「狼狽」ではない）という語。少し高慢気味のようだが、その高い鼻が折れてしまうことになる。この短い文のなかに、これほど皮肉や示唆がいっぱいつまっているのである。

オースティンの小説の文体や語りの技術は、高度に道徳的なまじめさと結びついている。その小説は、途中でちょっと失敗した乙女が結婚にたどりつくまでの波乱万丈の道のりを描くだけではないのだ。主人公は、常に、正しいことをしようとしている善良な若い女性として人生をはじめる。未熟で無垢で――思いやりのなさや頑固さをこじらせることもあって――人生の難局に直面する。別の言い方をすれば、誰もが自分で犯した過ちを自分で償うのだ。結果として苦悩や陰鬱に負けずに「大人」になって、道徳的に成熟していく。オースティンの小説が教えてくれるのは、きちんと生きるためには、まず生きてみなければならないということである。人生は、人生のための教育なのだ。ここでも（これまで述べてきた技術と同様に）オースティンは、批評家F・R・リーヴィスが英語の小説の「偉大なる伝統」と呼んだものの草分けとして考えられている。ジョージ・エリオット、ジョゼフ・コンラッド、チャールズ・ディケンズ、ヘンリー・ジェイムズ、D・H・ロレンスと続いていく伝統のはじまりに位置しているのだ。どの作家も、ハンプシャーの牧師館で執筆していた慎ましい淑女から出発している。彼女は、自分で世界を経験した以上に世界のことがわかっていたのである。

オースティンの小説によって、文学作品は偉大であるために大きなものでなくてもよいということが、すごくよくわかる。2インチの象牙に何が含まれ得るか。天才の手にかかれば、書くに値することはすべて含まれ得るのである。

Chapter 17

あなたの本——変貌する読者層

読書とは、常にきわめてプライベートな行為だ。読書会にしても、参加者は自分の個人的な感想を会に持ち寄り、それを共有する。読書行為それ自体を共有するのではない。しかしながら、読者が集団として何を買って読み、借り、あるいは盗むかという問題は、文学の長い発展のなかできわめて重要な要素である。どのような製品が売れるかは市場によって決まる。そして、広い意味で、市場（何百万もの個人の読者で成り立っている）は、「読者層」を形成する。読者の集まりは選挙権者の集まりと同じくらい何を選ぶか予見できないが、同じように決定権を握るのである。ビジネスにおいてと同様、お客（読者）が常に正しいのだ。読者が需要を生み出し、著者が——本の製造と流通によって——供給する。需要に応えようとしない出版業者は、すぐにつぶれてしまう。

読者層は、18世紀、都市化と社会繁栄とにともなって、文学におけるひとつの力として出現した。同時に、興味深い特徴が出てきた——読者層全体のなかに新たに、小さな読者層が生まれてきたのである。この頃、自分ではじょうずに書けないし、書いてみたらと勧められることはないにしても、読むことはできる中流階級の有閑婦人がどんどん増えてきた。社会に出て自分たちの技術を行使する機会は女性たちには与えられていなかった。この頃までその存在があまり認められてこなかった読者層である。当時の女性読者にとって魅力的な読み物は、小説の形でやってきた。サミュエル・リチャードソンの『パミラ』(1740)や、『クラリッサ』(1747～48)――18世紀中葉のベストセラー――は、明らかにヒロイン同様の女性を読者として狙っていた。若く、おしとやかな中流の、徳のある、結婚を望んでいる未婚か既婚の女性だ。リチャードソンの好敵手で、リチャードソンの小説を諷刺するヘンリー・フィールディングが、その卑猥な物語『トム・ジョーンズ』(1749)で若い男性をターゲットとしたのと明らかに対照的である。若い男性は、若い男性なりの趣味や好みがあるため、多様化していく読者層のもうひとつの区画を成したわけだ。

女性のための、女性による、女性についての小説は、この時期に根づいた。現代批評家のエレイン・ショーウォーターは、この時期とそのあとに書かれた小説を「女性たち自身の文学」と呼んだ。女性が外界との接触を断たれ、(教会や教会に関連した活動以外で)集まる機会も限られていた時代に、女性たちが会話できる方法として文学が機能したのだ。文学は、のちにフェミニズムとして発展するものの礎となった(第29章でこの点を取り扱う)。

しかしながら、大きな障害もあった。教育の欠如だ。ほとんどの女性に求められていた読み書き能力は低く、そのレベルを超えるためには、家庭に異例なまでに豊富な蔵書があり、両親や保護者が女性たちの知性に興味を抱いている必要があった。ブロンテ姉妹（第19章）やジェイン・オースティン（第16章）はそうした幸運に恵まれており、いくらかの女性読者にもそうした例は見られたが、ほとんどの女性はそんなことはなかった。20世紀に入っても、ヴァージニア・ウルフの書いた女性解放のための知的な小冊子『自分自身の部屋』（1929）は、ウルフがケンブリッジ大学の図書館への入館を拒まれる描写からはじまっている。特別研究員がこう言うのだ。あなたは特別研究員ではありませんからね、と〔正確には「ご婦人の入館は、特別研究員の同伴か招待状があるときのみに限られます」と言われた〕。象徴的な場面だ。ウルフは男性の読書界に属していなかった（「そのときはまだ」と付け加えるべきだが）。ケンブリッジに初めてできたふたつの女性用カレッジは19世紀後半にオープン〔ガートン・カレッジは1869年、ニューナム・カレッジは1871年に創設された〕し、ウルフが入ろうとしたカレッジが女子学生を認めたのはウルフの死後かなりあとになってからのことだった。

ジョージ・エリオット（実名はメアリ・アン・エヴァンズ）は、少女の時、父親が管理人を務めていた近所の貴族の邸宅にある書斎にいつでも入れてもらえた。エリオットはふつうの学校教育を受けただけであり、並々ならぬ努力で独学を重ね、友人たちの援助も得て、自分でドイツ語を学んだ末に、複雑な神学と哲学の作品の翻訳者として著述業をはじめた。そののち、当時初めての女性編集者となる。男性であれ、女性であれ、なかなか得られない地位だ。30代後半で小説執筆に転じ（男性の筆名を使って）『アダム・ビード』（1859）を書いたときには、もはや独立独歩の女性だった。独学者にして、「ブルー・ストッキング」——あえて自らを教育しようとする女性はそう呼ばれたのだった。なかなか真似のできることではない。エリオットは、大勢の女性たちが読みふけるものの少しも気に入っていない類の小説があることに気づいた。「婦人小説家によるくだらない小説」と、エリオットは呼んだ。もちろん、男性が読むくだらない小説もあった。しかし、くだらなくない文学の宝庫へ男性たちは自由に手を伸ばせるのに、女性たちはそうはいかなかった。状況はゆっくりと変わった。現代では、アイリス・マードック、マーガレット・アトウッド、ジョイス・キャロル・オーツ、トニ・モリスン、A・S・バイアットが、いずれも大学講師を経験した最高に賢い部類の作家となっている。その読者層もまた教育のある人たちが多く、男性と同様、あるいはそれ以上の女性読者がついている。この点で、読者層は均等になったのである。

しかし、歴史のどの時点においても、どの角度から眺めようと、読者層は、フットボールの観衆とはちがって一枚岩ではない。今日ではモザイクのようになっていて、小さな読者層がゆるやかにつながっている感じだ。それは、どこかの大型書店に足を踏み入れればすぐわかるだろう。ぶらりと歩いていけば「ジャンル」別に分けられた本が見えてくる。客は自分の好みに従って、ジュブナイル小説、古典の名作、官能小説、ロマンス小説、ホラー小説、犯罪小説、児童文学などのなかから選ぶことができる。

どこかで——あまり行ったこともないところに——詩が並んでいるコーナーがある。店先の展示用テーブルに山と積まれたベストセラーを興味津々で嗅ぎまわっているような客なら、もちろん見向きもしないだろう。詩はいつも文学の哀れな妹分だった。「数少ないがふさわしい聴衆」というのが、ミルトンが自分の読者を称して言った言葉である。ミルトンは商売にあまりにも興味がなかったために、『失楽園』の原稿を10

ポンドで手放してしまった。17世紀においても少なすぎる収入だ。皮肉なことに——教育の普及のおかげで——ミルトンは今では多くの人に読まれている。『失楽園』は、研究対象であり続けるかぎり、毎年のようにベストセラーとなる。最初は韻文を書くのが好きだったオスカー・ワイルドが、大いに人気のある喜劇を舞台用に書くことにしたのは分別があった。お金の流れを追ったのだ。「なんだって後世のために書く必要がある？」と、ワイルドは嘯(うそぶ)いたという。「後世が私のために何をしてくれたというのだ？」と。多くの詩人は「数少ないがふさわしい聴衆」を大事にする。ベストセラーの詩というのは撞着語法(オクシモロン)だ。ボブ・ディランやデイヴィッド・ボウイのようなバラード歌手なら話は別だが。

出版業界は、「読者の好み」を知ろうとして莫大な金をつぎ込んで市場調査を真剣に行う。一般にＳＦ(空想科学小説(サイエンス・フィクション))を好むのは若い大学卒の男性が多く、彼らはシリーズものを大量に購入し、ファンになる。いつもＳＦを読みふけり、仲間のファンとウェブ上のファン・サイトでつながりあう。

少しちがったタイプの読者は、グラフィック・ノベル（新しい形式の漫画本）に集まるが、その読者層もまた若い人が多い。ＳＦのファンタジー方面——ゾンビとか吸血鬼が出てくるやつ——では、女性読者はステファニー・メイヤー〔『トワイライト』の作者〕などのような新しい作家を好む。別の特殊領域であるホラーは、ＳＦやグラフィック・ノベルの読者層と重なるところもあるが、年齢層はかなり上だ。男性のアクションもの小説（かつてはウエスタンだったが、今では戦争もの）は、軍役を終える年齢に達したが馬に乗ったことはない男性に受ける。犯罪ものは男女とも年齢層は高い。アガサ・クリスティーのような犯罪小説の女王は、今では、パトリシア・コーンウェル〔『検屍官』の作者〕のようなハードボイルドの専門家に取って代わられている。

ロマンスは、専ら中年およびそれ以上の女性に読まれている。奇妙なことに、電子書籍の最近のブームは、ロマンスの読者層にリードされている。そのわけは推して知るべし。たとえば母親は家からあまり自由に出歩く時間もなく、書店は（スーパーマーケットとちがって）ベビーカーでは入りにくい。

近頃の書店にはPOSレジがある。販売時点情報管理（ポイント・オブ・セール）システムといって、購入データが分析されて在庫管理と連動する。ある特定の本が飛ぶように売れていると、本棚の空いたスペースにさらに多くの同じ本が並べられるという仕組みだ。手袋が手に合わせて作られるように、あなたが電子書籍を販売するサイトを利用していれば、あなたの手に合わせてサイトは変わっていく。アマゾンでいつも購入や商品チェックをしていれば、あなたの好みの商品が記録されていく。あなたの趣味に合う品の広告がスクリーンに表示されるようになる。人は皆指紋がちがうように、好みがちがう。読者は、出版業界によって、文学史上これまでにないほどに詳細かつ正確にそのプロフィールが捉えられるようになった。だからといって、読者がこれから何を求めるかが予知できるわけではない——ただ、一度表明された好みに基づいて、読者の要求がより素早く効果的に満たされるようになってきたということである。

全般に言って、読者層は手に入れられる以上の本を常に求めてきた。本の形をとる文学はこれまでずっと高価な贅沢品であった。ふたつの改革によって、文学が一般の人たちの手に届くようになり、入手しやすくなり、さらに多くの作品が読まれるようになった。

ひとつめは公共図書館である。ジェイン・オースティンが描くふたりの貪欲な読者キャサリン・モーランドとイザベラ・ソープ（『ノーサンガー・アビー』１８１８）は、バースの地域巡回図書館から「おぞましい」ゴシック小説を手に入れる。一冊の本が多くの人の手をめぐっていくシステムだ。現代の図書館司書の概算によると、ハードカバーの本は１５０回の貸し出しに耐えるという。貸出料もそれに応じて抑えることができる。19世紀中葉には、ヴィクトリア時代の読者のために巨大な有料貸出図書館（その名も「巨大な海獣（リヴァイアサン）」）が登場した。20世紀の前半には、どの町や都市にも、人気の小説が、たばこやお菓子や新聞と一緒に並べられる「2ペンス」図書館なるものがあった。１９５０年代の英国には、どの地方自治体も公共の総合図書館によって地域の住民が本を読めるようにしなければならないとする法律ができた。無料である。

もうひとつの改革は、19世紀に印刷の機械的進歩と木のパルプから低コストで紙が作られるようになって、安価な本ができるようになったことである。最も影響力があったのはペーパーバックの革命であり、これは１９６０年代のアメリカではじまった。21世紀の今は電子書籍があるので、インターネットにつながってさえいれば、どのパソコンの画面もアラジンの洞窟への入り口となる。

今日の読者がこれまで以上に多様な本を選べ、ほしい以上の本を読めるのはよいことなのだろうか。誰もがそう思うわけではないだろう。「多いのは、ひどいものもあるからだ」と言う人もいる。ただ、私もそうだが、ある程度の量がないと上質のものも生まれてこないと考える人もいる。読者層が厚ければ厚いほど健全なのだ。プディングは大きいほど、なかにたくさんプラムが入っている〔マザーグースへの言及。２１７ページの訳注を参照のこと〕。

Chapter 18 巨人——ディケンズ

チャールズ・ディケンズ（1812〜70）がこれまで紙にペンで執筆した英国小説家のなかで最高峰であるという考えに反対する人はまずいないだろう。「考えるまでもない」と言えそうだ。「他の追随を許さない者（ザ・イニミタブル）」とディケンズも自称しており（本人も自分が比類なく優れていると思っていたのだ）、そもそもそんな質問を思いつくだけでも、「無礼者め」と、ディケンズからにらまれそうだ。

銀行紙幣と郵便切手の両方に肖像が印刷された小説家がほかにいるだろうか。映画やテレビで自作の翻案をこれほど頻繁に放映されている小説家がほかにいるだろうか。毎年100万冊もの本が売れているヴィクトリア朝の小説家がほかにいるだろうか。2012年、生誕200周年を祝って、首相とカンタベリー大司教が、ディケンズはシェイクスピア級の作家であると断言した。異論がある人がいるだろうか。

しかし、これほど大絶賛を遍（あまね）く受けるとは、ディケンズの小説には、いったい何があるのだろうか。これは、いろいろな答えが必要となるので、一筋縄ではいかない質問だ。そして、長年のあいだに、答えは変化してきている。たとえば、『ピクウィック・ペーパーズ』をちょうど読み終えたディケンズの同時代人に、「どうして《ボズ》（初期小説におけるディケンズの筆名）はすごいんだと思う？」と聞いたら、「これまで読んだことのあるどんな作家よりも笑わせてくれるからさ」という答えが返ってくるかもしれない。8年後、ディケンズの同時代人に「『骨董品店』の著者がすごいのは、この作品に何があるからだろうか」と、たずねれば——有名な小さなネルの死を思って——「小説を読んでこんなに泣いたことはないからさ。ディケンズほど感動する作家はいないよ」という答えが返ってくるかもしれない。

19世紀の読者は、おおむね私たちとは異なった反応をしていた。自分の感情を抑える必要を感じていなかったのだ。私たちはもっとしっかりしている、あるいは自分たちはもっと繊細な読み手だと考えたがる。それゆえ、オスカー・ワイルドの軽口がよく繰り返される——「小さなネルの死に笑わないためには、石の心が必要だ」。ディケンズの小説の滑稽な場面ではつい笑ってしまうところもあるだろう（たとえば、毎年ミコーバー氏（『デイヴィッド・コパフィールド』に登場する呑気者）が借金取りに追われて苦労しているところなど）。悲しい場面で、うるうるしてしまうこともあるだろう（たとえば、ポール・ドンビー（『ドンビー父子』の主人公）の長引く死の場面とか）。しかし、私たちはたいてい感情をしっかり抑える。文学的判断を下すのに客観的かつ理性的でいようとするからだ。そのほうがよりよい読者と言えるだろうか。言えないかもしれない。

私たちはヴィクトリア朝の人間ではないが、ディケンズが最高峰の小説家であると理解すべき5つのなるほどと思える議論がある。

まず、ディケンズは、その長い執筆生活において、独特の創造性を持っていた。まだ20代前半のときでも、最初の小説『ピクウィック・ペーパーズ』で大成功を収めた。ほかの小説同様、最初は連載ものだった。月ごとの連載が1836年4月から、『ピクウィック・クラブ遺文録』という題名ではじまった。小物の作家ならピクウィックの路線を続けて一連の小説を書いたことだろうが、とどまることのない作家であるディケンズは、直ちにまったくちがうタイプの小説を『オリヴァー・ツイスト』（1837～38）として発表した。これは暗く、怒りのこもった政治的作品であり、サミュエル・ピクウィック氏の滑稽な冒険とはまったく趣を異にする。その怒りは、英国政府のみならず英国読者層へも向けられていた。この救貧院出の少年がスリとなり、強盗となっていく物語は、当時の虐待を攻撃したディケンズ初の「社会問題」小説である。そのあと、ディケンズは、さらに新たなタイプの小説を作り出した。たとえば、小説におけるイングランド初の探偵は、『荒涼館』に登場し、こうして推理小説（探偵小説）が生まれたのである〔アメリカの「モルグ街の殺人」が世界初の推理小説とも言われるが、小説に登場して殺人事件を見事に解決する本格的探偵は『荒涼館』のバケット警部が最初であるとも言われる〕。

ディケンズは、自身を主題として取り上げる「自伝的小説」の先駆けでもあり、『デイヴィッド・コパフィールド』（1849～50）と『大いなる遺産』（1860～61）がその例だ。これまでディケンズについて書いてきた80人かそこいらの伝記作家たちよりも、この2篇の小説からディケンズという人物についてより多くを知ることができる。

小説から小説へと渡り歩くディケンズを見ていると、作品の技術が完璧になっていくのがわかる。とりわけ筋の扱いは絶妙だ。連載ものを書くコツは（ディケンズの仲間の小説家ウィルキー・コリンズが言ったように）「笑わせ、泣かせ、おあずけをくらわせろ」だった。ディケンズは、そのキャリアのなかばまでに、小説の構成に相当の苦労をしていたものの、サスペンスの名手となっていた。どのように読者を待たせてじらせば、読者がはやる思いで続きを知ろうと次週や翌月の号を買いたくなるか、よくわかっていたのだ。『リトル・ドリット』（1855〜57）のような後期の小説では、ディケンズは読者を巧みに操っており、私たちは操られるのを楽しむ。ニューヨーク波止場の労働者は、『骨董品店』を連載していた週刊誌が届くと、店に向かって「（小さなネルは）死んだのか？」と叫んだという。

ディケンズの小説は、何年にもわたって作者の気分によって変化していき、大筋において滑稽さが減っていき、同時代の読者は不満を漏らすようになった――ピクウィック式のおもしろいものが読みたかったのだ。しかし、小説が暗くなっていくと、ディケンズはますます象徴主義の力に魅了されるようになり、その作品は象徴的に詩的になっていった。たとえば、後期の小説『我らが共通の友』（1864〜65）では、テムズ川が圧倒的なシンボルとなっている（後期小説にはすべてシンボルがある）。それは上げ潮によってロンドンに洗礼を施し、引き潮で都市の不浄（罪）を洗い流す。小説の主人公はこの川でおぼれて再生する（別人となる）。この後期小説の詩的側面はディケンズの文章を豊かにしたが、さらに重要なことに、他の小説家がその例に倣って、発展させていく道を拓いたのだ。文学の偉大な作家の例に漏れず、ディケンズはただ偉大な小説を書いたのみならず、他の作家たちも偉大な小説が書けるようにしてくれたのである。

ディケンズの偉大さのふたつめの理由は、子供たちを小説の主人公とした（『オリヴァー・ツイスト』のように）だけでなく、子供がいかに傷つきやすく弱い存在かを読者にわからせ、大人と子供の世界観がちがっていることを示した最初の小説家であることだ。まだ若者だったとき、自分は長生きしないと思ったディケンズは（確かに長生きではなかった）、自分の伝記を書く作家として親友ジョン・フォースターを選んだ。ディケンズは「わが魂の密かな苦悩」と題する数枚の原稿をフォースターに託した。ディケンズが幼少期に経験した厳しくつらい体験を記したものだった。海軍の事務員をしていた父親は金の管理ができず、マーシャルシー責務者監獄へ入れられてしまった。これは『リトル・ドリット』の設定であるが、11歳のディケンズの状況と同じだ。父親が鉄格子の向こうで弱っていく一方、幼いディケンズはテムズ川沿いのネズミがうようよする工場で靴墨の瓶にラベルを貼る仕事をさせられていたが、週6シリングにしかならなかった。残酷だが、さらにつらかったのは、子供の心を焼き焦がした恥の感覚だった。この傷は決して癒えなかった。誰よりも賢かった少年ディケンズは、その賢さにふさわしい教育を受けることは決してなかった。学校に行っても、ひどい邪魔が入り、15歳のときに教育は終わった。その恥辱も心に食い込んだ。いつも「身分が低い」とか「下品だ」とか言われ続け、『タイムズ』紙で追悼記事が出たときでさえ、そうだった。ディケンズが子供に主たる関心を抱く背景には、子供たちは単に小さな大人であるだけでなく、あらゆる大人が取り戻したいと望むものが子供にはあるからだ。ディケンズは（自分自身の子供たちに『キリストの生涯』を書いてあげているが）、キリストの名言「もし汝ら翻りて幼児の如くならずば、天國に入るを得じ」を深く信じていたのである。

実のところ、ディケンズは若い頃、独学と自己鍛錬とに身を粉にしたのだ。事務所の事務員としての職を得て、速記を覚え、庶民院（下院）の政治部記者として雇われた。彼は刻々と変わる時代の写し鏡となっていく――これが、ディケンズが偉大な作家である第3の理由である。ディケンズほど自分の時代に繊細だった小説家はいない。歴史的に言って、それはロンドンの爆発的成長期だった。10年ごとに人口は倍増し、大躍進を遂げると同時に、市民は大きな悲鳴をあげた。ディケンズの14篇の主要な小説のうち13篇はほぼロンドンを舞台としている。そうでないのは『厳しい時代（ハード・タイムズ）』（1854）であり、マンチェスター（「世界の仕事場」と呼ばれていた）付近でのストライキや葛藤を描く作品だ。ディケンズは、イングランドの脈をしっかりと取っていたのである。1840年代に鉄道網が全国にめぐらされ、古い（そしてディケンズにとってはロマンティックな）馬車がすたれると、社会は大きく変わるとわかっていたのだ。『ドンビー父子』（1848）は、鉄道がもたらした新たな世界が、恐ろしくも破壊的でありつつも、すばらしくつながりあうようすを主に描いている。

第4の理由。ディケンズの小説は社会変化を写し出しているだけではない。ディケンズは、小説それ自体が社会を変え得るとわかっていた最初の小説家だったのだ。小説は人々を啓蒙し、現状を暴き、よりよい社会を提唱することができる。改革者としてのディケンズのやや驚くべき実例は、『マーティン・チャズルウィット』の序文に認められる。これまでの小説で「公衆衛生を高める」必要性を示そうとしてきたというのだ。たとえば『荒涼館』のような小説を読もうとする読者にそんなことを言うのはどうかと思えるかもしれない。だが、ちょっと『荒涼館』の冒頭部分を見てほしい。

ロンドン。ミクルマス開廷期が終わったばかりで、大法官はリンカーン法学院で裁判を続行中。つらい11月の気候。通りには、洪水が引いていったばかりのような大量の泥。40フィートもあるメガロサウルスが巨大なトカゲよろしくホルボーン・ヒルをよたよたやってきそうな嫌な雰囲気。煙突から煙が低くたなびき、ぼたん雪ほど大きな煤まじりの柔らかな黒い霧雨となっており、さながら太陽の死を嘆いての喪服姿といったところ。

言ってみれば、どこもかしこも「真っ黒」なのだ（通りの「泥」とは、だいたいが馬糞と人間の排泄物だ）。空も煤けているため太陽が見えない。そして不浄についてまわるものといえば病気だ。この小説はいたるところ病気だらけであり、道路清掃を仕事にしていた貧しい子供リトル・ジョーは病死し、ヒロインは病気のせいで顔が醜くなってしまう。『荒涼館』の最初の巻は1852年に刊行された。6年後、技師ジョゼフ・バザルジェットは、ロンドン街路の下に下水の建設をはじめた。例の「泥」が消えるのだ。ディケンズはロンドンの土をスコップで掘ったわけでも、敷石を持ち上げたわけでも、鉛管を接合したわけでもないが、ヴィクトリア朝時代の衛生大改革に手を貸したと言っても過言ではないだろう。『荒涼館』は依然として読まれ続けている。どのロンドンの書店でも売っている。そして、ロンドン市民は依然として——たいていは無意識に——ヴィクトリア朝の先駆者が足下に敷いた下水システムの上を歩いているのである。

最後に、最も重要なことだが、ディケンズの小説に尽きることのない魅力を与えているのは、人々の根本的な善良さを作家自身が素直に信じている点だろう。つまり、私たちを信じてくれているということだ。悪党もいる（『オリヴァー・ツイスト』の人殺しビル・サイクスを弁護するのは無理だろう）が、おおむねディケンズは人間性に大きな信頼を寄せている。本当に悪い人はいないのだといつも感じているのだ。この人間の善良さへの信頼が、その最も有名な作品『クリスマス・キャロル』（1843）で描かれることになる。エベネーザ・スクルージは、貧乏人が自分の家の前の通りで死んでもかまわないという、薄情なけちん坊である。働く場所ぐらいあるだろうと、彼は言う。だが、スクルージでさえ、感動することがあれば、善意の人になれるのだ。体の不自由なタイニー・ティムの第2の父親となり、ティムの父親ボブ・クラチットの寛大な雇用主となる。この「心変わり」は、ディケンズの多くの物語のなかでもとくに重要な瞬間だ。そして——仮にディケンズに直接聞いて、素直な返事が返ってくるとして——ディケンズはおそらく、自分の著作の目的は、小説にせよ評論にせよ、人々の心を変えること、少なくとも柔らかくすることなのだと答えたことだろう。ディケンズほどそれに成功している作家はいない。今日でも。

チャールズ・ディケンズは、あらゆる点で自分は完全な人間ではないと誰よりも先に認めるような人だった。その小説のほとんどは、幸せな結婚で終わるが、彼自身はあまりいい夫や父親ではなかった。20年連れ添った妻とのあいだに10人の子供ができたのち、離婚をして、自分より20歳も年下の女性と再婚した。若い娘のほうが気に入ったのだ。ヴィクトリア朝の標準的考えから言っても、ディケンズは社会的考えや態度がひねくれていて、先入観を持っているところがときどきある。しかし、ひねくれてはいても、進歩とよりよい世界を作る人類――よりよくしようという気があればだが――の能力へのすばらしい信頼のほうが、遥かに大きかったわけだ。現在の私たちの世界は、一部はチャールズ・ディケンズのおかげもあって、過去よりはよくなっている。だからこそ、彼の小説は偉大なのだ。「そのとおり」と、（もしあなたがそうでないかもしれないなどと思おうものなら、むっとしながら）「他の追随を許さない者（ザ・イニミタブル）」は言うだろう。

Chapter 19 人生文学——ブロンテ姉妹

ブロンテ姉妹——シャーロット（1816～55）、エミリー（1818～48）、アン（1820～49）——の生涯を描けば、それだけでセンセーショナルな小説になるだろう。姉妹の父親パトリック・プランティは、赤貧のアイルランドで農家の10人の子供のひとりとして生まれ、驚くべき独立独歩の男だった。生まれつき賢かった父は、努力とかなりな幸運とによって、ケンブリッジ大学へ進学した。卒業すると英国国教会の牧師となり、自分の名前を慎重に考えてネルソン提督の称号のひとつ〔ネルソンはブロンテ公爵でもあった〕「ブロンテ」に変更した。当時、アイルランド人を嫌う人もいたため、アイルランド系の名前を捨てたのだ。アイルランドではしょっちゅう蜂起や流血事件があった。ブロンテ牧師はよい結婚をして、1820年にヨークシャーに聖職禄〔牧師としてのポスト〕を得て、キーリーから遠くないペナイン・ムーアにある繊維の町に住んだ。家族は野生の自然と産業革命とに挟まれて暮らしたわけである。

「聖職禄」を英語で「生計（リヴィング）」（生きている）と呼ぶが、これはおかしく、ハワースに建った立派な牧師館は死の場所であった。パトリックの妻は6回の妊娠に疲弊して30代なかばで、アンがまだ赤子のときに没した。長女と次女は子供のときに死んだ。生き残った3人の姉妹のうち、40に達したものはいない。シャーロットが一番長生きしたが、39歳の誕生日直前に亡くなった。家族の大きな期待を背負った息子のブランウェルは、ぐれてしまい、酒と麻薬におぼれ、39歳で荒れたまま死亡した。子供たちは皆、死ぬか、「消耗（コンサンプション）」（当時、肺結核のことをそう呼んだ）で弱って死にかけていた。皮肉なことに、貧乏な父親だけが生き残った。懸命に努力して出世したのは何のためだったのか。

もしブロンテ家が、もうひとりの有名な牧師の娘ジェイン・オースティン（彼女は41歳で亡くなった）ぐらい健康で、幸福で、裕福で、長寿だったら、彼女たちがもう少し生きて書いたかもしれない小説はどんなものになっていただろう。かなりちがった作品を書いていたことと思われる。少なくともそれだけはまちがいあるまい。3人とも作家としてものすごい速さで成長していたのだ、その短い人生の最期の瞬間まで。

ハワース――牧師館と教会とに隣接する墓地のあるところ――が、姉妹の小説における風土と小世界を形成した。3人は誰も逃げ出さずに、皆、父親の教区内で人生を過ごしたのだ。外界を知らないことは、その小説を見れば歴然とする。たとえば、エミリー・ブロンテの『嵐が丘』（1847）において、あらゆる出来事は、小説の題名となっている古い屋敷から半径10マイル内で起こっており、この領域の狭さが語りに穴をあけているのだ。物語のはじめで、アーンショー氏はリヴァプールまで（「片道60マイル」）行って捨て子を連れ帰ってくる。これから養われる家へ大きな影を落とすことになる幼子のヒースクリフだ。ほかの小説家だったら、この見知らぬ子どもの「生い立ち」を掘り起こすか、少なくともアーンショーがそう主張しているとおりに（疑わしいが）リヴァプールの排水溝でこの浮浪児を見つけた場面を描くだろう。この子は、流浪生活をするどこかの女が密かに生んだ私生児なのか。エミリーはまったく説明のための場面を描かない。なぜか。

最もありうる理由は、彼女がリヴァプールを知らなかったからであり、知らない場所を自分の物語に入れたくなかったからだ。『嵐が丘』のプロットにあるそうした穴で最大のものは、ヒースクリフの「失われた年月」に関するものである。キャシーがネリー（この小説の多くの語り手のひとり）に、自分はリントンと結婚するつもりだと語るのを立ち聞きしてしまったヒースクリフは、荷造りもせず、ポケットに一銭も持たずに家を飛び出し、3年後、金持ちになって、とてもよい身なりをした立派な「紳士」として帰ってくる。どうしてそんなことになったのか。この変貌ぶりはどういうわけなのか。小説は教えてくれない。

こうした「プロットの穴」と私が呼ぶものは、小説の構想としてわざと作られている芸術的な技法であると看做すこともできる。だが、同時に、著者が田舎の世間知らずの女性であって、逃げ出していったヒースクリフのような無知な田舎の子が大変貌を遂げる場所や状況を経験したことがないという事実もまた指しているのである。

アンは、生涯で1度だけロンドンへ2日間出たことがある（最初の小説の著者であることを証明しに）。その

2篇の小説（これまで不当に評価が低い）は、そのきわめて限られた人生経験を倹約して用いながら、最大限に生かしている。『アグネス・グレイ』（1847）では、ヨーク近くのある家で家庭教師を2年間した経験に基づき、中産階級の家で「上級召し使い」の立場にいなければならない恥辱と欲求不満とを描いて、最高のヴィクトリア朝小説を作り出した。アンがほかの女性よりも詳しかったもうひとつのことは、アルコール中毒だった。喘息だったために家にこもりがちで、姉たちよりも多く用を言いつけられたアンは、子供のとき、「いい子」だとしてメダルをもらった（シャーロットやエミリーがメダルをもらうのを想像するのはむずかしい）。だから、酔って暴れる兄のブランウェルの面倒を家で見なければならなかったのは、アンだったのである。アンの小説『ワイルドフェル館の住人』（1848）の筋はこうしてできたのであり、ヴィクトリア文学におけるアルコール依存症の痛々しいほど精確な描写となっている。

忘れられがちなのは、ブロンテ姉妹は牧師の娘たちだということだ。それは書かれたものに織り込まれている——見えないときもあるが。『ジェイン・エア』（1847）の読者の多くは、最初の1行（「その日は散歩に出るなんてありえませんでした」）を覚えているだろうし、「赤い部屋」やおぞましいリード夫人の恐ろしさを忘れはすまい。しかし、小説の最後の言葉を思い出せば、びっくりするだろう——「アーメン。主イエスよ、来たりたまえ」（「ヨハネの黙示録」22章20節）。

その小説を読むときに、姉妹はほとんど学校に通っていないことを思い出すべきだろう。コーワン・ブリッジ牧師女学校の寄宿舎での短い経験はひどいものであり、上の姉たちの死を招いた。シャーロットは、このおぞましい場所を、憎しみをこめてローウッドと名づけ、『ジェイン・エア』に永遠に刻み込んだ。13年後も、この嗜虐的な学校が自分や姉たちに与えた肉体的苦痛を忘れられることはなかった。

> 私たちには長靴もなく、雪が靴のなかに入ってそこで溶けました。手袋をはめていない手はかじかみ、足と同じようにしもやけになりました。このために毎晩いらいらと気が散ってならなかったのをよく覚えています。足がかっと熱くなるのです。そして、朝になってふくれあがってヒリヒリしている固いつま先を靴に押し込める痛さといったら！

腸チフスが学校じゅうに広まって学校閉鎖になると、父親が3人の生き残った娘の教育を引き受け、家でとてもじょうずに教えた。姉妹は、充実した牧師館の書斎で自由に本を読み、そこにあった本——スコットのロマンスやバイロンの詩など——に刺激を受けた。

1826年頃、3人の幼い姉妹はブランウェルと一緒に、想像した世界を密かに長い続き物の話に仕立てあげ、ほとんど判別できないぐらいの文字で小さな紙に書きつけた。この「子供時代の織物」は、そもそもブランウェルのおもちゃの兵隊さんを使った遊びから思いついたものだった。物語は、ナポレオンやウェリントンのような英雄が活躍して、アフリカにまで広がる世界となった。アングリアやゴンダルという想像世界の登場人物たちのスーパーヒーローぶりは、のちの小説のエドワード・ロチェスターや、最も魅惑的なヒースクリフといった人物ににじみ出ている。ヒースクリフは、その名前（苗字なのか名なのかわからないが）と同様、エミリーの愛する湿原の風景にある最も厳しく最も非人間的なふたつの要素——荒野と崖——を結びつけてできたヒーローなのである。

成人したら、ブロンテ姉妹のように異様に賢い女性はどうしたらよいのか。もちろん、結婚である。父親が死んだら一文無しになってしまう。現在に伝わるわずかの肖像画とたった一枚の（シャーロットの）写真から、姉妹は肉体的に魅力的だったことがわかる。若い結婚適齢期の牧師はいくらでもいたから、よりどりみどりのはずだった。ところが、姉妹は結婚以上のものを求めていた。たとえばシャーロットは、若い頃の結婚申し込みをいくつか断っていることが知られている。父親から受けた家庭教育をほかの人に施すことで暮らしていけると姉妹たちは決心した。3人とも家庭教師となったが、シャーロットとエミリーはうまくいかず、すぐやめた。アンは長く続けたが、苦労も長びくことになった。

1842年、シャーロットとエミリーはブリュッセルへ行き、フランス語修得の目的で、女子限定の寄宿学校に教育実習生として勉強しに行った。いつかは自分の学校を運営できるだろうと思ったのである。ブリュッセルでは、エミリーはヨークシャーとその湿原から離れているのが始終つらかった。ヒースクリフやキャシーと同様に、「荒野」を愛してやまなかったのだ。『嵐が丘』のなかのすてきな場面のひとつは、若いキャシーとヒースクリフとが互いの好きな夏の日を比べあうときだ。キャシーは、雲が風に吹かれて空を流れていって、地面にまだらの影ができるときが好きだった。ヒースクリフは、じっと蒸し暑い、雲ひとつない日が好きだった。こういった場面は、シャーロットの小説にはない。

エミリーはできるかぎり早くブリュッセルを去って、ハワースに戻った。外国はどうにも苦手だった。シャーロットは、もう1年滞在した。シャーロットにとっては悲惨なことだが、文学にとっては幸運なことに、シャーロットは学校長コンスタンティン・エジェに激しい恋情を抱いてしまった。校長はきちんと振る舞った。激情に襲われたシャーロットは、ひどいとまでは言わないまでも、かなり無茶な態度に出た。エジェが好きで好きでたまらなかったのだ。禁じられた恋ではあったが、それでも、このみじめな経験はそれから書かれる小説の題材となった。たとえば『ジェイン・エア』でロチェスターが家庭教師をからかい、追えば逃げ、逃げれば追うという関係になるのがそれである。『ヴィレット』(1853)では、エジェはさらに本物に近く、ルーシー・スノウがブリュッセルの寄宿学校で教育実習生として勉強しているときに恋に落ちた男性として登場する。自伝的要素はヒロインが(一人称で)書くこの小説の形式によって強められている。不幸な恋愛が偉大な小説を生んだ例は滅多にないだろう。こうした小説の背後に何があったのかを知ることで、読者はその偉大さをさらに味わうことができる。

ブリュッセルのあとで、3人姉妹はハワースで再会した。20代になっており、家庭教師も、ベルギーでの勉強もうまくいかなかった。しかし、だからといって婚活をする気はなく、3人で何とか生活費を稼ごうとしていた。初期ヴィクトリア時代の女性にとって容易なことではなかった。

3人は作品を書こうと決意した。本の収入で、いつかは学校を建てられるかもしれない。作家も出版社も男ばかりの世界に乗り込むために、姉妹は男性の仮名（カラー、エリス、アクトン・ベル）を使った。この筆名で自分たちの詩集を自費で印刷して世に出し、期待して待ったが、2冊しか売れなかった。後世の人々はとりわけエミリーが優れた詩人であったと認めることで、この埋め合わせを少ししている。

1847年というすばらしい年に、ブロンテ姉妹3人の偉大な小説が3冊とも刊行された。ただし、どれもすぐに成功したわけではない。『嵐が丘』と『アグネス・グレイ』——エミリーとアンの最初の小説（これも男性の筆名で出版された）——は、ロンドンで最悪の出版社に受け入れられた。そのひどい扱いゆえ、ふたりは支払いもなく、あとかたもなく沈むことになった。ふたりが死んでかなりしてから、これらの小説はヴィクトリア時代の傑作として認められるようになった。だが、作家にとっては手遅れだった。

シャーロットはうまくいった。最初の小説は、送りつけた出版社から不採用とされたが、弊社はあなたの次の作品を非常に興味深く期待しているというコメントがあった。シャーロットは律義に数週間後に『ジェイン・エア』を送った。それはベストセラーとなり、「カラー・ベル」（この筆名を長くは使い続けなかった）は時代の寵児となった。小説家のウィリアム・メイクピース・サッカレーは、その他大勢と同様に、世界に打って出て愛する男性を勝ち得た地味で小さな家庭教師の物語を夢中で読んで徹夜した。ヒロインが愛する男性は屋根裏に閉じ込めていた狂女（最初の妻）を都合よく亡くし、最後にはサムソン〔旧約聖書に出てくる怪力の持ち主〕のように、手と視力とを失いながらもヒロインのものとなるのである。

エミリーはその数か月後に亡くなった。30歳になったところで、書こうとしていた第2作も書き終えていなかった。アンは、その5か月後、28歳で亡くなった。その2作目の小説『ワイルドフェル館の住人』は、第1作と同様に、出版社によって恥辱的な扱いを受けた。ふたりは肺結核で亡くなった。

シャーロットはさらに6年生き延びた。彼女だけが結婚をしており、父に仕えていた副牧師の申し込みを受けたのだ。結婚後しばらくして、38歳で妊娠中毒症のために亡くなり、ハワースの家族墓地に埋葬された。3人姉妹は、永遠に生きる小説をこの世に遺して世を去ったのである。

Chapter 20 毛布の下で──児童文学

文学的なかくれんぼをしよう。『ハムレット』では、子供はどこに隠れているでしょう？　『ベーオウルフ』では、ちびっ子はどこにいる？　2012年に英語で書かれた最も影響力のある小説に選ばれたオースティンの『高慢と偏見』において、ベネット家の子供はどこにいるでしょう？　出てこい、出てこい、どこにいる？　探しても見つかりません。

伝統的な親にとって、理想的な子供は「姿は見えても黙っている」ものだ〔昔の教育方針で、子供は黙っていなさいと言われていた〕とするならば、長い文学史において、子供は何世紀ものあいだ、見えも聞こえもしなかった。もちろん、いるのだが、見えないのだ。

児童文学──子供のための文学であると同時に、子供についての文学でもある──は、19世紀に新しいカテゴリーとして生まれた。子供を描き、子供に読ませるという新たな興味が生まれたのは、ロマン主義運動のふたりの指導者に負うところが大きい。ジャン＝ジャック・ルソーとウィリアム・ワーズワースである。ルソーの『エミール』（1762）――理想的な児童教育の手引き――と、その次の世紀に書かれたワーズワースの長い自伝的な詩『序曲（プレリュード）』は、子供時代は、人生において私たちを形成する期間であるとしている。ワーズワースが言うように、「子供は大人の父である」。子供はとるに足らないものではなく、人間の状態を形づくる根源なのだ。

ワーズワースの子供への熱には両面性がある。ひとつは、子供時代の経験は形成的であるということだ（それはまたトラウマにもなりえるので、歪みを形成することにもなりかねない）。『序曲』（子供は大人の序曲である）において、私たちとまわりの世界との関係ができあがっていくのは子供時代である、とワーズワースは論じる。ワーズワース自身にとっても、自然との親密な関係ができたのは、子供時代だった。

もうひとつの側面は、子供は最近まで神様の近くにいたのだから、成人よりも「純粋である」という、ワーズワースの宗教的な信条だ。この信条は、その詩「不滅のオード」で表明されている。私たちは「たなびく栄光の雲」として世界に生まれるが、年月を経るうちに雲は次第に薄れていく。ふつう「成長する（グロウ・アップ）」という言葉は、増えていくことを意味する。より強くなり、より知恵を増し、より腕を磨く。（英米では）ある年齢になるまでは「成熟」していないとされ、ある種の映画を見たり、酒を飲んだり、車を運転したり、結婚したり、公的な選挙で投票したりできない。ワーズワースはちがったふうに考える。成長とは何かの獲得ではなく、獲得より重要な純粋さの喪失だと考えるのである。

第18章で見たように、人間の存在において子供が最も重要だとするワーズワースのような考え方をする後継者は——もちろん、チャールズ・ディケンズだ。第2の小説『オリヴァー・ツイスト』（1837〜38年、20代なかばに書いた小説）では、ディケンズは当時導入された新しい法律を攻撃した。「ぶらぶらしている」連中をまともな仕事に就かせて、町の援助金給付のリストから外そうという法律だ。そのせいで貧民はなおさら公的援助に頼りにくくなってしまった。「福祉国家」についての政治的議論でいつも繰り返されるシーソーゲームのような問題だ。

だが、ディケンズはどのように残酷な英国を描いていくのか。救貧院の孤児だった幼子が未成年の煙突掃除人となり、ついには犯罪者の見習いとなるまでを追うことによってである。どうして社会がこんな具合なのか知りたければ、自分が子供をどう扱っているか見ればいい。「小枝が曲げられれば、木も曲がる」（「三つ子の魂百まで」）というように、ディケンズは人間として、そして作家としての自分の性質は、13歳までに自分に起こったことによって形成されたと考えており、自らの伝記作家にその点をはっきりさせるようにと指示した。

子供の頃の経験はその人の一生を決めるというワーズワースの考えは、『オリヴァー・ツイスト』のあと、シャーロット・ブロンテ（とくに『ジェイン・エア』1847）によって受け継がれ、トマス・ハーディ（とくに『日陰者ジュード』）、D・H・ロレンス（『息子と恋人』1913）を経て、ウィリアム・ゴールディングの『蝿の王』（1595）やライオネル・シュリヴァーの『ケヴィンの話をしなきゃ』（邦題『少年は残酷な弓を射る』）に至る。

要するに文学は、19世紀に子供を見つけ、それ以来興味を失っていないのである。

これまで大人による、大人のための、子供についての本を扱ってきたが、子供やヤングアダルトの読者に対して同じように有益な本のカテゴリーもある（当初はヤングアダルトを意識していなかったにせよ）。たとえば、ルイス・キャロルの『不思議の国のアリス』（1865）、マーク・トウェインの『ハックルベリー・フィンの冒険』（1884）、J・R・R・トールキンの『指輪物語』（1954〜55）などだ。こうした作品は、若い読者に読んであげることも、また若い読者自身が読むこともできる。そして、この段階で、「子供」を広く定義できることは気に留めておいてよいだろう。5歳児が読んで聞いて理解する内容は、10代前半の子のそれとはかなりちがうし、書店でも別のコーナーにしている。しかし、バースデーケーキにろうそくを何本立てようと、もちろん私たち皆のなかに子供の部分は存在しており、これら3作は、7歳から70歳までの読者（やリスナー）を満足させてくれるのである。

オックスフォード大学講師で言語学者だったルイス・キャロルが『不思議の国のアリス』と『鏡の国のアリス』を書いたのは、大学の同僚の賢い娘さんたちのためだった。ある夏の午後、川を舟で下っていくときにその子たちを楽しませようとして紡ぎ出した話は、地面の穴に飛び込んだ白ウサギを追いかけていく少女の物語だ。気づくと不思議な地下の廊下にいて、そこで体が小さくなる薬を飲んだり、巨大になるケーキを食べたりして、へんてこで、ときに乱暴な大人がいっぱいいる世界を旅していく。キャロルの物語は、「成長する」（大きくなる）ことの試練や苦難についての寓話となっており、自分でもその過程を経験していく若い読者を常に魅了し続けてきた。しかし、そこにはまた、キャロルの大学の同僚たちをおもしろがらせ、楽しませる無数の仕掛けが組み込まれている――たとえば詩のパロディ（ロバート・サウジーが老化について書いた詩をちゃかして大笑いできる詩に変えたのはその一例）や、哲学的難問の数々が出てくる。

マーク・トウェインの『ハックルベリー・フィンの冒険』は、子供のための、そして子供についての、最も称賛され、多く批評されてきたアメリカの本である。先に出版されたトム・ソーヤーの物語に登場した友達ハック（ハックルベリー）が、逃げ出してきたアフリカ系アメリカ人ジムと一緒に逃亡生活を送るという単純な話だ。ジムが自由になれるようにと、ふたりはミシシッピー川を手製の筏で下っていく。冒険に次ぐ冒険があり、ハックはジムを自分と同等の人間として尊敬するようになっていく。最後のほうの章はかなり滑稽になり、トム・ソーヤーが登場する。マーク・トウェインは、「トムとハック」について、だいたい12歳ぐらいの若い（ときには9歳という幼い）読者から大量の手紙をもらっていた。子供たちは、ハックたちが起こすごたごたを楽しんだのだ。『ハックルベリー・フィンの冒険』は実のところ、あまりに若い読者に人気が出たために、ハックの文法を無視した物の言い方とか「はったり」（嘘）を「子供たち」が真似るといけないというのでアメリカの図書館では閲覧禁止となったほどだ。しかし、1964年の公民権法以来、大人の読者は、繊細に描かれたハックとアフリカ系アメリカ人ジムとの友情に魅了され、若い主人公が抱いていた人種への偏見がだんだんと正されていくようすに感銘を受けてきた。これは大人の主題だ。だが、それはあらゆる年齢層の読者にこの物語が与えうる喜びとともにあるのである。

『指輪物語』は、善と悪の絶え間ない葛藤を扱う——比較的最近刊行されたフィリップ・プルマン〔『ライラの冒険』作者〕やテリー・プラチェット〔《ディスクワールド》シリーズ作者〕と同じだが、最近のほうには大人の読者がついている。だが、トールキンが描く、中つ国を支配しようとする暗黒のサウロン卿と、そこに住むエルフ、ドワーフ、人間たちとの壮大な戦いの物語には、さらなる次元が加わる。当時トールキンは、古英語と中英語の最も権威ある文学批評家であり、『ベーオウルフ』（第3章参照）の専門家であった。『指輪物語』は、子供が夜寝る時刻になっても読みふけってしまうような小説ではあるが、トールキンの同僚の学者たちも夢中になった。トールキンが最初にこの企画をオックスフォードのパブという快適な環境で語り合った相手は、学者仲間だったのである。

「児童文学」が何を意味するのか掘り下げていくと、実に興味深い問題にぶちあたる。そのうち3つを見てみよう。第1は、私たちは子供として文学を「理解」する基本的術をどのように修得しているのかという問いだ。生まれながらにして文字が読めたわけではない。ふつう2歳（ぐらい）で、寝るときに本を読んでもらったり、マザーグースを歌ってもらったりして耳から文学を経験するのが最初だ。たとえば、『ジャックと豆の木』を読んでもらったり、「3匹の目の見えないネズミさん（スリー・ブラインド・マイス）」を歌ってもらったりする。絵があれば、子供はページへ興味を抱くようになる。少しずつ大きくなるにつれて、物語や歌は複雑になり、絵は中心でなくなる。マザーグースの代わりにドクター・スースの絵本を読むようになり、ロアルド・ダールが寝るときに読むお気に入りとなったりする。

多くの人は自宅で文学を読み、好きになるものだ。寝るときのお話は、一日の贅沢のひとつとなる。子供は親に本を読んでもらうのではなく、親と一緒に（あるいは兄や姉と一緒に）読むようになる。多くの子供は大きくなるにつれて第3段階を迎える――毛布のなかに懐中電灯を持ち込んで、部屋の電気を消されても読み続けるのだ。子供のときに読んだ本は、生涯大切な文学的伴侶となる。

児童文学には、大人の文学とははっきりと異なるもうひとつの特徴がある。本は高価であり、子供には自由に使えるお金がない。新しい小説は、この100年間、平均的な人の週の収入に近いぐらい高額なものだった。だから、児童文学は子供が買うものではなく、子供のために買ってあげるものだった。ヴィクトリア朝時代はとりわけ、よい子への「ご褒美」として本を贈るのが流行った（日曜学校が本を与えることもあった）。児童文学は、ほかのジャンルよりもお金がかからないため、「よい子」を生み出そうとして大人が常に管理し、検閲するのが一般的だった。

子供は当然ながら、苦い薬より甘いお菓子が好きだ。わずかのお小遣いをかき集めて、6歳のチャールズ・ディケンズは「ペニー本」と呼ばれていた陰鬱な挿絵入り犯罪暴力小説に散財した。ドブネズミについての小説は、生涯忘れられなかったという。

そんなこんなで、最近の児童文学における最も興味深い現象にたどりつく――J・K・ローリングだ。ローリングの『ハリー・ポッター』シリーズは全7巻が完結するまでに5億冊が売れた。その成功の秘訣のひとつは、ローリングが自分をかこいこまなかったところにある。少年ものないし少女ものの作家としてレッテルを貼られないように、自らを性別不詳の「J・K・ローリング」と称した。そして、このシリーズは、ハリーのお話だけでなく、ハーマイオニーのお話にもなっている。年を重ねると、「年齢層」という罠も巧みに避けた。第1巻の『ハリー・ポッターと賢者の石』では、主人公は階段の下の押し入れで小さくなっている7歳のいじめられっ子だ。第7巻にして最終巻の『ハリー・ポッターと死の秘宝』では、主人公とそのホグワーツの仲間は17歳になろうとしている。フラーはハリーに「魔法のかみそり」を与える（世慣れたフラーは『これでどんなかみそりよりもきれいに剃れるわよ』と告げる）。このかみそりは、ハリーが大人の仲間入りをしたことを象徴する。ちょうど最初のほうきが、魔法界に足を踏み入れたことを象徴したように。

児童文学は――150年前には存在していなかったが――今や、ローリングが見事に示してくれたように、巨大な金儲けの産業であるのみならず、あらゆる年齢の読者にとって最も興味深いことが起こっているジャンルである。それはますますおもしろく進化している。読み続けよう。

Chapter 21 デカダンスの華——ワイルド、ボードレール、プルースト、ホイットマン

19世紀末、新たな作家像が英国とフランスの表舞台に現れた。「洒落者としての作者」である。突如、作家はただ作家であるのみならず、有名人となったのだ。その服装や振る舞いが、つぶさに研究され、真似され、気の利いたことを言えばその言葉が繰り返された。作者の人となりが、その作品同様愛され、本人も有名人として振る舞った。ワイルドが小説『ドリアン・グレイの肖像』で皮肉を利かせて言ったように、「この世で噂になることよりひどいことはたったひとつしかない。それは噂されないことだ」。

歴史をさかのぼって考えれば、作品とは別に、その生活ぶりや人物像で悪名を馳せた最初の作家は、バイロン卿だと言えるだろう（「危険でとんでもない悪い人」——第15章参照）。ヴィクトリア時代が終わりに近づき、新たな文学的・文化的・芸術的影響が——とりわけフランスから——イングランドの中産階級の自信を突き崩していくと、憂鬱を気取るバイロン主義が「世紀末」に流行った。

世紀末の英国で、文学的なダンディズムの熱狂の好例となったのが、ほかならぬオスカー・フィンガル・オフラハティ・ウィルス・ワイルド（1854〜1900）だった。ワイルドの経歴は驚くべきものだ。有名人として、これほど成功を収めた作家はいないだろう。しかし、最終的にワイルドが行き着いたのが監獄だったことを鑑みれば、作家が、当時の人たちの目から見て「まとも」とは思えないスキャンダラスな暮らしをするのは危険だったとわかる。ダンディズム、デカダンス、退廃は、一般大衆の考えかたでは安易に結びついた。ワイルドは一線を越えてしまった。しかし、その前に華々しい炎をあげてみせたのである。

ワイルドの文学的業績は、客観的に見ると、さほど印象的なわけではない。『まじめが肝心』（1895）という文句なしの傑作戯曲が一本ある。ゴシック小説『ドリアン・グレイの肖像』（1891）は当時センセーションを巻き起こしたが、今日ではその華麗な同性愛のサブテクストが専らの興味の対象となっている程度だ。主人公ドリアン（d'orとはフランス語で「金製」という意味）が永遠に「黄金の若者」でいるのに、屋根裏に隠した肖像画（彼のグレイな自我）はしなびて朽ちていくという、ファウストが悪魔と交わした契約のような物語である。このテーマをワイルドよりじょうずに扱う作家はほかにいるかもしれないが、ワイルドほど挑発的に書ける作家はいないだろう。

ワイルドは、ダブリンのきわめて文化レベルの高い世界に生まれた。父親は偉い医師で、母親は詩人だった。一家はアングロ・アイリッシュの地主階級であり、プロテスタントの植民者だった（常に宗教的にはっきりしなかったワイルドは、死の床でカトリックに改宗しようとした)。ダブリンのトリニティ・カレッジで古典を勉強したワイルドは、オックスフォード大学モードリン・カレッジでその学業を終えたが、そこで審美主義(美の礼讃)の主唱者ウォルター・ペイターの影響を受けた。ペイターがその若き学徒に与えた指示とは、「こうした硬い宝石のような炎を放って燃え続けよ」ということだった。若きワイルドほど宝石のように燃えた者はいなかった。ペイターの「芸術のための芸術」という考えは、ワイルドによってひねりを加えられて、のちの名言――「私が指摘したいのはただひとつ、芸術が人生を模倣する以上に、人生は芸術を模倣するという一般原則のみである」――となったのである。

宗教でさえ芸術の下に置かれ、「イエス・キリストを詩人と看做したい」とワイルドは断言したが、厳格な宗教家は喜ばなかっただろう。そのほかにも、さらに挑発的に、「最終的にわかったのは、虚言という、美しい非真実を語ることこそが、芸術の真の目的だということだ」と主張したが、弁護士は喜ばなかっただろう。こうした大胆な主張によって、ワイルドは、「現象学」と呼ばれる――名前は難しそうだが、実はシンプルな――哲学論に似た立場に立つようになっていった。現象学によれば、自分の身の回りの世界の捉えがたさを理解するのは、芸術によってだということになる。ワイルドのふまじめな態度には、マシュー・アーノルド(ワイルドが大いに尊敬した詩人)が「高度なまじめさ」と呼ぶものの核が常にある。彼はダンディを気取るが、決してばかな真似はしないのだ。

ワイルドは、オックスフォード大学で大いに研鑽(けんさん)を積んで、深い学識を得て卒業した。その教養を(見事な仕立ての服装同様に）軽やかに、堂々と着こなし、ロンドンの文学界に飛び込んで、パリやニューヨークで大歓迎された。誰もがオスカーに会いたがり、最新の挑発的な名言は何だろうと知りたがった。たとえば、新婚旅行の名所となっているナイアガラの滝を見たとき、ワイルドは「アメリカの花嫁にとって、人生で2番目にがっかりすることになるだろう」と言ったりした。

とりわけ、世間では大いに目立つ存在となり、噂や新聞記事のネタになったり、写真に撮られたりした。ワイルドの顔は、ヴィクトリア女王ぐらい、当時の人に知られていた（女王は、どうやらワイルドが尊敬する人物ではなかったようだ。テニソン男爵アルフレッドのほうが王者の風格があると思っていたらしい）。「不自然な」緑のカーネーションをボタンホールに挿し、「女性っぽい」ヴェルベットの上着を着て、長髪を垂らし、化粧をしているといったことはすべて、ワイルドによって新ヘレニズム――ワイルドとペイターが敬愛した古代アテネとプラトニック・ラブの時代の文化の再来――として正当化された。ワイルドは、ナルキッソス〔ナルシシズムの語源となったギリシャ神話の美少年〕の化身なのであり、「黄金の若者」であって、年をとると、黄金の若者たちのパトロンとなった。

『ドリアン・グレイの肖像』を書いてからの数年は、ワイルドの絶頂期であり、その間ロンドンの舞台のために戯曲を書いた。演劇は、ワイルド流《ウィット》を発揮するには完璧なところだった。その最後の劇『まじめが肝心』は、そのお茶目な題名が示しているように、ヴィクトリア時代の道徳への絶妙な諷刺となっている（この劇のせいで「アーネスト」という名前は一時的に流行らなくなった）。見事に笑劇的な筋があり、ほとんど毎シーン、次のような目も眩まんばかりの逆説のオンパレードとなっている。

あなた、悪い人のふりをして、実はずっといい人だったなんて二重生活を送っていたんじゃないでしょうね。そういうのを偽善っていうのよ。

その芝居がロンドンのヘイマーケット劇場で満員御礼となっていたとき、ワイルドは堕天使ルーシファーのように墜落する。その若き恋人アルフレッド・ダグラス卿の父親に「男色」の罪で訴えられたのだ。ワイルドは、名誉棄損で訴えたが敗訴し、直ちに「公序良俗に反する罪」で告訴された。有罪となり、投獄され、2年間の重労働を命じられ、「囚人C3・3」となったのである。釈放後、ワイルドは「レディング監獄のバラード」（1898）を書いた。この詩にはダンディズムのかけらも見当たらず、自分を裏切った恋人を厳しく責め立てながら、陰鬱に終わっている。

こうして人は皆、自分の愛するものを殺す。
聞かしめよ、あらゆる者におしなべて。
顔をしかめてそうする者もいれば、
ある者はする、追従の言葉を浮かべて。

And all men kill the thing they love,
By all let this be heard,
Some do it with a bitter look,
Some with a flattering word,

キスをしながらするのは卑怯者。　The coward does it with a kiss,
剣をもってするのだ、勇者はすべて！　The brave man with a sword!

監獄でワイルドは自らの人生の弁明を『獄中記（深淵より）』と題して記している。その一部は1905年に出版されたが、全文はスキャンダラスと看做されて、1960年代まで出版されることはなかった。
釈放されたワイルドは妻子を置いてフランスに逃亡し、もはや世間の目にはあまり触れなかった。死んだのは1900年――ワイルドが大いに侮蔑し嘲笑してきたヴィクトリア朝がしぼんできた頃だ。生涯の終わり近くに、ワイルドはこう言った。「生きるとは、この世で最も珍しいことだ。たいていの人は存在するだけだから」。オスカー・ワイルドは、確かに自らの人生を立派な芸術作品とし、それと同じぐらいに我々の注目に値する文学作品を少し残した人物として文学史に名を刻む。2012年に、ワイルドに死後の赦免を与えようという請願があったが、この原稿を執筆している今現在（2013年）、政府から何の反応もない（2017年のアラン・テューリング法」によって赦免された無記名の数千名のなかにワイルドが含まれていたことは、2018年3月26日付の英国法務省広報課の手紙により確認された）。

フランスにおける「ダンディズム」は、詩人シャルル・ボードレール（1821～67）の著した『現代生活の画家』（1863）によって、ひとつの宣言にまで高められた（興味深いことに、ボードレールは、第28章で扱う「モダニズム」を定義した最初の作家であった）。ダンディズムは「一種の宗教」であると、ボードレールは主張する。あらゆるものにアートを見出す審美主義という宗教なのだと。彼もまた、イエス・キリストを詩人と看做そうとした。その主張はファッショナブルな服装に収まるものではない。

思慮のない多くの人々が信じているらしいこととは裏腹に、ダンディズムとは、服や物のエレガンスを過剰に楽しむことではない。完璧なダンディにとって、そうしたものは、精神の貴族的優位性の象徴でしかないのである。

ダンディの「優位な」精神には悲しみの核があると、ボードレールは考える。

ダンディズムは沈む太陽だ。落ちていく星と同様に壮大だが、熱はなく、憂鬱に満ちている。

憂鬱なのは、ダンディズムはすべてが終わる——退廃する——ときに花咲くためだ。私たちは「死骸の時」に生きているのだが、退廃においても美は見出せ、詩は書ける。「デカダンス」は、フランスの多くの作家によって礼賛された。しかし、ボードレールの場合と同様に、それは大きな危険を伴う生き方だった。さまざまなやりすぎのせいで時ならぬ死を迎えたり、権力の告発を受けたり、貧困に喘ぐことになる。自滅に通じるとわかっていても、やりすぎるしかないのだ。「酔っ払え！」とボードレールは指示した。「時代の奴隷として殉死したくなければ、酔っ払え。とどまることなく酔うのだ！ ワインでも、詩でも、美徳でも、何でもかまわない」。

ボードレールが、詩人がとるべきとした（「デフォルトの設定」と言ってもよい）態度は、「アンニュイ」だった。「退屈」と訳してしまうと、この言葉のニュアンスを正確に捉えることはできない。ボードレールは、ほかのところで、詩人は「フラヌール」であるべきだとも言っている。この言葉もかんたんには訳せない。「通りを歩きながら街の生活が流れていくのを見守る者」という意味で「ゆっくりと散歩する人」とでも言えば、近いだろうか。ボードレールは、フラヌールを「熱情的な見物客」と特徴づけている。

フラヌールには大衆が必要なのだ。鳥に空が必要で、魚に水が必要なように。その熱情とそのプロ意識があれば、大衆と一体化できるのだ。

ボードレールの描く現代詩人のイメージにぴったり当てはまる当時のアメリカの作者は、ウォルト・ホイットマン（1819〜92）である。その1篇の詩の題名「私が考えに耽りながらぶらぶらと歩いたマンハッタンストリート」は、都市の名を変えれば、ボードレール作と言えそうだ。その「ぶらぶら歩き」のなかで、ホイットマンは、「時、場所、リアリティ」を考えたのだという。その大いなる抽象性の意味が見出せるのは、この都会の雑踏の混乱のなかだ。ホイットマンとボードレールは互いを知らず、互いの作品も知らなかったが、明らかに同じ文学運動の共同者なのだ。その運動とは、19世紀を抜けて20世紀へと入り、モダニズムとして開花するのである（第28章）。

ホイットマンは自らの詩を「自分についての歌」と呼んだ。自分の人生は最も完璧な芸術作品であるとしたワイルドの考えともぴたりと合う。この考えを最も芸術的な完成度にまで追求した作家がマルセル・プルースト（１８７１～１９２２）であり、その浩瀚なる自伝的小説『失われた時を求めて』（１９１３～２７、英訳は１９２２年より）に結実した。プルーストは、人生は前へ生きるが、理解されるのはあとになってからであるという考えから出発している。そして、人生のある時点において、過ぎ去ったものは、これからくるものよりもおもしろいのだ。この小説は、15年かけて書かれ、完成するのに7巻を要しているが、マドレーヌの味がきっかけになっている。「ある冬の日に」と、語り手（明らかにプルースト）は記す。

母が、私が寒がっているとわかって、お茶を淹れてくれた。いつもはお茶など飲まないので、最初断ったのだけれど、どういうわけかやっぱり飲むことにした。母は「プティ・マドレーヌ」と呼ばれるあのずんぐりふっくりしたケーキを取りにやらせた。ホタテ貝の殻のでこぼこ模様に形作られたかのようなお菓子だ。やがて私は、何も考えずに、明日も陰鬱になりそうだと思いつつ、つまらない一日にうんざりしながら、マドレーヌをひとかけ浸したお茶をスプーンですくって唇に運んだ。そのお菓子に混じった温かい液体が私の口に触れた瞬間、体に戦慄が走り、私は固まった。自分に起こった驚くべき状態に全神経を集中したのだ。

起こったこととは、その味に刺激されて、それまでの人生がすべて心に蘇ってきたというのである。そうなると、それをすべて紙に記してしまわなければならなかった。

プルーストの小説は、人生の記録だ。そこに記録される人生には（今の引用でもわかるように）とくに重大なことは起こらないが、プルーストの技巧（アート）が「自分自身」を題材にして世界文学における偉大なる金字塔を打ち建てたのである。プルーストとワイルドは互いに知り合いであり、ワイルドがフランスへ逃れたとき、プルーストは恥辱を受けた友人のワイルドにわざわざ会いに行っている。『失われた時を求めて』は、ワイルド自身も書きそうな小説であり（『獄中記』がそれに近い）、獄に閉じ込められず、「囚人C3・3」ではなく「オスカー」として活動を続けられたら、書いていたかもしれない。デカダンスの動きはこうして消えてゆき、そのあとには退廃のみならず、華も残していったのである。

Chapter 22
桂冠詩人――テニソン

詩人と言われて、どんなイメージを思い浮かべるだろうか。おそらく私と同様に、燃える目で遠くを見つめ、長髪を垂らし、ゆったりとした服を着ている男性だろうか。あるいは女性。岩かどこか高いところに立って、遙か遠くをじっと見つめている。雲、海、風、嵐の気配がしている。男性であれ、女性であれ、孤独だ。「雲のようにひとりぼっち」と、ワーズワースが記したように。

狂気のオーラがあるかもしれない――ローマ人が「詩人の狂気」と呼んだやつだ。偉大な詩人の多くは、実際に生涯の一部を精神障碍者施設で過ごしている（とくに偉大なジョン・クレアとエズラ・パウンドを例として挙げてもよい）。著作権エージェントの事務所にいるより長い時間を、精神分析医のソファーで過ごす現代作家も多い。

批評家エドマンド・ウィルソンは、詩人をイメージするのに古代の人物像を用いて、詩人とは、『イーリアス』に登場する英雄ピロクテーテスのようだと言う。ピロクテーテスは世界一の弓の名手だ。その弓があれば、いくらでも戦争に勝てる。トロイ包囲でギリシャ軍が行き詰まったとき、ピロクテーテスの登場が待ち望まれた。ところが、ギリシャ人は彼を孤島へ追放してしまっていた。なぜか？　なぜなら、彼は傷を負い、それがあまりにひどい悪臭を放つものだから、誰もそばに寄れなくなったためだ。オデュッセウス（ユリシーズ）が派遣され、彼を包囲されたトロイへと連れてきた。しかし、ギリシャ人は弓が欲しければ、悪臭に耐えなければならなかった。それが詩人のイメージだとウィルソンは考える。必要な人だが、ともに暮らすのは耐え難いのだ。

　詩人は単に孤独であるだけでなく――本質的に――アウトサイダーだと思われがちだ。荒野の声である。哲学者ジョン・スチュアート・ミル（ワーズワースの詩を読んで人生が変わった人）によれば、詩人の声は「聴かれる」のではなく、つい「聞こえてしまう」のだという。詩人の最も重要なつながりは、私たち読者とのものではなく、「詩の女神（ミューズ）」とのつながりなのだ。詩神は、せこい主人である。詩人にインスピレーション（「聖なる息」を意味する）を雨と降らせるが、お金は与えない。詩人ほど貧乏まっしぐらな人生を送る者はいない。だから「詩人の煤けた屋根裏部屋」という表現があるのだ。「医者の煤けた屋根裏部屋」だの「弁護士の煤けた屋根裏部屋」はありえない。

　詩人フィリップ・ラーキンは、伝説のツグミのように、詩人は胸に棘が最も鋭く刺さったときに最もすばらしい歌を歌うと言ったことがある。しかし、だからと言って詩人にお金をあげようとか、棘を胸からとってあげようということにはならない。ジョージ・オーウェルは、別のイメージを主張する。オーウェルは社会を鯨としてイメージするのを好む。この怪物は、人間を呑み込もうとするのだ。聖書でヨナが生きたまま大魚に呑み込まれるのと同じだ。ヨナは噛み砕かれもせず、この巨大な魚に呑まれて、その腹のなかに閉じ込められる。芸術家の任務とは、オーウェルに言わせれば、「鯨の外にいること」だ。それを見守るほどに近くにはいるが（あるいは『動物農場』のような諷刺という銛を打ち込むことはするが）、ヨナのように呑み込まれてしまってはならないのだ。詩人は、物事から距離を置かなければならない芸術家なのである。

詩は、書かれ、あるいは印刷された文学よりずっと前から存在していた。私たちの知るどのような社会においても――歴史的にも地理的にも――詩人は必ずいた。吟遊詩人、吟唱詩人、吟遊楽人、歌手、韻を踏む者（ライマー）――どのように呼ばれようと、詩人は常にいつもやっかいな「よそ者（アウトサイダー）」としての関係を社会と結んできたのである。

封建社会では、貴族は自分の私的な吟遊詩人を抱えていて（宮廷道化師と同じだ）、自分や客を楽しませていた。サー・ウォルター・スコットの最高の詩『最後の吟遊詩人の歌』（１８０５）が、そのようすを描いている。17世紀以降、イングランドには君主の指名した桂冠詩人がいて、王室の一員とされてきた。最近では、アメリカでも桂冠詩人が指名されはじめた。１９８６年以前は「アメリカ議会図書館の詩の相談役」というしっくりこない名で呼ばれていた。「桂冠」とは古代ギリシャ・ローマ時代にさかのぼる語で、「月桂樹の冠を戴いた」という意味であり、他の詩人たちと言葉での戦闘に勝って月桂冠を戴いた男性（常に男性）だった（現代の詩人と呼ぶべきラッパーは、フリースタイルのバトルの勝者になると、今なお月桂冠を戴く）。イングランドで公式に認められた最初の桂冠詩人はジョン・ドライデンであり、チャールズ2世治下の1668〜89年にその地位に就いたが、その責任をあまり意識していなかったようだ。そのあと、桂冠詩人は、何世紀にもわたって冗談のようになってきた。たとえば、この地位についたひとりにヘンリー・パイ（1790〜1813年に桂冠詩人）がいる。私は文学研究に数えきれないほどの年数を費やしてきたが、ヘンリー・ジェイムズ・パイなる人物の詩を1行たりとて読んだ記憶はないし、それを恥とも思わない。

桂冠詩人はかなり頻繁に嘲笑を受け、その称号という怪しげな栄誉と、それとともに与えられる意味のない報酬（伝統的に金貨数枚とパイプ、パイプとポート酒ひと樽）を受ける。ロバート・サウジー（1813〜43年に桂冠詩人）が、当時亡くなったばかりの国王ジョージ3世がお世辞たらたらの聖ペテロによって天国に迎えられる詩『ある審判の夢』（1821）を書いた際、バイロンは反論するように『審判の夢』を書いた（題名の「ある」を省いたところがミソ）。後者は、英語で書かれた最高の諷刺とされている。バイロンはこれを書いたとき、不道徳な罪を犯したとしてイングランドを追われてイタリアに亡命中だった。どちらの詩人が今日記憶されているだろうか。インサイダーか、アウトサイダーか？　サー・ウォルター・スコット（第15章）は、桂冠詩人の栄誉を（サウジーに譲りたいとして）断ったが、それというのも、そんな地位に就けば指が蝿取り紙についたように自由に動かせず、好きなように書けなくなってしまうからだ。スコットは詩的自由を求めたのである。

この立場に立って、「体制側の詩人」としてオーウェルの言う「鯨の体内」に入ってしまいながらも偉大な詩を書いたのは、アルフレッド・テニソン（１８０９〜９２）だ。当時にしては珍しいことだが、テニソンは80過ぎまで生きた。ディケンズより20年長生きで、キーツより50年長生きだ。キーツたちは、テニソンほど長寿だったらどんなことを成し遂げたのだろう？

テニソンはその最初の詩集を、弱冠22歳のときに刊行した。そこには、「マリアナ」のように今でも最高の詩とされている作品が収められている。アルフレッドはこの頃ロマン派詩人を自称しており、キーツの後継者を自任していた。しかし、ロマン主義は重要な文学運動としては１８３０年代に衰退し、誰もキーツの二番煎じを求めはしなかった。そのあと、テニソンは長い休止期間に入る。批評家たちは「失われた10年」と呼んでいる。不毛の時代だ。テニソンはこの停滞から脱して、１８５０年、41歳のとき、ヴィクトリア朝で最も有名な詩『イン・メモリアムＡ・Ｈ・Ｈ』を発表した。それは親友アーサー・ヘンリー・ハラムの死に触発されたものだ。その親友との親交はかなり密で、ほとんど性的だったのではないかと憶測されるほどだった。本当はそうではなかったのだろうが、親密であることはまちがいなく、ヴィクトリア朝人がよしとする「男らしい」つきあいだったのは確かだ。

この詩は短い抒情詩であり、死別後17年間の思いを綴ったものだ。ヴィクトリア朝人は愛する者の死を1年間喪に服して嘆く——縁（ふち）を黒くした便箋を手にし、女性はヴェールをつけ、とくに控えめな個人的な宝石を身につけて。この追悼詩において、テニソンは彼の時代を最も苦しめた問題について考えた。19世紀後半、宗教的疑念が道徳上の病気のように人々を苦しめたのだ。テニソンは人一倍悩んだ。もし天国があるなら、なぜ私たちは大切な人が死んで天国へ行くときに嘆くのか。現世よりもっとよい場所に行くはずなのに。しかし、『イン・メモリアム』は基本的に個人的な悲しみを詠う詩だ。そして最後に、あらゆる苦悩にもかかわらずこう結論する。「愛して失ったほうがまだましだ。だれも愛さなかったよりも」と。愛した人を亡くした者の誰が、そんな人ははじめからいなければよかったなどと思うだろう?

ヴィクトリア女王は愛する伴侶を亡くしていた。1861年、夫アルバートは、腸チフスで他界したのだ。女王はその後40年間、死ぬまで「寡婦の服」を着ていた。女王は「テニソン氏の亡き友への挽歌には大いに慰められました」と告げ、それを契機に、詩人と女王は互いに尊敬しあうようになった。テニソンは、単にヴィクトリア朝の詩人であるだけでなく、ヴィクトリア女王の詩人となったのである。1850年に女王の桂冠詩人に任命されたテニソンは、42年後に死ぬまでその地位を守った。

テニソンの晩年の偉大な試みは、アーサー王と円卓の騎士の伝説にまつわる英国君主の理想の性質に関する大がかりな詩『国王牧歌』だった。明らかに、間接的に英国君主への賛歌となっていた。テニソンは、あらゆる桂冠詩人と同様に(1984年から桂冠詩人となった大胆なテッド・ヒューズさえも例外ではなく)かなり退屈な詩を書いた。しかし、桂冠詩人として英文学史上最高の公的な詩も書いたのであり、とりわけクリミア戦争の際に約600の英国騎馬隊がロシア軍砲兵隊に対して行ったまったく絶望的で血なまぐさい攻撃を詠った「軽騎兵隊の突撃」(1854)はその例だ。『タイムズ』紙でその攻撃の記事を読んだテニソンは、嵐のように鳴り響くひづめ、血、そして何よりも「壮大な狂気」を描く詩をすさまじい速さで書き上げた。

右翼に大砲　Cannon to right of them,
左翼に大砲　Cannon to left of them,
背後に大砲　Cannon behind them
一斉射撃が轟きわたる　Volley'd and thunder'd;
砲弾の疾風怒濤　Storm'd at with shot and shell,
馬も英雄も転倒　While horse and hero fell,
健闘していた者もとうとう　They that had fought so well
死に呑み込まれてゆく　Came thro' the jaws of Death
地獄の手前の激闘　Back from the mouth of Hell,
まだ生き残る者　All that was left of them,
残り六百　Left of six hundred.

晩年のテニソンは、流れる髪、立派な鬚（あごひげ）と口髭、スペイン風のケープと帽子をつけて、詩人の役を立派に演じた。しかし、その衣装とポーズの下で、テニソンは金と地位を求める者のように、作家らしからぬ商才を発揮した。文学者としてやすやすとのぼりつめ、死んだときにはテニソン男爵アルフレッドとなっており、その詩によって英文学史上のどんな詩人よりも金持ちとなっていたのである。

テニソンは身を売ったのか、それともじょうずにバランスをとって生きたのか。詩を大切に考える多くの人たちは、ヴィクトリア朝の同時代人ジェラルド・マンリー・ホプキンズ（1844〜89）のほうが真の詩人だと考える。ホプキンズはイエズス会の司祭であり、わずかな空き時間に詩を書いていた。ホプキンズとヴィクトリア朝イングランドとの唯一のつながりは、ただその時代に呼吸をしていただけだと言われている。ホプキンズはテニソンを尊敬したが、テニソンの詩はパルナッソス的（高踏派）だと感じていた（パルナッソスは古代ギリシャにあった詩人の住む山）。はっきり言って、テニソンは「公になること」で多くを犠牲にしてしまったとホプキンズは感じたのだ。ホプキンズ自身は、自分の悲しみを誰かのために注いで『イン・メモリアム』のような詩を発表するくらいなら、死んだほうがましだと考えていた。

ホプキンズは、そのきわめて実験的な詩の多くを焼却してしまった。本人が「ひどいソネット」と呼ぶ詩は、宗教的疑念と葛藤するきわめて詩的な内容となっている。おそらくは親友のロバート・ブリッジ以外に見せるつもりはなかったのだろう。このブリッジは皮肉なことに1913年に桂冠詩人となる運命だったが、自分に託されたホプキンズの詩を30年後に公刊する決意をした。それはブリッジの死の数年後に、モダニズムと呼ばれる画期的な作品と看做されて、イングランドの詩の流れを変えたのである。

というわけで、真の詩人はどちらだったことになるだろうか。「公の」テニソンなのか、「私的な」ホプキンズなのか。詩は常に、両方を認める余地をもっていると言うべきだろう。

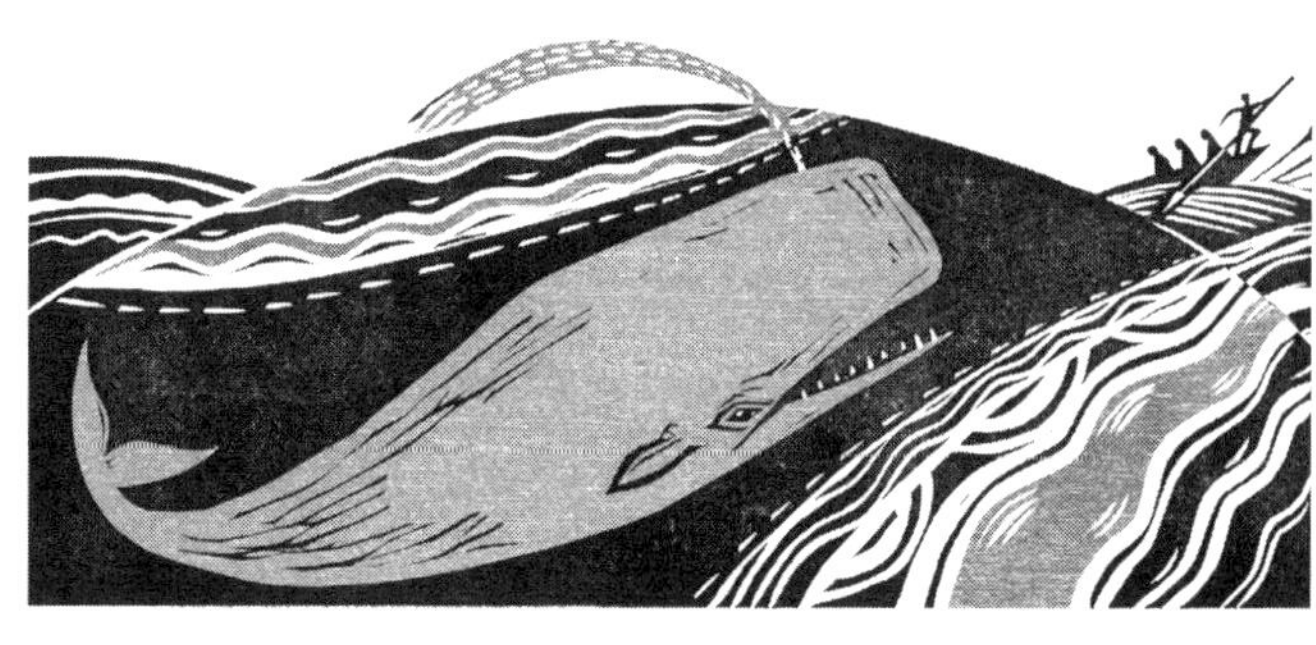

Chapter 23 新しい土地――アメリカとアメリカの声

アメリカ文学に対して、外部の者が投げかける侮辱のひとつに、そんなものはなかったという言い方がある。アメリカで書かれた英語の文学があるだけだと。それは侮辱であるのみならず、無知であり、はっきり言ってまちがいだ。ジョージ・バーナード・ショーは、「イングランドとアメリカは、共通の言語によって分断されたふたつの国である」と述べたが、英語を話すあらゆる国に関して同じことが言えるし、アメリカの場合はとくに独自の文学があると言える。境はどこかという微妙な問題はあるにせよ、歴史上のどんな時代のどんな国の文学にも負けないだけの豊かで偉大なアメリカ文学があるのだ。アメリカの長い歴史を確認して、その傑作のいくつかを考えれば、アメリカ文学の特徴がわかるだろう。

アメリカ文学の出発点はアン・ブラッドストリート（1612～72）である。どのアンソロジーを見てもそれは確かめられる。現代詩人のジョン・ベリーマンによれば、あらゆるアメリカ文学は、「ブラッドストリート女史に敬意を払う」のである。新世界では始祖が女性だと言うのは、英文学とアメリカ文学のちがいとしてわかりやすい。英文学史がアフラ・ベーンからはじまるなどと言う人はいないのだから。

アン・ブラッドストリートは、生まれも、教育を受けたのも、イングランドである。その家族はピューリタンの「大移民」の一家であり、宗教的迫害を逃れて、アメリカ大陸の「ニュー・イングランド」と呼ばれる場所へやってきた。アンは16歳で結婚し、その2年後に航海に出、二度と祖国に戻ることはなかった。父親も夫もマサチューセッツ州の知事となる人物だった。家の男たちが外で政治をしているあいだ、アンは家族の農場を経営した。とても手際よく切り盛りしたが、有能な農夫の妻や多くの子供たちの母親以上の存在だった。

新しい考えのピューリタンたちは、娘も息子と同様に教育すべきだと考えていた。アンは聡明で、抜群の教養があり（同時代の形而上詩人──第9章参照──にはとくに興味を抱いた）、彼女自身が野心のある作家だったが、そうしたことはイングランドでは白い目で見られたとしても、このピューリタンの社会では眉をしかめられることはなかった。大量の詩を、現在や死後の名声のためではなく、精神的鍛錬として、また敬虔な行為として書いていた。その最高の詩は短かったが、それというのも長い詩を書く暇がなかったからだ。兄は妹の才能に気づき、その独創性を認めて、その詩をなんとかイングランドで刊行してやろうと涙ぐましい努力をした。アメリカの植民地にはまだ「読書界」なるものは存在していなかったのだ。

ピューリタンたちは、自ら故国を捨ててきたにもかかわらず、旧世界とわかちがたい絆を感じていた。だからニューイングランドであるとか、ニューヨークなどという地名をつけたのだが、同時に、永遠に精神的に分断された感覚も強く持っていた。アン・ブラッドストリートの詩は、本質的に新世界の詩であり、ピューリタンがアメリカをどのように見て、自分たちがそこにどう位置づけられると考えているかがわかるようになっている。たとえば、「1666年7月10日、自宅が燃えるのを見て」と題された鋭い詩を見てみよう。

与え、奪うあの方の御名(みな)に祝福あれ。
わが財産を灰になさり、跡形もない。
そう、けれどもそれは正しい行い。
それは神のものであって、私のではないのだから。

I blest His name that gave and took,
That laid my goods now in the dust.
Yea, so it was, and so 'twas just.
It was His own, it was not mine.

詩は鋭くこう結論づける。

もはやこの世に未練なし。
わが希望と宝は天にて恙(つつが)なし。

The world no longer let me love,
My hope and treasure lies above.

まさに伝統的なピューリタンの感覚だ。現世は本当は重要でないのであり、重要なのは来世なのだ。だが、この詩から聞こえてくるのはまったく新しい声だ――アメリカの声であり、さらに言えば、新しい国を「作っている」アメリカ人の声だ。アンとその夫が建てた家は今や灰になった。もちろん再建する。アメリカとは常に作り直し続ける国なのである。

ピューリタンの考えは、アメリカ文学の礎となっている。それは、19世紀のニュー・イングランドにおけるいわゆる超絶主義（トランセンデンタリズム）の人たち――ハーマン・メルヴィル、ナサニエル・ホーソーン、ヘンリー・デイヴィッド・ソロー、ラルフ・ウォルドー・エマソンといった作家たち――の文学作品となって開花した。超絶主義と言うと大仰に聞こえるが、要は、人生の真実は日常世界に見える物事を「超える」ものであるという初期入植者の信念を指す。メルヴィルの『白鯨』（1851）は、巨大な白鯨を追い求めるエイハブ船長の物語だが、典型的なアメリカ小説として常に引用される。なぜか？　そこにはアメリカらしい終わりなき探求の感覚があり、自然を押さえつけて（たとえ自然破壊となったとしても）ますます成長して自らを新しくし、この新しい国民を養うために自然資源を得たいとする貪欲さがあるからだ。なぜ鯨を狩ったのか？　おもしろいからではない。食べようというわけでもない。照明、機械など多くの製造活動に必要な鯨油をその脂肪から抽出するために、鯨が絶滅の危機に瀕するまで捕鯨がなされたのである。

エマソンの弟子を自任するウォルト・ホイットマン（第21章）は、超絶主義の伝統の別の側面を体現している。すなわち、「自由」は、そのさまざまな点において、詩的イデオロギーも含むあらゆるアメリカのイデオロギーの本質であるという感覚を体現しているのだ。ホイットマンの場合、それは「自由詩」の形をとる。アメリカ自体が1775〜83年の独立戦争によって、英国の植民地主義という手枷を自らはずしてみせたように、押韻をはずした詩である。

アメリカにおける自由は、読み書きができることを前提としている。これまでずっと、英国よりも、読み書きができる国としてやってきたのだ。建国それ自体が、独立宣言という文書ではじまっている。19世紀において、アメリカは読み書きのできる読者層が世界一多いと自慢できた。しかし、アメリカではじまった文学は、国が1891年まで（「自由貿易」という名目で）国際著作権法に署名しなかったために、いくぶんその成長が妨げられてしまった。その年までは、英国で出版された作品を、著者に一切の支払いもせずにアメリカで出版できたのだ。サー・ウォルター・スコットやディケンズのような作家たちの作品の海賊版が安価で大量に出回った。『ピクウィック・ペイパー』がただで手に入るなら、将来有望な若い作家たちに金を払う気になるだろうか（アメリカで作品を盗まれたディケンズは、怒り心頭に発して、その小説『マーティン・チャズルウィット』のアメリカの章で報復した）。

だからといって、当時アメリカ文学が内側から育たなかったわけではない。ほかならぬエイブラハム・リンカーン大統領がハリエット・ビーチャー・ストウの奴隷反対小説『アンクル・トムの小屋』（1852）を称賛して言ったように、「大きな戦争」がこの小説によってはじめられたのだ（リンカーン大統領はストウ夫人に会った際「あなたのような小さな方が、この大きな戦争を惹き起こしたのですね」と挨拶した）。混乱した19世紀なかばにミリオンセラーとなった小説であり、かりに戦争を惹き起こしたのでないにせよ、一般大衆の心を変えたことは確かである。

19世紀と20世紀のアメリカ文学において、強力で独特な、新しい自分をつかもうとする衝動は、「フロンティア学説」として結実する。すなわち、アメリカらしさの本質と意義が最も顕著に表れるのは、文明を西へ、「海から、より輝く海へ」（大西洋側から太平洋側へという意味で、1893年の詩「美しきアメリカ」の一節より採られた標語）推し進めようとする開拓精神にあるとする考えである。『ラスト・オブ・モヒカン』（1826）の作者ジェイムズ・フェニモア・クーパーは、西部開拓の大きな動きを描いた初期の作家である。どのカウボーイ小説や映画にも、実質的に同じ「フロンティア学説」の根がある。文明が野蛮さに出会うとき（白人が「アメリカン・インディアン」に出会うというのが、最もひどい描き方になるが）、真のアメリカらしさが表明されると信じられてきたわけである。

西部劇ものは、作家エドガー・アラン・ポー――SFやホラー小説、推理小説の父――が手がけなかった数少ないジャンルのひとつだ。ポーの推理小説としては「モルグ街の殺人」が有名である（犯人はオランウータン）。「ジャンル」という発想のほかに、1891年に最初の「ベストセラー」一覧が作られたのもアメリカでのことだった。ノンフィクションを除いた最初のトップ・テンのうちの8冊は、イングランド人が書いた小説だった。アメリカ文学界が国際著作権法と折り合いをつけたのちは、優れた作品の登場とともにベストセラー一覧もアメリカらしい内容となった。

「多数からひとつへ（エ・プルリブス・ウヌム）」とは、アメリカの硬貨に刻印された標語である。人口統計学のみならず、文学にも当てはまる。アメリカは、まったくちがったそれぞれの地域の都会文学が織り合わさってできている。南部文学（ウィリアム・フォークナーやキャサリン・アン・ポーターなど）があり、ニューヨークのユダヤ人小説（フィリップ・ロスやバーナード・マラマッド）があり、西海岸文学（ビート文学など）がある。アメリカ文学を多岐にわたって読めば、まるで広大なアメリカ大陸を横断する長距離旅行のように思えてくる。

「新しくしろ」と、エズラ・パウンドは仲間のアメリカ人詩人に指導した。詩人たちはそうするのみならず、モダニズムとポスト・モダニズムを熱狂的かつ冒険的に受け入れて、英国詩人より先を進んだ。どの詩集を見ても、それはわかる。パウンドからはじまって、ロバート・ローウェルの『人生研究』（第34章）があり、「言語詩人」（L=A=N=G=U=A=G=E poets）の一派——その名が示すように、オレンジの房をばらばらにするように言語を分解していく詩人たち〔1960年代後半から70年代前半に活躍し、読者の関与を強調した一派〕——に至るまで、さまざまだ。この新しさへの執着は、別の角度から見れば、古いものに対する苛立ちと見ることもできる。アメリカは、何度も行ってみればわかるが、高層ビルを壊してはまた新しい高層ビルを建てる国だ。文学も同じなのである。

エズラ・パウンド（1885～1972）は、何よりも英国びいきであり、アメリカの作家たちがささやかながらも意義深いやり方で新しくしたもののひとつに、古い国である英国の文学がある。アメリカ生まれアメリカ育ちの作家たちのなかでも、ヘンリー・ジェイムズ、T・S・エリオット、シルヴィア・プラスなどは英国に暮らし、英国で執筆し、英国に没したが、その文学のなかに、本質的にアメリカ的な新しく重要な物の見方や書き方を注入した。「巨匠」と呼ばれるようになったヘンリー・ジェイムズは、形を失って（ジェイムズの言い方では）「だぶだぶ」になってしまった英国小説を「修正」した。厳しい巨匠だった。T・S・エリオットは、モダニズムを英国詩の主たる声として打ち建てた。プラスの詩は、そのコントロールされた感情の激しさでもって、ある批評家が「上品さの規範」と呼んだもの――英国詩を絞めつけていたもの――を打破した。英文学はアメリカ文学に多くを与えたが、その見返りは大きかったのである。

パウンドがもしアメリカの小説家に呼びかけていたら、その指示を「大きくしろ」と変えていたかもしれない。「偉大なアメリカ小説」と呼ぶにふさわしいものは、毎年どんどん増えてくる。大きなテーマは、常にアメリカの作家を魅了してきたのであり、オースティンの「2インチ四方の象牙」で十分だった英国作家とは比較にならない。

アメリカ文学には、ほとんど攻撃的となりかねないほどのエネルギーもある。まさにアメリカ的特徴と言えるだろう。たとえば、ジョン・スタインベックの『怒りの葡萄』(1939)ほど怒りのこもった、あるいは社会変化をもたらすために効果的に怒りを表明した小説はないだろう。これは、1930年代の大きな「砂嵐(ダストボウル)」で罹災したジョード家の物語だ。自分たちの農場が干上がったためにオクラホマをあとにして、約束の地カリフォルニアへ向かうのだが、着いてみるとそこは偽のエデンの園だった。西部の青々と茂った農園や果樹園のなかで、彼らは200年前にアフリカから連れてこられた奴隷のように搾取されたのである。一家はそのつらさに耐えきれず離散する。

スタインベックの小説は、単に農場労働者への過酷な搾取への社会的抗議にとどまるものではなく、当時の社会的状況は遠い過去となったものの、今でも広く読まれ、称賛されている。『怒りの葡萄』に一貫して流れているのは、ジョード家に起こったことは、アメリカの象徴であり、その建国の原則であるはずの「よりよい生活」の裏切りだという感覚である。数世紀前、アン・ブラッドストリートのような人たちが新世界へやってきたのは、「よりよい生活」を打ち立てるためではなかったか。もちろん、あらゆる文学に怒りの小説はある（たとえば、フランスのエミール・ゾラや、ディケンズも、もちろん挙げられる）けれども、『怒りの葡萄』に見出されるのは、まさにアメリカ的な怒りなのである。

というわけで、まとめてみよう。アメリカ文学がとりわけアメリカ的となる要素は何か。ピューリタン的特性か、「フロンティア」を広げようとする絶え間ない戦いか、地理的人種的多様性か、「新しいもの」や「偉大なもの」への渇望か、とどまることを知らない革新か、スタインベックのようにアメリカを弾劾する場合でも決して失われることのないアメリカを信じる心か。

そう、これらすべてなのだ。しかし、ほかにもまだ、さらに重要なものもある。アーネスト・ヘミングウェイ（1899～1961）が、「あらゆる現代アメリカ文学は、マーク・トウェインの『ハックルベリー・フィン』という1冊の本からはじまる」と宣言したときに、はっきりと捉えた点である。すなわち、ヘミングウェイによれば、決定的なのは「声」なのだ。トウェイン自身は「方言」と呼んでいた。それはハックの最初の文から聞き取れる。

『トム・ソーヤーの冒険』って本読んでなかったら、俺のことはわかんないと思うけど、ま、どうでもいいや（You don't know about me without you have read a book by the name of *The Adventures of Tom*

Sawyer, but that ain't no matter)。

アメリカ文学だけがしっかりと捉えることのできるアメリカ的な言い回しがある。「訛り」よりも（詩人ウィリアム・カルロス・ウィリアムズが呼ぶように）「アメリカっぽい」ものがあるのだ。推理小説作家のレイモンド・チャンドラーは、このテーマをいろいろと考えて、「ある調子（ケイデンス）」だと指摘した。ヘミングウェイは自身の小説で、アメリカ的言い回しがあることを実証しているが、私に言わせれば、いかにも現代アメリカらしい声を完璧に表現した小説は、J・D・サリンジャーの『ライ麦畑でつかまえて』（1951）である。その最初のすばらしい文を読んで（そして聞いて）、「もしほんとに話が聞きたいっていうなら」という挑戦的な文を味わって、なるほどアメリカ的と思えるかどうか確かめてほしい。

Chapter 24 偉大なる悲観論者――ハーディ

「文学幸福尺度」なるものを想像してほしい。最も楽天的な作家がその尺度のてっぺんで日光浴をしていて、最も悲観的な作家がどん底で鬱々としているというイメージ。たとえば、シェイクスピアとか、ジョンソン博士とか、ジョージ・エリオットとか、チョーサーとか、ディケンズだったら、どこに位置づけられるだろう？

チョーサーが最も幸福な人生を描いていることには、たいていの人は賛同してくれるだろう。カンタベリーへ馬の旅を続ける巡礼の一団は、陽気な集団であり、その物語の調子は滑稽だ。チョーサーは確かにこの尺度のてっぺんに位置するだろう。シェイクスピアもかなり上の方だ。ひとり息子の幼いハムネットを失ったつらい時期に書かれたと思しき一部の悲劇（とくに『リア王』）を別にすれば。シェイクスピアの登場人物を善玉と悪玉にわけた批評家の統計によれば、7割対3割で、善玉が多い。シェイクスピアの世界は、概して暮らしづらいところではない。10人のうち7人までは、友人になれるのだ。

ジョージ・エリオットが世界はよりよくなっていくと信じていたことは、その小説を読めばわかる（「改良」という言葉を彼女は使う）が、よくなるにしても、かなりぎくしゃくとしている。『ミドルマーチ』のドロシアのように、人間的な代償を――かなりな代償を――支払う必要があるが、全体としてこの作者が展望する将来は過去よりも明るく見える。エリオットの世界は、比較的希望のある場所であり、ときどき日光が差し込む。彼女の小説は、出だしがどんなに暗くとも、必ずハッピーエンドになる。日の当たる高台に到達するまでかなりかかるかもしれないが、いずれはたどり着くのだと、エリオットは示唆している。

ディケンズは、この幸福尺度で計るのはむずかしい。初期の作品（たとえば『ピクウィック・ペイパーズ』）は、「暗い時期」と呼ばれる頃に書かれた、時にかなり陰鬱な小説よりずっと陽気だからだ。たとえば『互いの友』を読み終えて爽快な気分で本を置くことはむりだ。ふたりのディケンズがいて、尺度の2点を占めるとせざるを得ないだろう。

ジョンソン博士は、悲観的だがストイックでもある。博士によれば、「人間の暮らしは、多くに耐え、ほんの少しだけ楽しめるものである」。しかし、人生にはいわゆる「すばらしさ」――友人、よい会話、大量のお茶、おいしい食事、とりわけ印刷されたページを通して過去の偉大な精神と会話する喜び――があって、うまくいけばそれを味わえると博士は信じていた（博士は演劇をあまり楽しまず、美術の鑑賞眼も持っていなかった）。ジョンソンの世界では、雲間から日光が差し込む。

幸福尺度の一番下、ひょっとするとゼロ地点より下に、トマス・ハーディ（1840〜1928）がいる。ハーディは、ドーセット（のちに「ウェセックス」という架空の地域として作品内に登場する）の田舎家の台所のテーブルで生まれた自分の誕生物語を語る。彼がこの世に顔をのぞかせると、医者がそのしわしわに縮んだものをチラリと見て、死産だと宣言する――生まれる前に死んでいるのだ。ハーディの遺体はキリスト教徒としての埋葬をしてもらうために脇へのけられる。そのとき、ハーディは泣き声をあげて命拾いするのだが、そのあと一生泣きやまなかったと言えよう。

読者はマザーグースで歌われる「小さなジャック・ホーナー」のように、ハーディの膨大な小説や詩のどこにでも親指を突っ込んで、憂鬱のプラムを取り出すことができるかもしれない（マザーグースで、小さなジャック・ホーナーはプディングに親指を突っ込んでプラムを取り出すと歌われる）。たとえば、「あなたは私の墓を掘るのか？」と題された詩を見てみよう。この問いかけは、地中に埋められた棺に横になっている女性が発する質問だ。ゾッとする筋書きに思えるかもしれないが、読めばもっと陰鬱になる。女性は、自分の上の土が引っ掻かれる音を聞きつける。恋人だろうか。いや、彼女の小さな犬だ。犬の忠誠心のほうが人間の気持ちよりずっと気高いと女性は思う。そして、犬はこう説明する。

僕があなたの墓の上を掘るのは、　'Mistress, I dug upon your grave
骨を埋めるためです。　To bury a bone, in case
このあたりでお腹がすくといけないから。　I should be hungry near this spot

いつもの通り道ですから。
忘れていました。謝ります、心から。
ここにあなたがお眠りだったんですね。

When passing on my daily trot.
I am sorry, but I quite forgot
It was your resting place.'

ハーディの主要な小説を要約すれば、陰鬱さの年代記となるだろう。誰かが言っていたが、ハーディのどの小説にも喉を切るための剃刀をつけておいたほうがいいのかもしれない。たとえば『ダーバヴィル家のテス』（1891）の気高い若い女性がストーンヘンジの犠牲の石に横たわり、警察によって逮捕されるのを待ち、法廷で有罪を宣告されるのを待ち、処刑されて名もなき墓に埋められるのを待つとき、愚かな恋をしてしまったこと以外に何の罪もないのテスの運命を思って、こぶしを天にふり上げない人がいるだろうか。

ハーディの詩や小説に表れた悲観主義は、作家自らが有する人生への不幸な思いを反映しているにすぎないと考えるべきなのか、それとももっと深刻な何かがあるのだろうか。もしそれが人生をかけた不平にすぎないのなら、誰がわざわざハーディの作品を読むだろうか。そしてまた、なぜこんなにも陰鬱な物の見方をするハーディを英文学の巨匠と看做すのか。

こうした問いには、単純に答えられる。ハーディがその作品で表明しているのは、トマス・ハーディの個人的な意見ではなく、「世界観」（文芸評論家はより哲学的に響くからとドイツ語で「ヴェルタアーンシャアウウン」と言うことがある）を表しているからである。ハーディが生まれた時代の支配的世界観には、「進歩」していくという発想があった。人生はよくなっていくのだ。１８４０年に生まれた若きヴィクトリア朝人は、自分の親や祖父母よりもよい暮らしができると自信をもって期待した。この時期に生まれた多くの人にとって、それこそが人生経験だったのだ。ハーディの父親は石大工で、独立独歩の人だったし、母親はかなりの読書家だった。ふたりともひとりっ子のハーディのために今以上の何かをしてやりたいと求めてはいたが、つい先代は農奴だったのだ。そして確かにハーディは、自分が生まれた社会階級を遥かに超えていく。死ぬときは英文学の「偉大なる老人」という栄誉を得て、その灰はウェストミンスター寺院の《詩人のコーナー》にほかの偉人たちと一緒に埋められたが、その心臓だけは別の場所に埋葬された。ハーディが愛するドーセット、それも作品で描いた農民たちの墓のそばに埋葬されたのである。

ハーディほど輝かしい経歴に手が届かなくとも、ヴィクトリア朝中期の人たちは、出世して両親よりましな人生を送る希望を持てた。ハーディの子供時代は、きれいな水、舗装道路、新たな鉄道網、よりよい教育に恵まれていた。１８７０年代に何度か制定された教育法により、12歳ないし13歳までのすべての子供に教育を与えることが定められ、まずスコットランドで義務教育が実施された。人々は自由に身分を変えることもできた。たとえばディケンズは、底辺から這い上がって裕福となり、永遠の名声を得た。１００年前だったらありえなかったことだ。ぼろを着たまま、誰にも知られず死んでいたことだろう。

しかし、ヴィクトリア朝には、玉に瑕(きず)のところもあった。ハーディが「ウェセックス」と呼ぶ南西の州は、１８００年代初頭には依然としてイングランドの穀倉地帯であり、その地域は国に提供する穀物で栄えていた。ところが、1846年に穀物法が撤廃された。それは国際自由貿易を意味し、小麦やその他の穀物を海外からもっと安価で輸入できることになったのだ。ハーディが生まれ、愛した地域は、長期の経済不況に陥り、決して回復することはなかった。この不況がハーディと彼が書くすべての言葉に影響を与えたのである。

ほかにも瑕はあった。ハーディは、19歳のときに出版されたある本によって**自分の**世界が叩きつぶされた思いがした。進化論を提唱したダーウィンの『種の起源』（1859）である。英国人はこれまでずっと自分たちの世界は「神の嘉（よみ）したもう国」であると信じていたが、その神がいなかったとしたらどうなるのか。創世記に記された恵み深き神ではなく、とくに人間に興味を持たない謎の「生命力」しか存在しないのか。生命のすべてが依拠していた信仰体系が、実は嘘だったとしたら？

ハーディは、ダーウィンの説に納得したが、傷ついた。その傷を美しく表明したのである。建築家としての修行もしたハーディは古い教会を愛したが、ダーウィンが信仰を破壊してしまったために、もはや信仰をもって教会に入ることはできず、教会の壁の外から聞こえてくる讃美歌に耳を傾けなければならなくなった（ハーディは讃美歌もまた愛した）。いわば永遠に外でさえずるしかない小鳥だとハーディは形容した。心慰められる教会のなかで歌う「輝ける、信心もてる聖歌隊」には、もはや加われないのである。

ヴィクトリア朝人にとって、当時深く信じられていたことを否定するダーウィンの考え方は、150年以上それに馴染んで生きてきた私たちには想像もつかないほど、痛みを伴うものだった。ハーディの文学（そして、それを支える世界観）は、ヴィクトリア朝人の痛みを、散文と韻文とに美しく織りなした表明なのである。

ハーディはまた、「進歩」への疑念も呈している。とりわけ、産業革命がもたらす進歩への疑念だ。英国の通信網――すなわち鉄道、道路、そして（１８４０年代以降の）電信は――どこにおいても、すべてよくなったのか？　ハーディは、歴史の楽観的見方を疑う。ブリテン島のすばらしく地方色に富んださまざまな地域の特徴は――それぞれの方言があり、儀礼があり、神話があり、風習があるというのに――ひとつのつまらない統一国家にまとめられてしまうのか。自分が育った地域を「南西イングランド」と呼びたくはない。「ウェセックス」はちがうのだ。それ自体の王国なのだ。

ハーディの最初のウェセックスの小説である『緑の木蔭』（１８７２）は、一般に「改革」と信じられているものに対する批判となっている。この小説は、地域の教区民たちが楽器を演奏していた教会のオーケストラ（今でも古い礼拝堂にその席がある）を廃止して、ハーモニウム（リード・オルガン）という下品な、しかし新しい楽器に置き換えるようすを描く。進歩である。そうだろうか？

産業的進歩の裏にある問題点は、『ダーバヴィル家のテス』で最も生き生きと描かれる。この小説の最初のほうで、乳しぼりをするヒロインは、畑に生える草のように自然に生きていることがわかる。ところが、蒸気機関の収穫機械がやってくる。機械がシュシュと収穫期の畑のなかを進んでいくとき、テスはその機械のつまらぬ歯車でしかない。「進歩」は人を壊すのだと、ハーディは言っているのである。小説が示すように、テスは進歩のせいで根を失い、一見世界をよりよい場所にしてウェセックスを19世紀へと引っ張っていってくれるように思える力によって、自分の場所を失うのだ。

産業革命は確かにすばらしい。しかし、人類は、それに安易に満足してはならないとハーディは信じる。自然は復讐するかもしれないのだ。この警告は「二者の結合」と題された詩でなされている（ハーディは壮大な言葉を愛したが、「二者の粉砕」では題名としてそれほどインパクトがなかっただろう）。第2章で見たように、タイタニック号は産業革命がもたらした誇り高き業績のひとつであったが、20世紀最大の大災害でもあった。詩はこう語る。

颯爽たる船の堂々たる、
優雅な巨体が照り渡る。
暗黙の彼方（かなた）に、氷山来たる。

And as the smart ship grew
In stature, grace, and hue,
In shadowy silent distance grew the Iceberg too.

この詩を読むと、私たちの世界では、どんな氷山が私たちに迫っているのだろうと考えてしまう。もしハーディが今日生きていたら、必ずやその「悲観的な」目を、気象の変化に向け、人口過剰に向け、文明の衝突に向けるだろう。私たちがつい楽観的に、何とかなるだろうと思って放置していることに心配の目を向けるはずだ。

ハーディの「悲観主義」が教えてくれるのは、私たちは物事をあらゆる角度から見なければならないということである。こわいと思えることからも目をそむけてはならないのだ。私たちが救われるかどうかは、それにかかっている。ハーディは、そのことを詩〔『現在と過去の詩』収録の「暗闇のなかで」In Tenebris II より〕に巧みに表現している。

よりよくなる道があるとすれば、　If way to the better there be
それは最悪を見据えることを必要とする　It exacts a full look at the worst.

よりよい世界がくるかもしれない。しかし、自分たちの現状を正直に認めなければ（それがどんなにつらかろうと）、決してよりよい世界にはたどりつかない。悲観的だろうか？　そうではない。現実的？　そうだ。進歩と思えるものも、進歩ではないのかもしれない。より効率的な世界と思えても、自己破壊へ向かう世界なのかもしれない。ハーディの悲観的な世界観は、私たちに自分たちの世界観を考え直すことを教えている。だからこそ、ハーディは偉大な作家と言えるのだ。しかも、ハーディはその悲観主義をきわめてじょうずに作品に仕上げているのである。

Chapter 25

危険な本――文学と検閲官

歴史上いつどこでも、権力者側は本に神経をとがらせ、本はきわめて危険で国家に危害を及ぼしかねないと考える。プラトンが、詩人を皆追い出すことで理想の共和国を安全にしようと考えたのは有名な話だ。

どの時代もこの調子だ。偉大な作家たちがペンを執り、創造する最先端には、現在の権力者を怒らせる危険がどうしてもつきまとう。文学的な義のために殉死した錚々たる人たちの一覧表を書き上げることだってできる。第12章で見たように、ジョン・バニヤンはその傑作『天路歴程』をベッドフォードの牢獄で書いたし、セルバンテスも獄中で『ドン・キホーテ』を構想した。ダニエル・デフォー（第13章）は、諷刺詩を書いたために足枷をかけられた（同情したやじ馬が腐った卵の代わりに花を投げたという伝説がある）。現在では、サルマン・ラシュディ（第36章）があえて書いた諷刺小説のために、10年間隠れ住むことになった。アレクサンドル・ソルジェニーツィンは、1945年に逮捕され、ソビエトの強制労働収容所で

8年間をむだに過ごしながら、頭のなかで傑作を作り上げていた。1660年の王政復古ののち、ジョン・ミルトン（第10章）は追われる身となり、その著作は燃やすように命じられた。もちろん、言論の自由を訴えた傑作『アレオパジティカ』（1644）で次のように宣言したのは、ミルトンである。

良書を殺すは、人を殺すに等しい。人を殺すとは、神の姿をした理性ある創造物を殺すことだ。しかし、良書を殺す者は理性そのものを殺すのだ。

これは「本が焼かれるとは、人が焼かれること」などと一般に言い換えられたりする。

フランス、ロシア、アメリカ、ドイツ、英国を比較してみればわかるように、社会がちがえば、「危険な本」への対応も異なる。各国が各国なりに文学に対して戦争を仕掛け、その自由を制限してきたのだ。

フランスの場合は、1789年の革命という、フランスを一新した歴史的出来事の影響が大きい。革命前の政府（旧体制（アンシャンレジーム））は出版を強力に統制しており、どんな本も国家の出版許可がなければ刊行できなかった。ヴォルテールの『カンディード』（1759）のように、許可されずに地下出版された本は、革命派にとって武器のようなものだった。啓蒙活動家（つまり、自由思想の人たち）が海外で書いた本ならなおさらであり、イデオロギー的手榴弾さながら国境越しにフランスに投げ込まれたのである。『カンディード』はその一例だ。副題も含めて『カンディード、あるいは、最善のために』と英訳されたこの小説は、何でも教えられたことを信じてしまう純粋無垢な若者の物語である。体制側が理想とする市民像だが、ヴォルテールの考えはちがっていた。

フランス革命が起こると、表現の自由やどんな意見でも持てる自由——革命で重要とされた権利——は「人間と市民の権利の宣言」（1789）で宣言された。ナポレオンがフランスを支配すると、フランスでの自由は厳しめに制限されるものの、大敵である隣国イングランドほどではなかった。

1857年にフランスでふたつの作品が出版された。その著者たちは直ちに裁判にかけられ、世界文学に大きな影響を与えることになった。ギュスターヴ・フローベールの小説『ボヴァリー夫人』とシャルル・ボードレールの詩集『悪の華』が「公的品性を害している」として訴えられたのだ。フローベールの裁判では、その小説が不倫を助長しているというのが起訴内容だった。ボードレールの裁判で問題となったのは、その挑発的な題名に要約されているとおりであり、もちろん作者の狙いは「中産階級（ブルジョア）を憤慨させる」ことだった。フローベールは無罪となり、ボードレールはわずかな罰金刑と6篇の詩の発禁処分を受けただけで、詩集は生き残った。

これらの作品（現代ではフランス文学の古典）の裁判は、フランス文学に風穴をあけた。エミール・ゾラのような作家たち——その小説を翻訳することは英語圏では投獄の刑罰つきで厳重に禁じられた——は、文学を自由に新たな場へ連れ出すことができた。そして、連れ出したのである。

自由なのは、フランスの作家だけではなかった。多くの英米の作家（D・H・ロレンス、アーネスト・ヘミングウェイ、ガートルード・スタイン）がふたつの大戦のあいだにパリで作品を出版したのは、自国では出版できなかったためだ。ジェイムズ・ジョイスの『ユリシーズ』などは典型的な例だ。この小説は1922年にパリで本の形で出版され、11年後に裁判の（これは「エロティック」ではなく、「吐き気を催させる」のだというひねくれた判決を経て）のちアメリカで出版された。英国はその数年後の1936年に『ユリシーズ』の発禁処分を取り消した。アイルランドでは発禁になることはなかった。ただ、手に入らなかっただけである。

第2次大戦中、ジャン＝ポール・サルトル、アルベール・カミュ、シモーヌ・ド・ボーヴォワール、ジャン・ジュネのような偉大なフランスの作家たちは、フランスを占拠するドイツをアレゴリーで攻撃する作品を書いた。有名なところでは、カミュの『異邦人』（1942）、サルトルの『出口なし』（1945）がある。「外国人」を意味する題名のカミュの小説は、フランスを占拠する外国人への嫌悪を示していると解釈できる。サルトルの戯曲には3人の登場人物がおり、死後の世界で互いを永遠に閉じ込めようとする。地獄とは他人だとわかるのだ。これは、ドイツ占領下というもうひとつの監獄において書かれたものである。

伝統的なフランスの自由は、第2次大戦後に確立した。皮肉なことに、英語圏の解放は、1959年と1960年の『チャタレイ夫人の恋人』裁判のあとになるが、この小説は30年も前にパリでまったく物議を醸しだすこともなく出版されていた本だった。

ロシアでは革命はなかなかやってこなかった。それでも、世界文学の傑作は、ロシア皇帝の指示する検閲体制にもかかわらず、構想され、出版された。逆説的に――文学史では逆説がよくあるが――著者たちはドジな検閲官（ニコライ・ゴーゴリが、1836年に発表した戯曲『検察官』で巧みに戯画化している）の目をくぐり抜けようとしたのだ。社会批評においては、微妙さとまわりくどさ——一言で言えば、巧妙さ——が用いられた。たとえば、フョードル・ドストエフスキーの小説『カラマーゾフの兄弟』（1880）では、登場する3人の兄弟のうちふたりが嫌な父親を殺そうと企てる。当時の皇帝は人民から何と呼ばれていたか？「小さな父親」である。アントン・チェーホフの戯曲も同様に、よりノスタルジックかもしれないが、支配階級の内部崩壊を描く。『桜の園』（1904）では、桜の園は美しいが益のない無用の長物の象徴であり、桜はよりよきもののために切り倒されるのではなく、醜い新世界のために切り倒される。チェーホフは文学的「ペーソス」の名手だ。そう、もちろん、世界は変わらなければならない。歴史がそれを求めている。だが、悪化しなければならないのか？

チェーホフの扇動的な喜劇は、わずかな文言の修正を加えられただけで、皇帝の検閲をすり抜けて上演された。しかし、1917年の革命後は、検閲者がスターリンに変わり、ロシア（当時はソビエト）の作家にとって厳しさが増した。検閲は「雪解け」の時代を経ながら、1989年まで執拗に続いた。アンナ・アフマートヴァやエフゲニー・エフトゥシェンコらの詩人や、ボリス・パステルナークやアレクサンドル・ソルジェニーツィンといった小説家たちは、先達の奸智に長けた技術を使いながら検察官の鼻先で傑作を創作し（時たまではあるが）出版しようとした。ソルジェニーツィンの『癌病棟』（1986、スターリン主義をロシアの心臓の腫瘍と捉えた、猛烈な諷刺となっている）が、タイプ打ちされた地下出版（サミズダート）の形で流通したのは、ローマにいた初期のキリスト教徒たちがマントの下に反政府の原稿を隠していたのと似たようなものだ。パステルナークやソルジェニーツィンはどちらも、1958年と1970年にそれぞれノーベル文学賞を受賞した。ロシアは、そうした検閲なしでも偉大な文学作品を生み出していくのだろうか。見守っていきたい。今日私たちの目の前で起こる偉大な文学的実験のひとつである。

アメリカは、自由な表現と読み書き能力を重視するピューリタンによって建てられた国だ。1791年には、憲法の修正第1条により、言論の自由が法律で守られた。しかし、その自由は絶対かつ普遍的ではなかった。何年にもわたって、さまざまな州の連邦であるアメリカは、寛容と抑圧のごちゃまぜのパッチワークを編んできた。「ボストンでは禁止」（この表現は慣用句となった）とされた文学作品がニューヨークでは飛ぶように売れていることもあった。とりわけ、公共図書館と地域の教育カリキュラムに関して、州ごとにちがうという不均一は依然としてアメリカの文学環境のきわめてアメリカらしいところとなっている。

ドイツの作家たちは比較的自由な体制を享受し、とくに1919〜33年のワイマール共和国時代はそうだった。この頃には、『三文オペラ』（今でも人気のあるジャズのスタンダードナンバー「マック・ザ・ナイフ」を生んだ戯曲）を書いた劇作家ベルトルト・ブレヒトが独特な革命的政治演劇を作り出して、世界じゅうに大きな影響を与えた。ナチ党が1933年に権力を掌握すると、抑圧は激化した。焚書は、ニュルンベルク党大会と同様に、ナチ党の一大イベントとなった。その狙いは、党が認めないものを粉砕して人民の「心」を支配しようとするものだ。狙いは大成功だった。少しでも歴史的価値のある文学作品はそのあと6年間生まれることはなかった。さらにひどいことに、ヒトラー体制は１９４５年に終わったとき、毒のある遺産を遺した。戦後、ギュンター・グラスのような小説家は（グラス自身が言ったように）爆撃の文学的瓦礫と向き合わなければならなかったのである。

英国では、18世紀まで政治的な抑制を行うのは国家の息のかかった機関だった。違反した作家は、裁判にもかけられずにロンドン塔送りとなるか、あるいは（デフォーのように）足枷をはめられたりした。賢い作家は用心した。たとえば、シェイクスピアはその戯曲を当時のイングランドに設定することはなかった。なぜか？　なぜなら、シェイクスピアは単なる天才ではなく、慎重な天才だったからである。

とくに舞台の検閲は英国ではかなり長いあいだ続いた。なぜか？　なぜなら、観客は「集団」であり、「暴徒」化しやすいからだ。舞台の検閲は１９６０年代まで廃止されなかった。ジョージ・バーナード・ショーは宮内長官（すべての演劇の許可を出す部局の元締め）と常に戦っていた。いかがわしい店を合法な商店として茶目っ気たっぷりに描く『ウォレン夫人の職業』（１８９５）のような《ウィット》のあるショーならではの戯曲は上演が難航した。ショーはノルウェーの劇作家ヘンリック・イプセンを公然と支持していたが、イプセンの『幽霊』（性病というきわめて危険な話題を扱っている）のような劇を上演しようものなら問題となり、禁じられたのである。１９５０年代でさえ、サミュエル・ベケットの『ゴドーを待ちながら』（第33章）のような劇の初演には宮内長官の権威ある許可が必要であり、実際変更が少し要求され、応じられた。

英国は１８５７年（パリで『ボヴァリー夫人』裁判が起きた年）まで検閲を法制化してこなかった。この年初めて国会を通過した猥褻出版物法は、まったく英国的なたわごとだ。「不道徳な影響を受けやすい者を堕落・腐敗させる」傾向がある文学作品は「猥褻」と断定されたのだ。ディケンズは、この罪を「若者を赤面させる」ものすべてだと皮肉をこめて言い直してみせた。ヘンリー・ジェイムズは、「若い読者」にふりまわされなければならないのかと憤った。裁判で訴えられるまでに至らなくとも、ただ「時代の風潮」として、道徳が支配したのである。トマス・ハーディは、１８９５年にウェイクフィールド大司教がその小説『日陰者ジュード』を（例によって、不倫を容認しているからという理由で）焚書とすると、小説はすっかり諦めて、死ぬまでの30年間、害のない詩しか出版しなくなった。「堕落・腐敗」の法律なんてものがあっては、書きたい小説など書けなくなったからである。

ハーディの弟子であるD・H・ロレンスは、その小説『虹』の初版のすべてを、１９１５年に司法によって燃やされた。そこにはきわめて詩的だがまったく害のない（と、私たちの目には映る）性描写があるだけで、卑猥な言葉など一言もない。戦後、ロレンスはイングランドを去り、二度と戻ることはなかった。とどまった者は、気をつけて歩まねばならなかった。E・M・フォースターは多くの偉大な小説を書いて出版した（第26章参照）が、１９１３年頃に執筆し、私的に回覧されたものの未刊行だった小説に『モーリス』がある。はっきり言って、作者自身の同性愛を扱った作品だ。死後の１９７１年に出版されるまで日の目は見なかったが、その時はもはや物議を醸す作品ではなかったし、そもそも問題があったとは思えない。

慎重な英国作家や出版社は、フォースターのように自粛をした。１９４４年にジョージ・オーウェルが

『動物農場』を出版しようとしたとき、戦時下に英国の連合国であるソビエト連邦を攻撃する寓話を進んで手がけようとする出版社は見つからなかった。オーウェルにしてみれば、出版業界全体は「根性なし」だったのだ。出版社側は「慎重」という言葉を用いたことだろうが。

状況が劇的に変わってきたのは、1960年の『チャタレイ夫人の恋人』裁判からだ。1959年に、新しい猥褻出版物法が制定され、本質的に不快な文学作品でも公益に資する——「科学、文学、芸術、学問のためになる」——ならば出版が許可された。D・H・ロレンスは1930年に亡くなったが、ペンギン社はこの新法を試すべく、『チャタレイ夫人の恋人』を出版することにした。ロレンスの言葉を借りれば、文学を「洗浄する」ために書かれた作品だ。この小説は問うている——私たちの私的な生活の最も重要な行為を表現するのに、ラテン語の婉曲語ではなく、ふつうの英語を使ってはいけないのか？　検察側は、フローベールを出廷させたときにフランス当局が用いたのと同じ態度を示した。すなわち、猟場番人と恋に落ちた貴族の妻を描いたロレンスの小説は不倫を是認するものである、と。高名な作家を含めたさまざまな「専門家の証人たち」が出版を弁護する証言をして、被告側が勝利した。

文学検閲との戦いは世界じゅうで続いており、ロンドンに本拠地がある雑誌『インデックス・オン・センサーシップ』のどの号を見ても、それはわかる。絶え間ない戦いだ。抑圧を受け、鎖でつながれ、あるいは追放されようとも、文学は偉業を達成することを文学史は教えてくれる。不死鳥のように、焼かれてもその炎から蘇りさえする。それは、人間の精神の輝かしい証明となっていると言えよう。

Chapter 26 帝国――キプリング、コンラッド、フォースター

偉大な文学は強国から生まれるという点は、これまでの章で語ってきたとおりである。強国とは、征服、侵略、あるいは場合によっては完全な盗みによってその領地を拡大してきた国のことだ。「帝国」や「帝国主義」ほど、問題含みの文学的主題もないだろう。とりわけ、ある国が他国を支配し、占領し、略奪し、ときには破壊してしまう権利があるのかという問題だ。帝国側の主張は、「文明をもたらしている」ということになるのだろうけれども。

帝国の善悪という緊迫した問題を文学が扱うのは、なかなかやっかいであり、論争を呼ぶ。世界像が変わってきたこの2世紀のあいだに、この問題もまた変わってきている。特定の時代に関する文学は、別の時代になるとどうしようもなく時代遅れになってしまう。時代を特定しない文学だと、いつ書かれたかとか、誰のために書かれたかといった知識が必要になることはないのだが。

帝国文学を読めば、大きな歴史像が見えてくる。19世紀と20世紀においては、ヴィクトリア時代を頂点として、北ヨーロッパの沖合にある小さな諸島であるブリテン（英国）が、グリニッジ子午線から広大なアフリカ大陸を経て、パレスチナ、インド大陸、オーストラリア大陸、カナダに至るまでの帝国を手に入れ、支配していたわけである。18世紀には、のちにアメリカ合衆国となる13の植民地もそのリストに加わっていた。古代ローマ帝国でさえ、グレート・ブリテンほど広大な地球支配を誇ったことはない。

20世紀後半までには、大英帝国は事実上消えていた。衝撃的なまでに突然消えたのである。次々に各国が独立を訴え、勝ち得たのだ。英国がその海外の領土を守ろうとして戦った最後は1982年のフォークランド紛争のときであり、イングランドの村ぐらいの人口しかない南大西洋の小さな諸島をめぐっての戦争だった。何の叙事詩も生まれることはなかった。

文学は社会的かつ歴史的変化の繊細な記録係でもあり、国際世界の出来事と、そうした出来事の最中に国民がどのように複雑で流動的な反応をしていたかを書きとめていく。英国史における帝国主義だった時代とポスト帝国主義時代における英国の精神構造は、文学にも反映されているように、プライドと恥とがくるくる入れ替わるような特徴がある。

当時大いに称賛された有名なラドヤード・キップリングの詩「白人の責務」（1899）を見てみよう。出だしはこうだ。

白人の責務を引き受けよ——
　送り出せ、汝の育てし最高の子らを——
息子たちを追い出して
　満足させよ、捕虜らを。
傅（かしず）いて世話せよ
　動揺する野蛮な民どもを——
新たに捉えた不機嫌な人種、
　なかば悪魔でなかば子供を。

Take up the White Man's burden—
　Send forth the best ye breed—
Go bind your sons to exile
　To serve your captives' need;
To wait in heavy harness
　On fluttered folk and wild—
Your new-caught, sullen peoples,
　Half devil and half child.

ラドヤード・キップリング（1865～1936）は英国人だが、「白人の責務」はアメリカ合衆国の人々に向けられたものだ（キップリングの妻がアメリカ人であることも重要である）。これは、フィリピン諸島で起きた独立運動をアメリカが抑圧し、同時期にプエルトリコ、グアム、キューバを獲得したことに触発されて書かれた詩である。フィリピン独立運動はとくに血なまぐさいものとなった。25万人ものフィリピン人が死亡したと推定される。白人の責務には赤い染みがつきまとう。

この詩はアメリカですぐにヒットし、その題名は諺的言い回しとなって定着した。今でもときどき聞かれることがある——たいていは皮肉をこめて。19世紀（「英国の世紀」）が終わると、キップリングはアメリカが世界大国としての役割を果たす時代になったと考えた。事実、20世紀はアメリカの世紀となった。それでも、キップリングは、英国はアメリカという強大な同盟国のパートナーになるだろうと安易に予想していた。たとえ弱小のパートナーであっても、米英で世界を切り盛りして、恵み深き主人役を務めるのだと思っていたのだ。

キップリングは英国領インドに生まれ、その小説『キム』（1901）はボンベイ（現在のムンバイ）での作者の幼少期を題材として、彼の言う「東と西」の関係をきわめて同情的に描いている。キップリングの詩の基本的な発想は明確だ。白人の文明を異民族に押しつけるのが帝国の役割なのであり、異民族はキップリングに言わせれば「なかば悪魔でなかば子供」であり、いつまでたっても劣等なのだ。帝国のこの行為は基本的に温和である。それは、自国民の利益を度外視して引き受けるべき「責務」であり――ここが重要なところだが――白人によって幸運にも植民地化された劣等人種から何ら感謝されることも一切期待しない。今日キップリングの詩を読むと、文学的な意味で戸惑いを禁じ得ない。1899年当時は大喝采で受け入れられていたのに。時代は変わるのだ。

同年の1899年に、帝国と白人帝国主義について別の作品が出版された――ジョゼフ・コンラッド（1857～1924）の『闇の奥』である。これはもっと思索に富んでおり、もっと重要な文学作品であることに多くの人の賛同が得られるだろう。コンラッドはウクライナ生まれで、ポーランド人の両親を持ち、本名はユゼフ・テオドル・コンラト・コジェニョフスキといった。父は愛国者の詩人で、故国を占領したロシアに抵抗する運動家だった。独立のために人生を捧げたのだ。このため幼きヨゼフはポーランドで暮らせなかった。国外追放が運命づけられていたのだ。ヨゼフは船乗りとして働きはじめ、1886年に英国民となり、英国商船隊の士官となり、ジョゼフ・コンラッドに改名した。それから、30代なかばに海を離れて文学をはじめたのである。

コンラッドは1890年に、おんぼろ蒸気船の船長としてコンゴ川を遡行し、奥地の出張所まで行ってほしいと依頼されたが、このことが『闇の奥』に自伝的要素として入っている。その出張所は、クレイン（小説ではクルッと改名されているが、クレインとは「小さな」、クルッとは「短い」を意味するドイツ語である）という死にかけた支配人によって運営されていた。コンラッドは、良識はあるものの当時の白人が抱いていた人種差別の意識がまったくなかったわけではなく、ヨーロッパが永遠に恥じるべき植民地支配代行業――コンゴ上流貿易ベルギー有限会社の仕事――を数か月にわたって行った。

いわゆるコンゴ自由国は、1885年に、ヨーロッパの小さな帝国ベルギーによって建国された。「自由」とは自由に略奪してもよいという意味だ。ベルギー国王レオポルド2世は、ベルギーが「所有した」100万平方マイルの土地を、高値をつけた会社に貸し出した。借りた者がその植民地でそのあと何をしようが勝手だった。その結果、現代で最初の集団虐殺が起きた。コンラッドは、「人間の良心の歴史を歪めた最も醜い略奪争奪戦」と呼んだ。

コンゴ川での経験はコンラッドに深い影響を与えた。「コンゴ以前の私は単なる動物だった」と、コンラッドはのちに語っている。「恐怖」（この小説のキーワード）が心のなかで落ち着いて、コンラッドが『闇の奥』が書けるようになるまで8年かかった。物語は単純だ。マーロウ（コンラッドの小説のいくつかに登場する語り手の主人公）が、テムズ川河口をゆっくり進む彼の船ネリー号上で、太陽が桁端（こうたん）の上を沈んでいく頃、友達に話を聞かせている。ふと話の切れ目でロンドンの方角を見やったマーロウは、「ここはいつも《地の暗きところ》（「詩編」74章20節）だった」と物思いに耽る。考えていたのはローマ人や古代ブリテン人のことだ。あらゆる帝国の背後には常に悪行があるものだ。

マーロウは30代前半に受けたある命令を思い出す。ブリュッセル（「白く塗られた墓」（「マタイ伝」23章27節。「外見は美しいが中身は穢れた者」の意）とも言うべき町）での募集に応じてアフリカ（ハート型の「暗い」大陸）のコンゴへ仕事をしにいったのだった。その奥地にベルギーの植民地があり、そこの出張所支配人のクルツが、象牙を収穫しているうちに発狂したという（象牙は、ビリヤードの玉やピアノの鍵盤などを作るために欧米ではものすごい需要があった）。その旅によってマーロウは物事の暗い真実を知ることになったのだ――資本主義、人間性、自分自身、そして最も重要なのは帝国の性質。

自分の第2の故郷である英国に（ある意味で）忠実なコンラッドは、ベルギーの帝国主義は英国よりも残酷で強欲だと主張する。しかし、マーロウが「地の暗きところ」について行う発言には、あらゆる帝国は根本のところで同じであるという含意がある。よい帝国、悪い帝国と区別しても意味がない。すべて悪いのだ。『闇の奥』はきわめて心乱される小説であり、書いた本人も自身がアフリカの暗きところで目にしたものにひどく心を掻き乱されたのだった。

大英帝国が最も重視したのがインドであり、インドは「王冠の宝石」〔最も重要なもの〕と呼ばれた。英国領インドを題材にした最も思慮深く奥深い小説は、E・M・フォースターの『インドへの道』（1924）であると一般に言われている。この作品は、フォースターがインドへ旅したときに思いついたものだ。彼はインドとその国民に惚れたのだ。キップリング風の植民地主義の優越感などまったく持ち合わせていなかったフォースターは、骨の髄まで進歩主義であり、自由な発想をするブルームズベリー・グループ（第29章）のひとりだった。

この奇妙な題名には説明が必要だろう。外面的には、イングランドからインドへ旅客船で行う旅（「道」）を指す。小説の主たる物語の糸のひとつは、アデラという若いイングランド人女性がイングランド人判事と結婚するためにインドにやってくる流れを追う。彼女がインドの洞窟（古くから宗教的に重要な場所とされた）で若いイスラム教徒の医者アジズに襲われたか襲われなかったかわからないのだが、その出来事以降、事態はおかしなことになってしまう。彼女は現地人と友人になろうと無邪気に思っただけだったのに。暴動に近い事件が起こり、裁判になり、アジズは無罪となる。アデラの「インドへの道」は――そして、その希望に満ちた結婚は――屈辱の結末を迎える。マラバー洞窟で何が起こったのか誰にもはっきりとわからない。それこそが、まさに英国領インドの「謎と混迷」そのものなのである。

フォースターの題名は、1871年に出版されたウォルト・ホイットマン（第21章）の同名の詩を反映したものだ。ホイットマンの詩は、帝国主義的状況の本質に迫る質問を投げかけており、それにフォースターの小説は答えようとしている。植民地主義的所有と人種的な相違によって人間関係が複雑になっても、真の人間関係を築くことは可能なのか？　ホイットマンはこう書いている。

インドへの道！
見よ、魂よ、神の当初からの目的が見えぬのか？
大地はひろがり、網の目でつながるのだ。
人種も、隣人も、結びつき、結ばれる。
海洋は越えられ、遠くは近くなり、
大陸同士もひとつにつながる。

Passage to India!
Lo, soul, seest thou not God's purpose from the first?
The earth to be spann'd, connected by network,
The races, neighbors, to marry and be given in marriage,
The oceans to be cross'd, the distant brought near,
The lands to be welded together.

ホイットマンは、フォースターと同様に陽気だ。フォースターの小説の核にあるのは、学校教師をしている英国人男性と医者をしているインド人男性の強い絆であり、ほとんど熱烈と言ってもいいくらいである。しかし、キップリングが書いたように、「東は東、西は西、決して交わることはない」のだ。

フォースターは、その小説を終えることができないと感じていた。どう終わらせても「正しくない」のだ。書くのに行き詰ったわけではない。フォースターが直面したのは、小説では帝国の問題を「解決」できないという事実だ。『インドへの道』は結論を出さずに終わるが、きわめて芸術的な効果が高い終わり方であり、決して一緒になれないふたりの男性が、ホイットマンが言うように「ひとつにつながる」のである。最後の場面で、ふたりは月明かりに浸された風景のなかを馬に乗って進んでいく。

だが、馬たちはそれを望んでいなかった――2頭は離れて進んだ。大地もそれを望まず、岩を送り込んだので、男たちは一列になって通らねばならなかった。ふたりがその狭間から出て、マウの町を眼下にしたとき次々と目に入ってきた寺院、貯水池、牢獄、宮殿、鳥たち、腐肉、迎賓館もまた、それを求めておらず、さまざまな声で「いや、まだだ」と言った。空が「いや、地上ではむりだ」と言った。

フォースターの「まだだ」は25年ぐらいかかり、1947年にインドは独立した。サルマン・ラシュディがその小説『真夜中の子供たち』――ポスト・コロニアル時代の傑作（第36章参照）――でそれを祝った。『インドへの道』は反植民地主義だ。あの時代に書いたのだから当然だろうとフォースターは示唆している。帝国のテーマは、シェイクスピアの『テンペスト』からはじまって、ポール・スコットの『ラジ4部作』やV・S・ナイポールの小説やウィリアム・ゴールディングの『蝿の王』（まさに「半分悪魔で半分子供」である極めつきのイングランドのパブリックスクールの白人少年たちが登場する）といった作品に至るまで、文学全体にインスピレーションを与えてきた。のちの章では、この植民関係を反対側から見るとどうなのかを考察する。しかし、帝国が抱える主要な道徳問題は、かりに「解決」されないとしても、コンラッドやフォースターの小説ほど繊細に探求されたことはその後もない。これらの作品は今日でも読まれており、その誇りと罪悪感と困惑とがまざりあった不思議な感情とともに楽しまれてきた。しかし、楽しむには、まず歴史を知っておかなければならない。

Chapter 27 不運な国歌——戦争詩人

戦争と詩は常に手を携えて来た。今日でも読める最古の詩『イーリアス』は、葛藤する国民を描いたものだ。戦争は、喜劇ではないシェイクスピアのほとんどの劇に姿を見せる（喜劇に戦争が出てくることもあるが）。「戦争の恐怖」（スペイン画家ゴヤの言葉）を最も見事に描いて見せたのは『ジュリアス・シーザー』であろう。

血と破壊とがあまりにも当たり前となり
恐ろしい光景にも目が慣れてしまい
母親は、戦争の手によって、わが幼子を
引きちぎられても微笑んでいることだろう。
Blood and destruction shall be so in use,
And dreadful objects so familiar,
That mothers shall but smile when they behold

Their infants quartered with the hands of war

しかしながら、「大戦」と呼ばれた第1次世界大戦（1914〜18）ほど大量の英詩を生み出した戦争もない。

それは英国史において最も血まみれの戦争だった。1917年のパッシェンデールの戦いでは、25万人の英兵が、勝ち取った地点から5マイルも離れていない戦場で、何か月も深い泥にまみれて戦死した。英国のパブリックスクールから直接（多くは教室から戦場へ直行した）前線へやってきたもののうち、5人にひとりは帰らぬ人となった。その代わりにそれぞれの学校の「名誉卒業生」として名を記したのだ。こうした若者は「士官級」であると同時に「詩作学級」にも属していた。

英国のほぼどの村にでも、少し目立った場所に今では苔むして文字もほとんど読めない追悼碑が建っている。その地域の若者の花の命が1914〜18年の恐ろしい戦闘で散ったことを記す碑である。名前の並ぶ下には、「その名、永遠に生きるべし」といった碑文が読めることだろう。

第1次世界大戦が他の戦争とちがっていたのは、その前代未聞の規模やその武器の致命的効果（マシンガン、飛行機、毒ガス、戦車など）にとどまらない。国家間のみならず、国家内での葛藤を惹き起こしたためでもある。言い換えれば、多くの兵士たちは、敵も味方も、「敵は前にいるのか、うしろにいるのか」と自問せざるをえなかったのだ。これは、戦争が生んだ最も有名な小説、ドイツ人作家エーリヒ・マリア・レマルク作の『西部戦線異状なし』（1929）が投げかける問いでもある。レマルクは、もうひとりの有名な生き残りであるアドルフ・ヒトラーのいた場所から1マイルかそこいらの距離の塹壕で戦い、傷ついていたのだ。

この恐ろしい4年間を描いたきわめて優れた詩人たちは、真の敵はドイツ皇帝（自分たちの王ジョージ5世の従兄弟だった）と軍隊靴を履いたドイツ人ではなく、進むべき道を見失って、わけもわからず自国の最も優れた賢い若者たちを無意味に死へと追いやっている英国社会なのかもしれないという事実と向き合わなければならなかった。

詩人のなかでもとりわけ激怒したシーグフリード・サスーン（1886〜1967）は、そのドイツ風の名にもかかわらず、英国風の狐狩りをする完璧な英国紳士だった。彼はその詩「将軍」で、「敵は外国ではない」という感覚をこう描写する。

「お早う、お早う！」将軍が微笑んだ。
先週の行進中だ、前線へ向かうため。
将軍が微笑みかけた兵士はあらかた死んだ。
我々は指導部を罵った、無能な豚め。
ハリーがジャックに言う、「悪い奴じゃない」って。
ふたりはライフル担いで進む、アラスへ向かって。

'Good-morning; good-morning!' the General said
When we met him last week on our way to the line.
Now the soldiers he smiled at are most of 'em dead,
And we're cursing his staff for incompetent swine.
'He's a cheery old card,' grunted Harry to Jack
As they slogged up to Arras with rifle and pack.

だが、将軍はふたりを殺した、攻撃計画によって。　But he did for them both by his plan of attack.

では、この詩において誰が「敵」なのだろう？　テニソンの「軽騎兵隊の突撃」（第22章）を思い出してみよう。あの戦争でも将軍のドジな攻撃計画のせいで、その600の騎馬隊の約半数が死んだのだ。しかし、テニソンは、司令官を批判しなかったし、国を責めもしなかった。代わりに敵の砲兵隊の砲身に向かって――死に向かって――突撃した兵士たちの勇敢さを称えたのだ（「つべこべ言う立場にはない」'theirs not to reason why' という慣用句はこの詩から来ている）。その詩は「栄光に輝く」とされた。

サスーンの態度はちがっており、もっと複雑だ。彼が見るかぎり、そんな「栄光」などどこにもありはしない。「将軍」は1916年に書かれ、1918年に出版されたが、その頃はまだ「なぜこの戦争をするのか？」という問いが白熱していた。臆病（「白い羽根」という表現がなされた）でそんなことを聞くのではない。サスーン自身、仲間から「マッド・ジャック」とあだ名されるほど猛烈な戦士だったのだ（皮肉なことに、「シーグフリード」はドイツ語で「勝利を喜ぶ」という意味だ）が、どうしても――（英語の表現では、文字どおり「命に代えても」for the life of him）――この戦争の意味がわからなかった。戦功十字勲章をもらったサスーンは、それをマージー川に投げ込んだと言われている。

第1次世界大戦で戦って、2009年に111歳で亡くなった最後の生き残り兵「トミー」（「トミー・アトキンズ」は英国陸軍兵士を指す俗称）ことハリー・パッチも、同意見だった。戦闘の90周年に戦地パッシェンデールを訪れたパッチは、この戦争を「計算され、容認された人類大虐殺だ。ひとりの命も失われてはならなかった」と述べた。1918年11月、戦争が終結したときには、75万人以上の英国人の命が失われていた。900万以上の兵士が、両陣営で亡くなったと推定されている。

サスーンの詩よりも優れているのが、彼の友人であり戦友であるウィルフレッド・オーウェン（1893～1918）作の「無益」であろう。勇敢にして華々しい士官であったオーウェンは、雪に横たわる兵士の死体を見つめながら、その家族に公式のお悔やみの手紙を書かなければならないと考える。

彼を日向（ひなた）へ移しておやり。
陽光はかつて彼を起こしたから、そっと。
故郷（ふるさと）の種蒔き前の畑のことを囁く陽の思いやり。
いつも起こしたのだからフランスでも、きっと。
ところが、今朝のこの雪景色。
戻らぬのだろうか、彼の意識。
起こしてくれ、優しい陽よ、懐かしき。

Move him into the sun—
Gently its touch awoke him once,
At home, whispering of fields unsown.
Always it woke him, even in France,
Until this morning and this snow.
If anything might rouse him now
The kind old sun will know.

陽であれば、種の目をも覚ますからだ。
冷たき星の土もかつては起こしたではないか。
こんなに頑丈な手足、まだ温かいこの体
強き四肢が、なぜに固く動かないか?
肉体が育ったのは、このためなのか?
——なぜにそもそも甲斐なき陽光は、
土の眠りを破ったのか?

Think how it wakes the seeds,—
Woke, once, the clays of a cold star.
Are limbs, so dear-achieved, are sides,
Full-nerved,—still warm,—too hard to stir?
Was it for this the clay grew tall?
—O what made fatuous sunbeams toil
To break earth's sleep at all?

キーツの影響をはっきりと受けているこの詩は、エロティックなまでの感情的暖かさを持っている。陽光はこの名もなき兵士を蘇らせるのか、春に土から種の芽を出させたように? いや。その死は価値のあるものなのか。いや、無駄であった。まったくの無益だ。

オーウェンは、サスーンよりも技術的に実験的な詩人であり、その怒りは冷静だ。「無益」は、長さのちがう行や、ハーフ・ライム(「そっと」と「きっと」など)〔原文ではonceとFranceなど〕を駆使した技巧的に作られた定型詩である。全体を通して絶妙に想起されているのが、「灰は灰へ、塵は塵へ」という伝統的な埋葬の詩句だ。

オーウェンはもし生きていたら20世紀の英詩の流れに大きな影響を与えたであろうと言われている。彼は戦争が終わる最後の週に亡くなった。その訃報の電報は、教会の鐘が和平宣言を告げて鳴り響いたときに家族に届けられたのである。

「無益」が書かれたときには、戦争は血なまぐさい膠着状態に陥っていた。塹壕の列と鉄条網は、雑に縫われた傷のようにヨーロッパじゅうに広がっていた。両軍とも攻めあぐね、毎週何千人と死者を出していた。この大虐殺は、バルカン半島のサラエボでオーストリア＝ハンガリー帝国の皇嗣フランツ・フェルディナントが暗殺されるという、小さな路上犯罪からはじまった。さまざまな諸国の巨大な集まりであるオーストリア＝ハンガリー帝国はほぼ直ちに崩壊した。後継者争いが起こり、複雑な国際同盟が結ばれていき、ドミノ倒しがはじまった。１９１４年８月（イングランドでは輝ける夏）になると、戦争は避けられなくなっていた。

たいていの人はクリスマスまでには戦争は終わると呑気にかまえていた。国民の精神は「ジンゴイズム」〔国益のために他国に対して強硬手段をとること〕という言葉（１９６３年のミュージカル『すばらしき戦争』で見事に喚起された言葉）に集約されていた。この時代風潮の初期の頃に書かれた最も有名な詩は、ルパート・ブルック（１８８７〜１９１５）の「兵士」である。

僕が死んだら、こう考えておくれ
　どこか異国の片隅にありと、
永遠のイングランドが。その肥えた土塊（つちくれ）
その中に、より豊かな塵の隠されてありと。

If I should die, think only this of me:
　That there's some corner of a foreign field
That is for ever England. There shall be
In that rich earth a richer dust concealed;

イングランドが産み、形作り、啓蒙し、
　愛すべき花をくれ、闊歩（かっぽ）させてくれた
イングランドの体。故郷の空気を呼吸し、
　川に洗われ、祖国の日差しに祝福された。

そして思ってくれ、浄（きよ）められたこの心、
　永遠なる心の一鼓動となる。その一回で
　　返そう、祖国が与えてくれたこの思い。
その溜め息と声を。幸せな夢を見た頃
　友から学んだ笑いと、やさしい思い出。
　　心は静かに仰ぐ、イングランドの雲居（くもい）。

A dust whom England bore, shaped, made aware,
Gave, once, her flowers to love, her ways to roam,
A body of England's, breathing English air,
Washed by the rivers, blest by suns of home.

And think, this heart, all evil shed away,
A pulse in the eternal mind, no less
Gives somewhere back the thoughts by England given;
Her sights and sounds; dreams happy as her day;
And laughter, learnt of friends; and gentleness,
In hearts at peace, under an English heaven.

これは気高い感情だ。著者のことを知ればなおさら気高いと思えるだろう。ブルックはとても二枚目な若者でバイセクシャルだった。E・M・フォースター、ヴァージニア・ウルフなどのブルームズベリー一派（第29章）と近しかった。才能ある詩人だったが、ウィルフレッド・オーウェンと比べると、伝統的な手法を用いた。その愛国主義も伝統的だった。戦争が勃発すると、少し年齢が高かったにもかかわらず志願し、戦

争の最初の年に、感染した蚊に噛まれて死亡した。戦死ではなかった。そして詩にあるように、ギリシャ領のスキロス島という「異国の地」に埋葬された。

ブルックの詩は、直ちに戦争プロパガンダに利用された。聖ポール大聖堂の会衆に対して読み上げられ、国じゅうの聖職者が説教で取り上げた。学校の生徒は朝礼で聞かされ、上級生たちは異国の地で名誉ある死を遂げるべしと一斉志願を促された。とりわけ海軍大臣ウィンストン・チャーチルのお気に入りの詩だった。当時の国を代表する新聞だった「タイムズ」紙に、ブルックの華々しい死亡記事を書いたのはチャーチルだった。しかし、3年後、大勢の人が死んだのち、ブルックの愛国主義の賛歌はあまり響かなくなった。戦争は華々しくもなければ、英雄的でもなかったのだ。多くの戦士は、意味がないと感じていた。

実際のところ、多くの偉大な戦争詩人は上流階級の士官だ。しかし、最も偉大な戦争詩人のひとりは、まったくちがった経歴の持ち主だった。アイザック・ローゼンバーグ（1890〜1918）はユダヤ人で、労働者階級出身だ。家族はロシアから移住してきたばかりで、皇帝によるユダヤ人虐殺を逃れてきたのだ。アイザックはロンドンのイースト・エンドに育ち、ユダヤ人街のようなところで暮らした。14歳で学校をやめて、彫刻師の弟子になった。子供時代から芸術的・文学的才能を見せていたが、ずっと肺を病んでいた。体も小さかった。そうしたハンデがあるにもかかわらず、軍人に向かないのは明らかであるのに、志願して1915年に（兵士たちが言うように）「死への行進」をしたのだ。1918年4月に肉弾戦で殺された。

ローゼンバーグの最も知られている詩「塹壕での夜明け」は、夜明け(オーバード)の歌と呼ばれるものだ。新しい日に呼びかけるのは、昔から喜ばしい行為であるが、１９１７年のフランスにいたひとりの兵士にとっては、そうではなかった。軍務規定により、兵士たちは夜明けに整列を命じられていた。夜明けこそ攻撃にふさわしいとされていたからだ。

闇が壊れてゆく
いつも変わらぬドルイドの時。
ただ生き物がこの手を跳び越える。
奇妙で皮肉なドブネズミ、
胸墻（きょうしょう）に咲くポピーを摘んで
耳の後ろに挿そうとしたときだ。
おどけたネズミ、撃ち殺されるぞ、
そのコスモポリタンぶりを知られたら。
おまえはイングランド人の手に触れたのだから
ドイツ人にも同じことをしてやれ。
そうしてきっと、あいだにある
眠れる緑を越していけ。

The darkness crumbles away.
It is the same old druid Time as ever,
Only a live thing leaps my hand,
A queer sardonic rat,
As I pull the parapet's poppy
To stick behind my ear.
Droll rat, they would shoot you if they knew
Your cosmopolitan sympathies,
Now you have touched this English hand
You will do the same to a German
Soon, no doubt, if it be your pleasure
To cross the sleeping green between.

ドブネズミはもちろん「すばらしき戦争」をしているのだ。両軍の死体が食べ放題なのだから。この章で見てきた4つの詩はまちがいなく偉大な詩である。それを読める私たちは幸運だが、3人の命がそれで失われる必要があったのだろうか？

Chapter 28 すべてに挑戦した年——1922年とモダニストたち

文学史上すばらしい年は数々あれど、1922年は最もすばらしい年だと言えよう。ものすごい量の本が出た。しかし、この年がすばらしいのは、出版された本の量でも多様性でもなく、その年(そしてその前後の年)に出版されたものによって、文学の未来に対する読者の考えが変わったためである。詩人W・H・オーデンがのちに表現したように、「潮流」が変わったのだ。新しく支配的な「スタイル」が生まれた。モダニズムである。

歴史的にモダニズムの発祥は1890年代、第21章で扱った「世紀末」文学にさかのぼることができる。その頃の作家は、世界じゅうどこでも、創造的な非統一性にはまりこみ、階級を打破していた。ヘンリック・イプセン、ウォルト・ホイットマン、ジョージ・バーナード・ショー、オスカー・ワイルドといった作家を考えてみればよい。大まかに言って、作家たちは、たとえワイルドのように牢獄に入ることになろうと、トマス・

ハーディのように新刊を司教に燃やされようと、自分たちは文学に対して義務を果たしさえすればよいとわかってきたのである。権力側はモダニズムには手を焼くことになる。権力など知ったことか、なのだ。やりたいことをやるだけだ。

この新しい文学の潮流は１８９０年代にはじまり、エドワード王朝（戦前）にふくれ上がり、１９２２年に頂点に達した。その助けとなった要因や働きのいくつかは特定できる。第１次世界大戦が人々の心に与えた傷のため、古い世界観は永遠に砕け散った。１９１８年の時点で、１９１４年と同じに見えるものは何もなかった。戦争は、農場をだめにした巨大な破壊と見ることもできるが、いくつかの新しいものも生まれた。ラテン語で「タブラ・ラーサ」（何も書いていない石板）と呼ばれるものだ。

では、この偉大なる１９２２年の大革新の先鋒となった作品は何だったのだろうか？　まず思いつくのは、ジェイムズ・ジョイスの小説『ユリシーズ』と、Ｔ・Ｓ・エリオットの詩『荒地』であり、両方ともこの年に出版された。それにヴァージニア・ウルフの『ダロウェイ夫人』（「意識の流れ」という技法をウルフが最も巧みに用いた作品。詳しくは第29章で）を加えてもよいだろう。ウルフの小説は１９２５年に出たが、１９２２年から書きはじめられ、１９２３年に設定されている。ウィルフレッド・オーウェンの戦争詩は、死後の１９２０年に出版されたし、Ｗ・Ｂ・イェイツの作品が１９２３年にノーベル賞を受賞したのも、この偉大な年の出来事のひとつに数えられる。広く認められていることだが、アイルランド最大の詩人イェイツは、いわゆる「ケルトの夜明け」（アイルランドの神話的過去）に熱弁をふるう人でもあれば、現代――とりわけアイルランドを分裂させた1916年以降の内乱――を扱うモダニスト詩人でもある。イェイツの偉大な作品の一部は1922年に出版された『後期詩集』に収められている。

1922年頃に読書界に与えられた傑作ふたつを見る前に、モダニズムの一般的な特徴を考えておこう。極度の疲労と歪んだエネルギーはこれまでにも指摘されてきた。あらゆる文学作品は、一種のゼロ地点から出発する。たとえば、『ダロウェイ夫人』はふたつの大虐殺を背景に書かれている。ひとつは第1次世界大戦であり、この小説の主要人物セプティマス・スミスはこの大戦のせいで罹った戦争神経症から回復することなく、精神的に苦しんで（現在では「心的外傷後ストレス障害」と呼ぶ）高い窓から身を投げ、先のとがった柵に落ちて死んでしまう。セプティマスは、戦後の戦争犠牲者だ。もうひとつの大虐殺は、1918～21年に世界を席巻した「スペイン風邪」として知られるインフルエンザの大流行であり、死者数は戦争時を凌駕した。ウルフの主人公であるダロウェイ夫人は、感染したが何とか助かり、回復途中にある。

モダニズムのもうひとつの一般的な特徴は、その題材が文学の主流の内側ではなく外側からやってきていることである。『荒地』と『ユリシーズ』は部分的に、同人的なわずかの読者を対象とした「小さな雑誌」で紹介された。第25章で見たように、ジョイスの作品は、完全な形で出版されたのはパリだった。ふたつの主たる英語圏市場ではどの出版社も何十年も出版しようとしなかったのだ。ジョイスの祖国アイルランドに至っては、半世紀も放置していた。

流浪し根無し草となっている感覚は大きい。画期的なモダニズム文学のかなりの量が、アメリカ人作家ガートルード・スタイン（彼女も注目すべきモダニスト作家だ）が「失われた世代」――どの「祖国」の市場にも根がない作家たち――と呼ぶ人たちによって出版された。しかし、モダニズムは国際的な文学運動ではない。より正確には、超国家的――国家に起源をもたない――と呼ぶべきものなのだ。T・S・エリオット（1888〜1965）は、星条旗と同じようにアメリカに生まれ育ち、（ハーバード大学で）教育を受けた。『荒地』の初期の未発表原稿を見れば、ボストン（ハーバードの近く）が舞台となっていたとわかる。エリオットは、詩の重要な部分はスイスで神経衰弱の療養中に書いていたが、1922年当時、英国に住んでいた（のちに英国市民となる）。では、この詩を書いたのは、アメリカ人か英国人か、英国在住のアメリカ人か？

『ユリシーズ』も同様に根無し草の作品だ。ジェイムズ・ジョイス（1882〜1941）は、この小説の舞台となっているダブリンを1912年にあとにして、二度と帰ることはなかった。その旅立ちは芸術的な決断であった。偉大なる文学は「静かに、国を離れて、巧みに」出版されなければならないとジョイスは信じていた。この小説は、ダブリンについて書くにはダブリンの外にいなければならないということをほのめかしている。なぜか。ジョイスは、それを別の作品で、ひとつのイメージによって説明している。『若者としての芸術家の肖像』の主人公曰く、アイルランドは「子豚を食らう母豚だ」――育ての母に殺されるのだ。

D・H・ロレンスの偉大な作品『恋する女たち』は、前年の1921年に出版された。これと、1922年にロレンスが出版した小説『アーロンの杖』は、「立ち去る」必要を主張する。人生の大木（「ユグドラシル」）はイングランドでは枯れたとロレンスは信じていた。彼自身、自分の生まれた「荒地」を去り、炭鉱夫の息子ではなくなって、よそで人生を捜したのである。自分は「野蛮な巡礼者」だと本人は言う。

それでは、それ以後の文学をがらりと変えてしまった1922年の傑作2作を見ていくことにしよう。

『荒地』はその題が主張しているように、荒涼たる時代（「最も残酷な月」とエリオットは呼ぶ）の不毛な場所ではじまる。詩が行おうとしている仕事は、数か月前にエリオットが出版した小論「伝統と個人の才能」で説明されている。そのなかでエリオットは、いかにして壊れた文化を修復するかという問題を掲げている。落ちた葉を木に戻してくっつけるわけにはいかない。過去から受け継いだもの（伝統）は傷ついてばらばらになってしまっているので、新しい素材を用いた、何らかの新しい「モダンな」生きた方法を見出さなければならない。エリオットの詩がいかにもとどおりにする仕事をしているかは、冬の寒い朝、霧のロンドン橋に視線を向ける「死者の埋葬」と呼ばれる箇所で説明されている。観察者は「現実感のない都市」だと言い、「こんなにも死が大勢をだめにするとは思わなかった」とつけ加える。描かれているのは日常風景だ。鉄道の終着駅で白い息を吐く通勤客たちがテムズ川を越えて、シティ（世界経済の中枢）の事務所へと急ぐ。地球規模の資本主義の歯車をまわすために。そのほとんどは山高帽をかぶり、こうもり傘と鞄を持ち、それぞれの職業に応じた服を着ている。暗い朝の暗い人の流れ。しかし、「現実感のない都市」という叫びは、教養のある読者なら気づくだろうが、ボードレールの詩『悪の華』の「7人の老人」からの引用だ。

Unreal city, city full of dreams,

現実感のない都市、夢のつまった都市

真昼間から幽霊たちが通り過ぎていくところ！　Where ghosts in broad daylight cling to passers by!

エリオットの詩のなかの労働者たちは「生きた死者」である。テーマは最終行で強められる。「こんなにも死が大勢をだめにする……」。これは、ダンテがその詩「地獄篇」で、地獄行の途中で死者の群れを見て驚いたときの反応から直接引用されたものだ。「私は、こんなにも死が大勢をだめにするとは思わなかった」とダンテは、地獄堕ちとなった大勢の人を見て言う。エリオットは、ダンテを（シェイクスピアもだが）文学の巨人と看做していた。ダンテは、文学を哲学の地位にまで引き上げてみせたのであり、その『神曲』は世界文学における傑作だ。だが、エリオットは、知識をひけらかそうとしてビッグ・ネームをまき散らしているわけではない。こうした引用をしながら、古い糸で新しい布を織っているのだ。その布は『荒地』をずっと貫いている。詩はエリオットが書いたが（個人の才能）、素材は偉大な文学（伝統）なのだ。

『ユリシーズ』は、ジョイスがつけたその題が示すように、ホメロスの叙事詩とつながる。西洋文学のまさに始点なのだ。しかし、表面的には、両者をつなげるのはおかしい。この小説はある一日（1904年6月16日）のダブリン在住のユダヤ人事務員の生活について（この「ついて」という実に曖昧な言葉の意味するかぎりにおいて）のものだ。この事務員も、ロンドン橋で白い息を吐く連中と同様に、黒い服を着た、机の奴隷だ。レオポルド・ブルームは、愛する女性モリーと結婚しているが、彼女はひどく不実だ。その日はたいしたことは起こらない。いつもと同じである。トロイが陥落したり、ヘレネ〔ギリシャ神話の登場人物。トロイ戦争の原因となった絶世の美女〕が誘拐されたり、大戦闘が繰り広げられたりはしない。しかし、要所要所で『ユリシーズ』は文学における新たな地平を切り拓いていく。あるレベルでは（そのレベルのせいでアイルランドではこの本は長く発禁処分を食らうのだが）、昔の「きちんとした」小説の禁則を破っている――たとえばブルームの手洗いのようすが描写されるし、卑猥語もときどき用いられ、エロティックな夢想が生き生きと描写される。『ユリシーズ』の最終部では、（『オデュッセイア』における不屈で貞節な妻にちなんで名づけられた）「ペネロペー」が眠りにおちながら、モリーの頭のなかのことを記録する。何ページにもわたって句読点がない――一種の「意識の流れ」だ。私たちが本当に生きている場所とは、自分の心のなかであると、ジョイスの小説は主張しているのであり、小説のどの場面でも、あらゆる人が――どんなに普通の人であろうと――人生で経験する不思議な状況を解明しようと新たな方法を探っている。

エリオットと同様に、ジョイスも読者への要求がきつい。『荒地』の複雑な引用を理解し、『ユリシーズ』の言語学的・文体論的な仕掛けをくぐりぬけていくためには教養が必要であり、さもなければ詳しい注釈つきのテクストが必要だ。しかし、努力して読むに値しない文学などない。

1922年の偉大なモダニズムの勝利の背後にある父親像はエズラ・パウンドである。エリオットは『荒地』の献辞において、彼を「偉大な匠」と呼んでいる。エリオットの最初の詩の原稿を分解したのはパウンドであり、その大胆にも新しい、ばらばらな形を作った。W・B・イェイツをその初期・中期の懐かしき「ケルトの夜明け」から連れ出して、「1916年イースター」のような新しく硬い文体と詩でもってアイルランドの現状に向かわせ、血なまぐさいアイルランド蜂起や残虐な英国の抑圧について思索させたのも、モダニズムの師匠としてのパウンドだった。

パウンド自身の詩は、異国情緒のある場所でインスピレーションを見出した。彼は東洋文学に魅せられ、図像と文字とがひとつに合わさった東洋の言語に魅了された。中国の漢字のように、言葉をイメージとして明確なものとすることは可能なのか。この努力においてパウンドほど成功した者はいない。その詩「地下鉄の駅で」は、パリの地下鉄の長々とした描写からはじまった。それを煮詰めて、17音節から成る日本の俳句のように短くて刺激的でイメージしやすいものに仕上げたのだ。クリスマスのクラッカーのなかに仕掛けておけるくらい小さな詩だ。

１９２２年に読者に提供されたのはモダニズムだけではなかった。この運動は、エリオット、パウンド、ウルフ、イェイツといった作家たちがやっていたことに対して激しく敵意を抱いたり、まったく無関心だったりする圧倒的に大きな大衆文化のなかでは、せいぜい少数派の趣味でしかなかった。しかし、時は、悪いものから良いものをふるい出してしまうものだ。現在誰が、１９２２年当時の桂冠詩人ロバート・ブリッジズ（１９１３年から１９３０年までその地位についていた）を覚えているだろうか。『荒地』が英米でほぼ同時に小さな雑誌で発表されたとき、それを読んだ人はわずかであり、その１０００倍もの人がブリッジズの１９２９年の大長編詩「美の遺言」を読んだが、ブリッジの詩は今や文学のごみ箱に入っている。『荒地』が生き残った。詩が読まれ続けるかぎり、後世の書棚にも残るだろう。２０２２年は大きな１００周年記念となる。

Chapter 29 彼女自身の文学――ウルフ

「1910年12月かその頃に人間の性質は変わった」と、ヴァージニア・ウルフが書いたのは有名だ（必ずしも真剣ではない）。「ヴィクトリア朝の価値観」が終焉し、新たな時代、モダニズムがはじまったのはこのときだった。ウルフが特定したこの具体的な時は、ポスト印象派の絵画展がロンドンでオープンして物議を醸したときだった。ウルフはきわめて明確に「ポスト・ヴィクトリアン」であった。つまり、ひどく時代遅れの価値観やら偏見にしがみついていたヴィクトリア朝直後の時代を、落ち着かない思いで生きることになったのである。

ヴァージニア・ウルフ（1882〜1941）は、「ブルームズベリー・グループ」という有名な一派（大まかに言って、知識人の同志の集まり）に属しながら書いていた。ウルフはこのグループの中心メンバーであり、その指導的発想の多くを強く表明していた。知的に強力で、かなり独立独歩の人だった。しかし、このグループの助けなしには、あのような作家にはなれなかっただろう。ひとつには、「ブルームズベリーの連中」(外部の人間から侮蔑的にそう呼ばれた)は、「女性問題」に関する考えを推し進めた。「人間の性質が変わった」1910年当時、8年先まで英国女性は投票権が得られなかった(アメリカではほんの少し早かった)。得られたときも、30歳以上の女性のみが投票を許された。無礼にも、その年齢に達するまで、女性は責任ある行動をとれるほど感情的に安定していないと看做されたのだ。念のために言えば、1910年当時、ヴァージニア・ウルフは28歳だった。投票用紙に「×」をつけるに至っていないと男性社会が考えた年齢である。

ウルフを真剣に論じるには、ふたつの要素を考慮する必要がある。ひとつは、すでに述べた1920年代のブルームズベリー・グループ。もうひとつは、1960年代なかばにウルフを表看板に担ぎ出した「フェミニズム運動」によって起こった文学批評における大改革である。そのおかげで、ウルフの本は飛ぶように売れたのだ。生前、ウルフの作品は数百部しか売れなかった。自分で印刷会社(ホガース・プレス)を持っていたからよかったものの、さもなければその数百部さえ売るのに苦労したことだろう。今ではウルフの作品は何十万部単位でどこでも入手可能だし、英語圏のどこででも研究されている。

販売部数より大きな問題がある。フェミニズム批評は、私たちの現在の読み方やウルフの作品の評価を大きく変えてきた。ウルフ自身、フェミニズム文学の礎となるテクスト『自分自身の部屋』(1929)を書いた。この論考で、ウルフは、女性が文学を生み出すためには、自分自身の場所とお金が必要だと論じている。家庭で男性のために夕飯を料理し、子供を無事に寝かしつけてから台所のテーブルで書くのでは、うまくいくはずがない（ヴィクトリア時代の小説家「ギャスケル夫人」ことエリザベス・ギャスケルは、そのようにして小説を書いていた。ちなみに今日では、ウルフのことを「ウルフ夫人」などと呼ばない）。『自分自身の部屋』は、燃えるような怒りと、何千年ものあいだ文学の不均等をもたらしてきた不平等を正さければならないという決意に満ちている。女性の声は、もはや黙殺されない。ウルフはこう記している。

水責めにあう魔女の話とか、悪魔に執り憑かれた女の話とか、薬草を売る賢い女の話を読むと、あるいはすごく優秀な男に母親がいた話を読んでさえも、その女性たちは本当だったら小説家になれたかもしれない、詩の才能を抑圧された女性だったかもしれないと思ってしまいます。声を出せぬがゆえに栄誉を得なかったジェイン・オースティン、才能があったがためにひどい目に遭って発狂し、荒地で脳みそをつぶされたか、ふてくされた顔をして下唇を突き出して通りを歩くエミリー・ブロンテだったのかもしれない、と。

「声の出せぬ不名誉なジェイン・オースティン」とは、トマス・グレイの「田舎の教会墓地で書いた挽歌」への言及だ。グレイは考えごとをしながら墓地を歩き、墓石を見ながら、ここに眠るどれほど多くの人が自分と同じぐらい詩の才能に恵まれていたにもかかわらず、その才能を生かすだけの社会的立場や特権に恵まれなかったことかと考える。そうかもしれないけれど、トマス・グレイのような作家は生き延びられたのだとウルフは言う。もし自分が「トマシナ・グレイ」、つまりトマス・グレイの女版だったとしたら、よっぽど運がよくなければ、やはり「声の出せぬ不名誉な」者となっていたはずだ、と。

ブルームズベリー・グループには、有名どころとしては小説家E・M・フォースター（第26章）、批評家ロジャー・フライ、詩人ルパート・ブルック（第27章）、そして20世紀最大の影響力を持ち、まったく斬新な考えの経済学者ジョン・メイナード・ケインズがいた。これほど多くの着想が飛び交った場所もあるまい。

グループの主たる広告塔はリットン・ストレイチーだ。グループの礎となる原則――私たちはヴィクトリア朝人ではないし（グループの全員がヴィクトリア女王の長い治世のあいだに生まれ育ってはいるけれども）、ふたたびそうなってはならないというもの――を主張したのは、ストレイチーなのだ。ブルームズベリー・グループにとって、ストレイチーが皮肉を籠めてその有名な著作『ヴィクトリア朝偉人伝』の題でも言及した「ヴィクトリア朝偉人」とは、嘲笑と否認の対象でしかない。何より重要なのは、もはや過去の人たちだということだ。

ブルームズベリーの人たちは第1次世界大戦をヴィクトリア朝主義の死の発作と看做した。何百万もの人が亡くなったのは悲劇だったが、終わったのであり、文学界や哲学界はすっかり新たな出発をすることができるようになったのだ。

では、「ブルームズベリー」とは何を意味するのか。「文明だ」と彼らは答えたかもしれない。「自由主義」と言ったかもしれない。彼らは、ジョン・スチュアート・ミルに発し、ケンブリッジの哲学者G・E・

ムーアによって立て直された哲学に賛同した。本質的に、その基本的考え方は、誰かほかの人の同等の自由を侵害したり、迷惑を与えたりしないかぎり、何をしてもよいというものだ。美しい原則だが、実行はきわめて難しい。不可能だと言う人もいるだろう。

ウルフの生涯は、特権（いつだってウルフ自身の部屋を掃除する召し使いがいた――その召し使いの興味深い伝記が2010年に出版された）と慢性的な精神疾患の混合だった。父親は、立派な文士レズリー・スティーヴン。母親もまた教養の高い女性だった。若きヴァージニア・スティーブンは、中央ロンドンのブルームズベリー・スクエア近郊の家に育った。ロンドンでもとくに美しい地区だ。ウルフはとりわけ、木々の黒い、しなやかな幹が「濡れたアザラシ」のように見えると自ら記した、雨降りの日のブルームズベリー地区が好きだった。その地区自体は、大学や大英博物館、そしてウルフの頃には主要な出版社が集まっており、ロンドンの知的なエリアだった。

ウルフは大学へ進学しなかったが、その必要はなかった。大人になったときはきわめて教養が高く、当時の優れた知識人たちと親交があった。手にペンが握れるようになったとたんに書きはじめていたが、子供時代においてもその精神は問題を抱えていた。最初の神経衰弱となったのは13歳のときだ。そうした症状は生涯何度も繰り返され、最後には命を奪うことになった。

30歳のとき、社会思想家レナード・ウルフ（ブルームズベリー・グループのひとり）と互いの便宜のために結婚した。その自由主義から、グループはこれまで禁じられてきた人間関係を寛容に認めていた。フォースターとケインズはゲイだった（当時は犯罪とされていた）。ウルフの恋愛感情は、ヴィタ・サックヴィル＝ウェスト――仲間の作家であり、ケント州シシングハーストにあるすてきな田舎の邸宅で創造的な庭園を造っていた――との「同性間のリレーションシップ」のためにとっておかれた。ブルームズベリー・グループは、「芸術」は人生におけるすべてに――園芸にさえも――当てはまると信じていたのである。

ウルフとサックヴィル＝ウェストとの関係は、互いの理解ある夫に対しても秘密ではなかった。その関係はウルフの最も読みやすく最も楽しい『オーランドー』で言祝（ことほ）がれており、これは人生を過ごすうちに性が変わる主人公の幻想的伝記小説であり、数世紀に及ぶヴィタ家を描いている。サックヴィルの息子ナイジェルは、これを「文学史上最長にして最もすてきなラブ・レター」と呼んだ。ラブ・レターは、夫のレナードに宛てられたものではなかった。

独立こそ、ウルフには何よりも重要だった。伝統的な道徳、社会的制約、ロンドンの文学界すべてから自由になりたかったのだ。彼女とその夫は1917年にホガース・プレス出版社を設立し、ブルームズベリー地区からすぐのところに事務所をかまえた。こうなると、好きなように書いて出版できた。1915年には長編小説『船出』の出版をはじめた。そのあと、定期的に小説を出した。それらはフェミニズムの考えが微妙に入ったものだったが、第1に「実験的」であり、英文学における新しいことに挑戦していた。ウルフが導入した技法が「意識の流れ」と呼ばれるに至ったことは有名だ（ウルフの命名ではない）。

1925年のエッセイには、次のように記している（「ギグ・ランプ」とは、一頭立て二輪軽馬車（ギグ）のヘッドライトとして夜に灯されたもの)。

人生は、対称に並べられたギグ・ランプの列ではない。人生は輝かしい光輪だ。意識のはじまりから終わりまでを包み込むなかば透明の封筒なのだ。

その「光輪」を捉えようとして、ウルフは小説を書いたのだ。『ダロウェイ夫人』の冒頭で、いかにそれを行っているか注意するとよい。この小説は、保守党国会議員の中年の妻クラリッサ・ダロウェイの人生における一日を描く。その夕方にパーティーを開くつもりで、国会議事堂近くの家から出発して、鐘の鳴るビッグ・ベンの前を通り、居間を飾る夏の花を買いに行く。すてきな6月の朝で、通りを渡ろうとして待っている。命の危険があったインフルエンザから快復したので、奇妙な幸福感がある。ロンドンの最もにぎやかな通りの脇に立っていると、近所の人が通りかかるが、夫人は気づかない。

ダートナル社(老舗の建築会社)のヴァンが通り過ぎるのを待つあいだ、クラリッサは縁石の上で少し身をこわばらせた。すてきな女性だと、スクロウプ・パーヴィスは思った(ウェストミンスター地区で2軒先に住んでいたので、それなりに知っていたのだ)。ちょっと小鳥っぽい。青緑で、小さくて、朗らかなカケスという感じ。50過ぎで、病気のせいでかなり青白いけれど。そこに彼女は立っていた。こちらをちらりとも向かず、渡るのを待ってじっと、とてもしゃきっとして。

ウェストミンスター地区に住んでいれば——もう何年になるかしら? 20年以上だわ——雑踏にいても、あるいは夜起きているときだって感じるものだとクラリッサは確信していた。ビッグ・ベンが鳴り出す前の、あの静けさ、静寂、いわく言いがたい停止の瞬間(ポーズ)。ある種の宙ぶらりん状態(サスペンス)(だけど、そんなの、インフルエンザのせいで心臓がばくばくしているだけだと皆言うけど)。ほら! 鳴った。響いてる。最初は予告のような音楽的な音。それから時を告げてゆく。もう取り戻せない。鉛色の同心円が広がって空中に溶けていく。人ってばかね、ヴィクトリア通りを渡りながら彼女は思った。

通りを渡ろうと車の流れが切れるのを待つことについて、こんなにも入念に書ける人がいるだろうか。もちろん、それはまさにクラリッサの頭のなかで起こっていることであり、一瞬は近所の人が考えることである(それが意識の流れになる)。語りの線があちこちへ飛んで、変化する心の動きを追っているようすがわかるだろうか。クラリッサは言葉で考えているのか、イメージで考えているのか、それとも両者が交じり合った何かで考えているのだろうか。記憶(20年前の出来事)とその瞬間の印象(ビッグ・ベンの鐘の音)はどう関わり合うのか。

ウルフの語りのなかであまり多くが起こることはない。そこがポイントではないのだ。ダロウェイ夫人のビッグ・イベントは大したことではない——退屈な政治家を招いてまたパーティーをするだけだ。ウルフの最も優れた小説『灯台へ』（1927）は、海岸で夏の休暇を楽しむ一家族を描く（明らかに作家の少女時代のスティーブン家である）。一家は灯台へボートで行く計画を立てるが、実際に行くことはない。最後の小説『幕間』（1941）は、その題名が示唆するとおり、何かがはじまるのを待つ話だ。

この最後の小説は、第2次世界大戦の最初の数か月に書かれた。次の「幕」は、自分と夫にとってひどいことになるかもしれないとウルフは考えた（ふたりに子供はいなかった）。1941年春、やすやすとフランスを蹂躙したドイツは、まもなく英国に侵攻し、制圧すると思われた。ウルフ家は——夫はユダヤ人であり、ふたりとも左翼だった——ゲシュタポの処刑リストで目立っており、夫婦は慎重に自殺を計画していた。体がおかしくなるほどの神経衰弱に罹ってずっと発狂したままになるのではないかと恐れたヴァージニアは、そのとき住んでいたサセックスの近くの川へ行って、上着のポケットに石をつめて、1941年3月28日に入水自殺をした。

イングランドはそれよりも長く生きて、さらなる文学を、国をあげて生み出し続ける。モダニズムの時代の最大の女性作家には、そうすることはできなかったのである。

Chapter 30 すばらしき新世界——ユートピアとディストピア

「ユートピア」とは、文字どおり「よき場所」を意味する古代ギリシャ語である。だが、もしあなたが、仮にソフォクレスやホメロスと話をしているときにこの言葉を使ったら、変な顔をされるだろう。というのも、この言葉は16世紀のイングランド人サー・トマス・モアによって考案された造語〔ギリシャ語のou（否定詞）とtopos（場所）を合わせた言葉〕であり、すべてが完璧な世界を描く物語〔1516年にモアがラテン語で出版した『ユートピア』〕の題名に使われたのだ。モアが数年後にヘンリー8世の結婚問題に疑義を呈して首を刎(は)ねられたことから、彼が生きていた時代のイングランドは完璧どころではなかったとわかる。

文学には、まったく新しい世界を、想像力を駆使するだけで創り上げてしまう神のような力がある。「リアリズム」から「ファンタジー」までを結ぶ一本の線の上に、そうした世界を並べてみるとおもしろい。作家の世界に近ければ近いほど、文学作品はより「リアリスティック」だということになる。『高慢と偏見』の描く世界は、ジェイン・オースティンが暮らし、執筆した世界とよく似ていると考えてよいだろうし、スーパーヒーローが活躍する『英雄コナン』は、著者ロバート・E・ハワードが想像をふくらませた1930年代のテキサスのしけた僻地とはまったく異なる世界を描いている。コナンが大活躍する国キンメリアは、夢の国だ。

これまで完璧な社会などなかったし、それに近いものもなかったと普通に考えれば、ユートピアは、『英雄コナン』と同様に、「ファンタジー」の一番端に位置づけられそうだ。その完璧な地点に向かって、少しずつではあっても、人間は進歩していると考える作家もいる。よい例は、H・G・ウェルズの『これからくるものの形』（1933）であろう。ウェルズは、19世紀末から20世紀初頭にかけてきっと技術革新の驚くべき飛躍があって、「テクノピア」ができるだろうと信じていた。多くのSFが、そのテーマで書かれてきた。

私たちは今生きている世界よりもよい世界を築くことから遠ざかっていると考える作家もいる。19世紀には、近代化と産業革命によって失われた、中世趣味へのロマンティックな憧れがあった。こうした「素朴な昔が何より」といった夢物語は、昔を懐かしがる人によって語られる。最も有名で影響力があったのは、ウィリアム・モリスの社会主義寓話『ジョン・ボールの夢』（1888）であり、中世社会の有機的面を称賛し、それが現代化と産業主義のために破壊されたと嘆く。

過去をふり返ろうが、前を見ようが、あらゆる社会には、過去現在未来において「よい場所」とはどのようなものであったか、どのようであるか、あるいはこれからどのようになるかということについての大きなヴィジョンがあるものだ。古代ギリシャでは、プラトン自身のような「哲学王」によって理性的に統括される完璧な都市国家が、プラトンの『国家』によりイメージされていた。ユダヤ教やキリスト教が支配的な社会では、聖書にあるエデンの園（過去）と天国（未来）のイメージが文学的ユートピアの考えをふくらませ、色づけをする。古代ローマでは「楽園（エリュシオン）」と呼ばれた。イスラム教社会では「極楽（パラダイス）」だ。ヴァイキングにとっては、偉大なる英雄たちが住み、その戦勲を称える宮殿（ヴァルハラ）である。共産主義者たちは、遠い未来には、マルクスが言うとおりに「国の衰退」が起こり、人間間の完璧な社会的平等の状態がくると信じていた。

　こうしてさまざまな信奉体系のなかで、作家たちは想像世界——人類の「ハッピーエンド」——を語ってきた。しかし、文学のユートピアに関する大問題（モアも例外ではない）は、そういった甘い話はあくびを催す退屈なものになりがちだということである。文学は、批判的で疑い深く、喧嘩腰で書かれていたほうが読みごたえがある。ものごとのいわゆる「ディストピア」的見方は、過去、現在、未来の社会について刺激的な思考をめぐらすことになり、読んでいてもおもしろい。比較的有名なディストピア小説を見れば、それはすぐにわかるだろう。まだ読んでいなければ、是非読んでもらいたい。

　レイ・ブラッドベリの『華氏４５１度』は、人をくったような題である。これは、印刷された紙が自然発火する温度である（文学そのもののメタファーであると言えよう）。ブラッドベリは１９５３年にこれを書いた。テレビがマス・メディアとして到来したことで発想したのだ。ブラッドベリの予想どおり、テレビの普及により本が読まれなくなった。

　ブラッドベリは、これをかなり悪いことだと考えた。本のおかげで人は考えるからだ。刺激を与えてくれる。テレビは逆だ。麻酔剤だ。しかも不吉なことに、これまでのどんな独裁者にもできないほど人々の心をつかんでしまう。「やわらかい専制政治」だ。普遍的なマインド・コントロールだ。

『華氏451度』の主人公は、「ファイアマン」である。英語で「ファイアマン」はふつう消防士だが、ここでは火を消すのではなく、まだ本が残っていたら燃やしてしまうのが仕事だ（ブラッドベリは、明らかに1930年代のナチによる焚書に触発されている）。仕事中、主人公は本を燃やしに行った現場からふと1冊の本をとりあげ、それを読んで、叛乱分子となる。最後には森に逃れるが、そこには同志による共同体があり、偉大な文学作品を記憶して、自分たち自身が生きる本となろうとする。その情熱の炎は燃え続ける——たぶん。

『華氏451度』がおもしろいのは、ほかのディストピア文学と同様に、すばらしいところと、ズレているところがある点だ。ブラッドベリのテレビに対する悲観主義は、明らかにまちがっている。テレビは文化を貧困にしたのではなく、豊かにしてくれた。ブラッドベリのディストピアを用いた警告は、社会が新しい科学技術に対して常に抱く複雑な感情をはっきり示している。たとえば、コンピュータは、現代生活に大革新をもたらしたと、多くの人は言うだろう。しかし、『ターミネーター』のようなディストピア・ファンタジー映画では、「スカイネット」というコンピュータが人間の宿敵として描かれる。石器時代の穴居人も火に対して同様に感じただろう。「火はよい召し使い、悪い主人」と、諺にあるとおりだ〔火はとても便利だが、扱い方をまちがえると大変なことになるという意味〕。

しかし、現代にどうして専制政治がまかり通るのかについての分析において、ブラッドベリは100パーセント正しい。スターリンやヒトラーがやったように、首をちょんぎったり、人種全員を抹殺したりする必要はない。マインド・コントロールで、かんたんにできてしまうのだ。

本章の題「すばらしき新世界」は、シェイクスピアの『テンペスト』において、ミランダが王子ファーディナンドとその仲間を見たときに上げる叫びからの引用だ。ミランダは、年老いた父以外に人間がいない孤島で育った。ファーディナンドのようなハンサムで高貴な若者を見たとき、外界では誰もが若くハンサムで気高いのだろうと思い込んでしまう。そうだったらよいのだが。

オルダス・ハクスリーは、このミランダの「すばらしき新世界」を、自らのディストピア小説の題名として用いた。この本は1932年に刊行されたが、今日でもかなり読まれている。物語は、2000年後に設定され、その時代の暦によれば、「AF632年」だ。AFは「アフター・フォード」の略で、同時に「アフター・フロイト」でもある。ヘンリー・フォードがT型フォード車を大量生産したように、流れ作業で人間も大量生産できたらどうなるか。精神分析学者ジークムント・フロイトは、ほとんどの人間の神経症は、その一家の感情的葛藤が原因であると論じているが、核家族になったらどうなるのか？　ハクスリーは「体外発生」という概念を思いつき、赤ん坊がT型フォード車のように、孵化場（工場）で瓶詰め生産され、両親は不要で、白衣の研究所スタッフがいればいいと想像した。

結果は、完璧に安定した社会だ。割り振られた上流ないし下流階級に全員が属し、全員が大量に配布される鎮静剤（「ソーマ」）によって人工的に幸福にされる。政治はない。戦争もない。宗教もない。病気もない。飢えもない。貧困もない。失業もない（ハクスリーは、1930年代の大恐慌時代にこれを書いていたことを忘れてはならない）。とりわけ、本も文学もない。

『すばらしき新世界』は、ひとつのユートピアを描いて見せるが、居心地はよいとしても、たいていの人が住んでみたいと思うような世界ではない。登場人物のジョン・サベッジ（その名は、ルソーの「気高き野蛮人」を思い起こさせる）は、アメリカの蛮人保存地区で育ち、持っているのはシェイクスピアの戯曲だけ。この新世界は、彼には向いていなかった。彼は抵抗し、つぶされる。すばらしき新世界は、これまでどおり「幸せに」続いていく。気高い野蛮人もシェイクスピアもお呼びではないのだ。

ブラッドベリと同様に、ハクスリーはその予言において正しくもあれば、まちがってもいる。人間の歴史を見てみれば、『すばらしき新世界』のような安定した世界が生じる可能性はない。文学の尺度では「ファンタジー」側に振り切れているものの、生物学的な介入によって社会が妙な具合に変わってしまうのではないかというハクスリーの予想は、驚くほど当たっている。ヒトゲノムマップ、体外受精（英語の「ＩＶＦ」は文字どおりガラスに入って受精するという意味だ）、その他の新しいバイオテクノロジーによって、「瓶詰め赤ちゃん」の話が大いにあり得るものとなってきたのである。ハクスリーがいつかは可能だと予言したとおり、人間が人間を作るところまで来てしまっているのだ。その力を得た人類は、どのようなすばらしき新世界を作るのだろうか。

この50年間で最も話題になったディストピア小説は、マーガレット・アトウッドの『侍女の物語』である。ロナルド・レーガンがアメリカ大統領だった1985年に出版された。レーガンが権力を得たのは、「宗教右派」(キリスト教原理主義者)からの重大な支持を得たからだと考える人たちがいた。これがアトウッドのフェミニズム未来派ディストピア小説のきっかけとなった。

『侍女の物語』は、核戦争後の20世紀末が舞台だ。キリスト教原理主義がアメリカを支配し、ギレアド共和国と改名した。アフリカ系アメリカ人たち(「ハムの子」)は処分された。女性たちはふたたび服従の立場に立たされている。同時に、男性と女性の生殖能力はひどく衰退した。出産に耐えうるわずかの女性たちは「侍女」——男性の言いなりとなって、子供を産む者——にさせられる。ギレアドの侍女には一切の権利がなく、社会生活も許されず、「Of～(所有者名)」という奴隷名をつけられる。主人公はオブフレッド(「フレッドのもの」)だ。自由なカナダ(ちょっとした愛国主義だ。アトウッドはカナダ人なのである)へ夫と子供とともに逃れようとしていたところを捕まったのである。オブフレッドは、「司令官」と呼ばれる強力な男性のものとなる。小説は、オブフレッドが脱出するところで終わるが、成功したかどうかわからないような書き方になっている。

アトウッドの陰鬱な予言を軽視するのは容易だ。2009年からホワイト・ハウスには「ハムの子」が入った——つまり黒人の大統領が誕生した——のであり、ミシェル・オバマ(あるいは、ヒラリー・クリントンでもよいが)を夫の侍女と呼ぶのはばかげている。しかし、アトウッドのディストピア小説は部分的にかなり図星をついている。たとえば、アメリカの宗教団体は、女性の出産に関する権利を制限しようと運動を再開している。そうした権利は、アトウッドと同世代の人たちが1960年代なかばに主張しはじめたフェミニズム運動によって主に勝ち得てきたものだ。アトウッドが提起する問いかけは、この本が出版された当時に現実的であったように、今日でも問題となり得るのであって、そのために、この小説は今でも意義があるのだ。

現代最も影響力のあるディストピア小説は、ジョージ・オーウェルの『1984』である。あまりにも影響力があったために、「オーウェリアン（オーウェル的）」という言葉が辞書に加わったほどだ。この小説は1948年に書かれ、その題名が示す1984年（当時においては遠い将来）を描くのみならず、1948年当時を描いたものと言われている。第2次世界大戦後、英国は消耗して、貧困にあえいでいた。終わりは見えなかった。ずっと緊縮経済が続きそうだった。

しかし、オーウェルは、より大きなターゲットを見定めていた。戦争は「全体主義」国家（ドイツ、イタリア、日本）のあまりに強力な独裁者たちを相手に戦われてきた。勝利した連合軍は「民主主義」国家だった。だが、大きな東欧のパートナーであるソビエト連邦は、戦前ドイツと同様の社会主義国家だった。戦争が続いているときは、それは問題にならなかった。チャーチルは、魔王ルーシファーが反ヒトラーなら、悪魔とだって手を結ぶと言ったのだ。だが、戦後はどうなるのか。

オーウェルは、ソ連風の独裁体制や、共生する全体主義の超大国同士の均衡が、未来の姿になると予言した。小説では、英国は、超大国「オセアニア」の一地方「エアストリップ・ワン」となっている。「ビッグ・ブラザー」と呼ばれるスターリンのような独裁者（有名な口髭までそっくり）の完全支配下に置かれているが、「ビッグ・ブラザー」が実在するのかどうかはわからない。オーウェルはこの小説の題を最初「ヨーロッパの最後の男」とするつもりだった。最後の男とは、小説の主人公ウィンストン・スミスであり、「再教育」されてから粛清される運命にある。国家は圧倒的に強く、これからも永遠に強いのだ。

『1984』は、いつまでもつらい緊縮経済が続く未来を予言した点では完全にまちがっていた。小説が書かれた1948年と比べれば、1984年は豊穣を謳歌していた。そして最後の全体主義超大国だったソ連（小説の「ユーラシア」）は、1989年に崩壊した。オーウェルはその点もまちがっていた。しかし、「オーウェリアン」の未来が本当になってしまったところもある。

ひとつだけオーウェルが正しかったところを挙げよう。オーウェルは、ブラッドベリと同様に、テレビの到来に魅了された。しかし、テレビにずっと見られていたらどうなるのかと彼は考えた。この2方向のテレビこそ、『1984』において「党」が専制政治を施行する主たる手段となる。現在最も多くの監視カメラを備えた国はどこか？　そのとおり。エアストリップ・ワン〔英国〕だ。「オーウェリアン」の未来に私たちは生きているのだ。予言されたとおりに。

Chapter 31 仕掛けの箱——複雑な語り

小説は、私たちを楽しませるほかにも、多くのことをしてくれる。たとえば、教えてくれる。科学について知っていることの多くは、ＳＦを読んで得た知識かもしれない。小説は啓蒙し、考え方を変えてくれる——『アンクル・トムの小屋』が奴隷制についてアメリカの考えを変えたように。小説は政党の主たる考え方を広めることができる。現在の英国保守の中心的考えは、１８４０年代にベンジャミン・ディズレーリが一連の小説で発表したものだ。小説は、正しく狙いが当たれば、緊急の社会改革をも起こせる。20世紀初頭、精肉業の恐怖を描いたアプトン・シンクレアの小説『ジャングル』（１９０６）は、法の改正をもたらした。そのほか多くの点で、小説は読者が飛行機に乗る前、あるいは枕もとの電気を消すまでの時間にページをめくらせる以上のことができるのだ。

アンソニー・トロロープが、あなたがお書きになった多量の小説は何の役に立つのですかと問われたとき（50冊近く出版していた）、このヴィクトリア朝の偉人は、愛してくれる男性から結婚の申し込みを受けたときにどう返事をすればよいかを若い女性に教えるのに役立つと返答した。一見、浮ついた返答に思えるが、そうではない。私たちは人生で役立つことを小説から学ぶのだ。とりわけ、名作は、人生で何が一番大切かについてのヒントを与えてくれる。そうした小説を書く人は、ノーベル文学賞を受賞したりする（第39章）。

　まだある。だが、小説にできる最もおもしろいことは、それ自体を探求し、それと遊び、その限界や仕組みを試してみることだろう。小説は、最も自意識の高い、遊べる装置なのだ。本章では、「仕掛け箱」としての小説を見ていこう。小説についての小説と呼んでもよい。

　仕掛けに関心が向けられたのは現代のことと考えられ、だいたいはそのとおりだ。しかし、小説それ自体が支配的な文学形式となった18世紀までさかのぼれば、ローレンス・スターンの作品に仕掛けの例を見出すことができる。批評家は、スターンが書いた種類を「自省型」と呼んだ。まるで作家が常に「私はここで何をしているんだろう」と問い続けるような書き方なのだ。

　ローレンス・スターンの傑作『トリストラム・シャンディ』（1759年初版）は、ウナギでいっぱいの籠のように捉えどころがないが、いったん中へ入ってしまえば、圧倒的におもしろい。スターンの小説は、常に自分に対して茶々を入れ、読者に難問を出して挑戦する。難問のリストの最初にあるのは、古い諺にあるように、「いかにして1クォート〔1・136リットル〕を1パイント〔0・568リットル〕のジョッキに入れるか」〔無理なことを表す表現〕である。

スターンが書いていたとき、小説は純粋に新しいものだった。ポスト・モダニズムへと至る長い道のりがはじまったばかりだったのだ（ポスト・モダニズムは、おおよそ実験的小説の最先端と言えよう）。しかし、『トリストラム・シャンディ』の著者は、小説を書こうとする者にとっての根本的な問題を予知していた。どうやってすべてを詰め込むのか。無理である。スターンの語り手であり主人公であるトリストラム（スターン自身の滑稽版）は、自分の人生を語り出す。小説にはよくあるパターンだ。トリストラムは、賢くも、最初から語り出す。しかし、トリストラムが現在のトリストラムとなった話をするためには、子供時代の話をする必要があり、洗礼前の話（なぜ「トリストラム」などという変な名前になったのか。それには積もる長い話がある）、誕生前の話、妊娠の瞬間——精子が卵子と出会うところ——へと、さかのぼっていく。この受精の地点まで戻ってみると、もう小説のページはあらかた使い切ってしまっている。という調子だ。最初の関門で倒れたのだ。著者は悲しそうに結論づける（この本は当初12巻本の予定で出版されたものである）。

私は今月、12か月前から数えてちょうど1年、歳をとりました。そして、ご覧のとおり、第4巻のほぼなかばまでできたというのに、ようやく私の生涯の第1日にたどりついたにすぎません。つまり、書きはじめた当初の予定より、書くべきことがあと364日分ある計算になります。

言い換えれば、トリストラムは、自分の人生を記すよりも364倍速い速度で人生を生きていることになる。追いつくわけがない。

スターンがかくも《ウィット》たっぷりに遊んでいる問題（スーツケースに入る10倍の服を持っているのに、これからはじまる旅のために必要なものを何もかも小説に詰め込むにはどうしたらいいか）は、解決されない。スターン自身も解決するつもりはないのだ。彼はただ、読者をおもしろがらせるために、不可能なゲームを楽しんでいるだけである。より高尚な芸術的野心をもつ小説家なら、選択、シンボリズム、凝縮、組み立て、表現などの仕掛けを駆使して、「どうやって何もかもスーツケースに詰め込むか」という問題をおさえこもうとしただろう。それもまた、小説の技法となる――小説の術策と言うべきか。もちろん、小説の術策こそスターンが探求したものだ。

「仕掛けの箱」と題した本章では、小説家たちが私たち読者の脳をじらしながら楽しませようと用意した虚構の玩具を見てみることにしよう。別の基本的な問題からはじめてもいい。物語には語り手がつきものだが、それは誰か？　著者か？　そう思えるときもあるが、明らかにちがうときもある。わからないときもある。たとえば、ジェイン・エアはシャーロット・ブロンテではないが、著者と主人公には伝記的にも心理的にも明らかなつながりがあるように思える。

しかし、J・B・バラードの『自動車事故（クラッシュ）』（1973）のような現代小説はどうなるだろう。主たる人物はジェイムズ・バラードと言い、自動車事故で人体が受ける不快なことに異常な興味を覚えてしまう人物だ。これはある種の告白なのか。ちがう。著者は、読者と「ともに」ではなく、読者に「対して」、きわめて繊細な文学的ゲームを仕掛けているのだ。ちょうどふたりの友人がチェスのゲームで競い合うように。

バラードの最も有名な小説は『太陽の帝国』（1984）である（スティーブン・スピルバーグ監督の映画のおかげが大きい）。これは、第2次世界大戦勃発時に、上海で両親とはぐれてしまった少年の物語であり、収容所で経験した恐怖が生涯にわたって少年の性格を形作って（歪めて？）しまう。主人公は「ジェイムズ」といい、その経験は著者の自伝に記されたジェイムズ・バラードの経験とかなり重なる。それでは、これはフィクションと言えるのか？「ジェイムズはジェイムズだ」と言えるのか。イエスであり、ノーだ。答えを求めてはならないと、小説はほのめかす。ただ、受け止めろと。

ブレット・イーストン・エリスは、その小説『ルーナー・パーク』（2005）でさらに先へゆき、ブレット・イーストン・エリスという主人公（かなりの不良）を登場させた。彼は、ブレット・イーストン・エリスの悪名高い前作『アメリカン・サイコ』に登場した性的連続殺人者に追われる（わかりますか？私にもわかりません）。エリスは、（小説の）エリスを（虚構の）映画スターのジェイン・デニスと結婚させ、この「ジェイン・デニス」なる人物のちょっと目には本物にしか見えないウェブサイトをマジで作ったため、多くの読者は騙されてしまった。マーティン・エイミスがその小説『マネー——自殺メモ』（1984）で、同じ手を同じように巧みに用いている。主人公（ジョン・セルフ）はマーティン・エイミスと友人になるが、エイミスは友人として、セルフに「そんな調子を続けていたら、いまにバッドエンドになって自殺でもする羽目になるぞ、たぶん」と忠告するのである。

長年にわたり犬の目を通して小説を語ってきた著者たちもいる。ジュリアン・バーンズは、その小説『10と½章で書かれた世界の歴史』の第1章をノアの箱舟の木喰い虫に語らせている。かなりひょうきんだ。

最近の小説家は、自らの道具の扱いに慣れてきて、ばらばらにしては好きなように組み立て直している。もとに戻すのを読者に任せることもある。たとえば、ジョン・ファウルズは、ネオヴィクトリアン風だが「ニュー・ウェイブ」の影響を受けている小説『フランス軍中尉の女』（1969）で、読者に3つの異なるエンディングを提供している。イタロ・カルヴィーノは『冬の夜ひとりの旅人が』（1980）で、読者のフットワークの軽さを試そうと、物語に10の異なるはじまりを提供している。読者は語り手と同じぐらいすばやく反応できるか。『冬の夜ひとりの旅人が』のはじまりは「あなたは、イタロ・カルヴィーノの新作『冬の夜ひとりの旅人が』をこれから読むのです。リラックスして」。笑えるのは、あなたは「リラックス」できないことだ。著者は、ポスト・モダニズム批評家が「異化」と呼ぶ作用をあなたに行ったのだ。それで落ち着けなくなる。

カルヴィーノの最初の章は、「あなた」が本を読むのに理想的なすわり方を考え続ける。「かつては、人々は、書見台の前に立って読んだものです」と小説は進み、「今はクッションのあるソファーにすわって、近くにたばこ1箱とコーヒーポットを置いてはどうでしょう。必要になりますよ」と語りかけられる。だんだん「あなた」というのは、この本のなかで起こる出来事を外から見守る読者ではなく、本に登場する人物なのだとわかってくる。カルヴィーノの小説は、その主たる登場人物のひとりが読者に「枕もとのランプを消しておやすみなさい」と告げて終わる。そこから先へ進めない。「ちょっと待って」と、読者（つまり、あなた）は思う。「もう少しでイタロ・カルヴィーノの『冬の夜ひとりの旅人が』を読み終えるところだったのに」と。だが、カルヴィーノは終えたのだろうか。いや。ある意味で、彼ははじめてさえいなかったのだ。

アメリカ人のポール・オースターは、似たようなカルヴィーノ風のトリックの達人だ。彼を有名にした小説『ガラスの街（シティ・オブ・グラス）』（1985）は、ニューヨークを舞台にした「形而上的推理小説」である。語りは、真夜中の電話からはじまる。「最初はまちがい電話だった。深夜、3度電話が鳴り、受話器の向こう側の声は誰かほかの人を求めていた」。「ほかの人」というのは、「オースター探偵事務所のポール・オースター」だった。電話を受けたのは、35歳の著者ダニエル・クィンだ。クィン自身も説明できない理由のために、クィンはポール・オースターのふりをして、事件を引き受ける。なかなか手がこんでいる。

小説の愛好家は、手品師が舞台にあがって「私の次のトリックは、ありえないものです」と言ってから、帽子からウサギを12匹取り出したり、助手を半分に切ったりするときと同じように、「仕掛け」をする小説家をおもしろがる。しかし、仕掛けにはもっと深い意味があるときもある。トマス・ピンチョンの『重力の虹』（1973）は、第2次世界大戦の最後の数か月のロンドンのリアリスティックな描写からはじまる。生き生きと精確な描写だ。例外がひとつだけ。1944年後半に実際にロンドンに落とされたV2ロケット弾が、主人公のアメリカ人兵士スロースロップが性的に興奮すると、彼がどこへいようとそこへ落ちてくるようなのだ。ロケットの攻撃目標を彼が定めていることになる。もちろん、「誇大妄想（パラノイア）」――世界じゅうが個人的にあなたに陰謀を企んでいると思い込んでしまう乱れた精神状態――である。ピンチョンは誇大妄想が大好きで、ざっくりと言ってしまえば、誇大妄想が作品の「テーマ」となっている。

よりまともなのは、ピンチョンの仲間のアメリカ人ドナルド・バーセルミが仕掛けるゲームだ。その多くの短編小説は、雑誌『マッド』に載っていてもおかしくない。ある話では、伝説のゴリラ、キング・コングが、アメリカの大学の「美術史の准教授」となる。バーセルミの最も有名な物語では、白雪姫の童話（もともとはドイツの話で、それをウォルト・ディズニーがさらに有名にした）をとりあげ、美しい乙女のヒロインをまるで乙女らしくない人物に変えている。大声で笑えるほどおかしいが、同時にバーセルミは、文学についての因習的な考え方を粉砕している。B・S・ジョンソンのように、文字どおり自分の小説を粉砕する小説家もいる。その『不運なる者たち』（1969）は、綴じられていないページを箱に入れて出版し、読者は好きなように読んでいいという。まさに仕掛けの箱だ。『不運なる者たち』は図書館員を困惑させる。読者もだが。

仕掛けのある小説は、とても気が利いていて、読者の方も冴えていなければならない。この300年の小説読者層を見てみると、楽しむ気がありありになってきているのがわかる。小説の提供する快楽は多いが、仕掛けはなかなかいい。ローレンス・スターンは正しかったのである。

Chapter 32

ページを離れて――文学と映画、テレビ、舞台

「文学」とは、文字の形で私たちに伝えられるものを文字どおりには意味する。そのことは、本書を読み終えればおわかりいただけるだろう。つまり、書かれたり、印刷されたりしていて、目で見て理解して、頭で解釈されるものだ。しかし、最近ではしばしば、文学は「メディア」(媒介)を通して、別の形で、別の方法、別の感覚を通して伝えられるようになってきた。

ひとつ仮定の話をしよう。もしH・G・ウェルズのタイム・マシンを借りてきて、ホメロスを現在に連れ帰ることができたら、彼の叙事詩『イーリアス』に基づいた(とクレジットに書いてあるし、題名もそう思える)ブラッド・ピット主演のアクション映画『トロイ』(2004)をどう思うだろうか。あの映画に「ホメロスのもの」と思えるところがあるとホメロスは思うだろうか。あの映画のどこが「ホメロス的」と言えると認めるのだろうか。

19世紀でタイム・マシンを降りて、ジェイン・オースティンを連れてきたら（なんだか『ビルとテッドの大冒険』のようになってきたが、まあ気にせず続けよう）、『高慢と偏見』の著者はその小説の翻案がテレビや映画で何度も放映されるのを見て、どう思うのだろうか。存命中は100部しか売れなかったのに、死後2世紀したら1000万もの視聴者がいるのねと喜ぶだろうか。それとも、ひどいと怒って、「私の小説を勝手にいじらないでください！」と言うのだろうか。それに、タイム・マシンの所有者であるH・G・ウェルズは、1890年代に彼が書いた時間旅行についての短編に案を得た3本の映画（そして無数の類似作品）をどう思うだろうか。「未来が来た」と言うのだろうか、それとも「こんなつもりじゃなかった」と言うのだろうか。

「翻案」とは、当初の流通手段（たいていは印刷）とは異なる技術的方法で文学が再利用されるときに起こるものである。最近は「ヴァージョニング」などという語が好まれている。文学史上実りある翻案はかなりある。これまでの章をふり返っても、聖書は、荷車による輸送システムによってミステリー劇へと翻案されたという言い方もできよう。『オリヴァー・ツイスト』の舞台版が10数本も、印刷された小説と競い合うように上演されたのに、プロデューサーから1ペニーも受け取ることのなかったディケンズは激怒した。「私たちは、ただ翻案しているだけですから、ディケンズさん」と劇場側は言い逃れを言ったかもしれない。グランド・オペラは、文学の古典作品を翻案して、まったく非文学的作品に作り替えた。たとえば、ドニゼッティの『ランメルモールのルチア』（サー・ウォルター・スコットの『ラマムアの花嫁』に基づく）や、ヴェルディの『オテロ』（シェイクスピアの『オセロー』に基づく）など。

さらに例を挙げることはできる。大きなビジネスとしての翻案は20世紀初頭にはじまる。最も効果的な翻案の手段となる活動写真（映画）が到来したからである。「夢」の到来だ。最初から、シネマは、何百万ものファンのために、大量の文学作品を呑み込んで吐き出した。多くのなかから1例を挙げれば、１８９７年、偉大なる俳優ヘンリー・アーヴィングのマネージャーだったブラム・ストーカーは、吸血鬼ヴァンパイアとトランシルヴァニアについてのゴシック小説を書こうと決めた。現地に行ったことはなかったが、それについて書かれたおもしろい本を読んだのだ。ヴァンパイアは民話ではよく知られていたし、ゴシック小説も少しは書かれていた。ストーカーの小説『ドラキュラ』が大ヒットするのは、１９３０年に映画『吸血鬼ノスフェラトゥ』として翻案されてからで、それまでは売れなかった（ルゴシ・ベーラとクリストファー・リーは、吸血の伯爵を演じた最も有名な俳優である）。ドラキュラは「ブランド品」となり、ヴァンパイアものがひとつのジャンルとなった。ストーカーの小説がなければ、ステファニー・メイヤーの『トワイライト』ものや、同じように大ヒットしたテレビシリーズ「ヴァンパイア・ダイアリーズ」は生まれなかった。翻案は、命を授けた文学テクストを卑小化することもある（ストーカーの小説が今日売れないわけではない――人人気である）。『ドラキュラ』のような単一の小説から、多国籍産業が生まれてしまうのだ。

一般的に言って、文学の翻案は3つの動機から生まれる。第1は、「よいもの」を利用しよう――時流に乗ってひと儲けしようというもの。利益目的であり、芸術的動機ではない。テレビシリーズや、1世紀前にディケンズの小説を無断で借用した劇作家などがこれである。第2の動機は、新しいメディア市場や新たな読者層の発見と発掘である。アンソニー・トロロープは、自分の小説が1万部も売れればまずまずだと思っていた。テレビ用に翻案されると、英国だけでも500万以上の視聴者がついた。印刷された文学でそこまでゆく例はきわめてまれだ。J・K・ローリングは数百万売れている。映画『ハリー・ポッター』は1億人に観られている。翻案によって、文学に無限大の機会が生まれるのだ。

第3の動機は、もともとテクストに埋もれていたか失われていたものを探して発展させようというもの。ジェイムズ・フェニモア・クーパーの『ラスト・オブ・モヒカン』は、1826年に出版されて以来アメリカの古典となっているが、ホークアイ役としてダニエル・デイ゠ルイスが主演した1992年の映画（10回目の映画化だった）が、ネイティブ・アメリカンという「人種」が抹殺されるとは実際どういうことなのかをきわめて繊細に描いてみせている。小説は、翻案されて映画（この場合は優れた作品）化されたことで新たな次元が加えられ、さらに複雑になって深まったのである。クーパーの原作をきちんと読もうという気にさせてくれる。

現代最も広く翻案されている「古典」の作家として、ジェイン・オースティンの例も見ておくと参考になるだろう。その小説『マンスフィールド・パーク』は、巨大な田舎の屋敷とその貴族主義的所有者を描いている。屋敷自体がイングランドと何世代にもわたる継続性の象徴である。しかし、この地所を運営する経費はどこからくるのか。オースティンは言わないが、サー・トマス・バートラムが一家が所有するサトウキビ農園を管理するために西インド諸島へ出て行くようすを私たちは目にする。パトリシア・ロゼマ監督の1999年の映画版では、マンスフィールド・パークの繁栄が奴隷労働と搾取によるものである可能性が強調された。「立派な財産の裏には悪行がある」と、フランス人小説家バルザックは言う。優雅で、洗練され、まさに「イングランド風」のマンスフィールド・パークの背後には、人間性を蹂躙する悪行があったと言うべきであり、ロゼマの映画はそこを明示したのである。それは物議を醸す問題だが、やはり、この映画のおかげで原作の小説に対する私たちの反応は複雑になり、より事態がはっきりと見えるようになってきた（何だか騒がしいけど何かしらと、オースティンはウィンチェスター寺院の墓で気にしているかもしれない）。

オースティンの幻想世界から、あとふたつ見てみよう。2008年のテレビシリーズ「ロスト・イン・オースティン」では、若きヒロイン、アマンダ・プライスが『高慢と偏見』の世界へタイムスリップし、エリザベスとダーシーの関係に、ロマンティックに巻き込まれて大騒動となる。軽いタッチの作品（きっと、オースティンも喜んだにちがいない）であり、テレビを観ている人全員が小説を知っているよねというノリだ。「ロスト・イン・オースティン」の文学的な遊びは、インターネットのファンフィクションに依拠していた。たとえば、ウェブサイト《リパブリック・オブ・ペンバリー》（ペンバリー共和国）は、オースティン・ファンにみんなが愛する小説に関して、別の、あるいは補助的な物語を求めた（たとえば、ダーシーの結婚はどうなる?）。しかし、「ロスト・イン・オースティン」の背後にはもっと真剣な問いがあった。この何世紀もの時代の差を経て、小説は私たちの生活（とくに愛の生活）にどう関わるのか？　同じ問いは、エマ・ウッドハウスが、1995年の映画『クルーレス』において南カリフォルニアの「イケてる娘」に置き換わってしまうというまったく思いもよらない楽しい展開にもある。オースティンの小説の「普遍的で時代を超える」テーマとは何なのかと、この青春映画は問うている。

文学の翻案における主たる問いは、それが原作にとって役に立つのか（これまで挙げた例は役に立っている）、それとも迷惑なのかという問いだ。1939年、サミュエル・ゴッドウィン社は、『嵐が丘』のハリウッド映画版を製作して大人気を博した。ヒースクリフ役として、当時最大の俳優ロレンス・オリヴィエを起用し、その演技は最高級とされた。ところが、映画は原作を大幅にカットし、ブロンテの物語にハッピーエンドをくっつけてしまった。もちろん映画を観て、本当はどうなのかと原作に立ち返る人も多かったが、小説を読んだこともなければこれからも読まないだろうというさらに多くの人にとっては、これは偉大な文学作品を安っぽいものにしただけのことではなかろうか。原作にとって迷惑なのでは？「忠実さ」とは、恋愛関係においてと同様、芸術においてもやっかいな問題だ。

同年の1939年、MGMが、鳴り物入りで映画『風とともに去りぬ』を何百万ものファンに向けて発表した。映画史上最大の映画という投票結果が出ることもある。商業ベースで言えば、最高のドル箱ヒットだったし、現在もそうだ。映画公開の3年前に出版されたマーガレット・ミッチェル作の小説——彼女が出版した唯一の小説——に基づいている。裏にはロマンティックな物語がある。ミッチェルは1900年に生まれ、ジョージア州アトランタで育ち、家族はそこで何世代も暮らしてきた。町には、南部が大敗を喫した内戦のことを覚えているお年寄りもいた。アトランタの人たちの多くが、当時「復興」と呼んでいたものの苦い思い出を忘れずにいた。

マーガレットは若いジャーナリストだった。仕事で捻挫をし、ベッドで寝ているあいだに、「内戦小説」を書きはじめた。夫は必要な資料を持ってきてくれて、ふたたび立って歩けるようになるまでの数か月に作品を仕上げた。歩けるようになると原稿を6年間戸棚にしまったままにした。1935年にある出版社の人に町の案内をすることにならなければ、そのままずっとそこにあったかもしれない。『風とともに去りぬ』は即座に受け入れられ、大掛かりな宣伝をして大量に印刷された。「100万人のアメリカ人がまちがっているはずがない、『風とともに去りぬ』を読むべし！」という標語とともに、ベストセラーとなった。2年間ベストセラーのリストのトップにとどまり、ピュリッツァー賞を受賞した。ミッチェルは映画の権利をMGMに5万ドルで売り、『風とともに去りぬ』はデイヴィッド・セルズニックによって翻案され、テクニカラーという新しい手法を用いて製作された。主演はヴィヴィアン・リーとクラーク・ゲイブルだ。

かなり人気のある小説ではあるが、ミッチェルの小説を読む人の100倍、『風とともに去りぬ』を映画でしか知らない人がいるにちがいない。この映画は原作に忠実なのだろうか？　そうではない。MGMはミッチェルの筋の主たる概要は採ったが、クー・クラックス・クランに賛同するような言及をやわらげ、白人女性を襲おうとした奴隷でない黒人男性をレッド・バトラーが殺す場面を削除した。きわめて鋭い小説の「鋭さ」を丸めてしまったのだ。このすばらしい小説を尊敬する者にとって、これは大問題である。

翻案について、正当に持ち出せるもうひとつの抗議がある。多くの小説家とはちがって、ジェイン・オースティン（また彼女を例にすれば）は、その主人公の外見について明示していない。たとえば、エマ・ウッドハウスについてわかっていることは、ハシバミ色の目をしていることだけだ。それはオースティンが下した芸術的な判断である。読者が自分の好きなイメージを想像すればよいのだから。しかし、1996年の映画『エマ』を観てしまうと、グウィネス・パルトロウの顔がそのあと小説を再読するときにどうしても重なってきてしまうのではないか。とてもすてきな顔なのだが——オースティンが求めていた顔ではない。

翻訳は、イタリアの諺を引用すれば、「裏切り」であると言われる（*Tradutore, traditore*——翻訳者は裏切り者）。翻案は、翻訳以上に、戯画化されざるを得ないのだろうか？ それとも、強化なのか？ あるいは、原作の理解を補う解釈？ あるいは、原作を読み直せという誘い？ もちろん、そのどれでもあり、すべてなのかもしれない。ただ、すばらしいのは、翻案はその技術革新とともに新たな領域へ向かっているという点である。新しい技術のおかげで、近い将来、おもしろそうな仮想の文学世界に足を踏み入れ、私たちの感覚器官（鼻、目、耳、手）でその世界を感じられるとしたらどうなるのだろう。文字どおりオースティンの世界に我を忘れて、見物するだけでなく、実際に参加できるとしたら？ すごいことになる。でも、やはりオースティンがそれを喜ぶかどうかは疑問だが。

Chapter 33 不条理な人生——カフカ、カミュ、ベケット、ピンター

文学作品で最も心をつかまれる出だしのリストを作るとしたら、次に挙げるのはきっとトップ・テンに入るだろう。

ある朝、グレゴール・ザムザが嫌な夢から目を覚ますと、ベッドのなかで自分が巨大な虫になっているのに気がついた。

これはフランツ・カフカ（1883〜1924）の短編「変身」の冒頭だ。おそらくカフカは、私たちがこの文を読もうが、彼が書いた何かを読もうがあまり気にしなかっただろう。自分の死後は自分の書いたものは「できれば読まずに燃やしてくれ」と、友人にして遺言執行人のマックス・ブロッドに依頼したのだ。40歳にして肺結核で早世した。ブロッドはありがたいことに、指示に従わなかった。カフカは、カフカの意志に反して、私たちに語りかけているのである。

カフカにとって、人間の状況は悲劇的とか悲惨とかいったレベルを超え、「不条理」なものだった。人類全体が、「神の不機嫌な日」に創られたのだろうと信じていた。人生を理解しようとしても意味などないのだ。逆説的に、意味のなさのおかげで、カフカの『審判』といった小説（法廷の「手続き」に関するものだが、何の手続きにもなっていない）や「変身」といった短編に、好きなような意味を読み込むことができるようになる。たとえば、批評家は、グレゴール・ザムザがゴキブリに変身するのは、反ユダヤ主義のアレゴリーだろうと解釈する。「虫けらのような」人種とされて抹殺される犯罪行為を陰鬱に予見したものだと（カフカはユダヤ人であり、アドルフ・ヒトラーの数年年上だった）。作家は、しばしばそうした未来をも予見するものだ。1915年に出版された「変身」は、第1次大戦後、1918年のオーストリア＝ハンガリー帝国の崩壊をも見越していたといわれる。カフカとプラハに住む自由市民たちは、巨大な帝国のもとに暮らしていた。目が覚めたら突然自分たちのアイデンティティーが失われていることに気づくのだ。あるいはまた、カフカとその粗野な父親との問題含みの関係性から作品を読み解く者もいる。フランツが父親に恐る恐るその作品を渡しても、読まれずに突き返された。父親に嫌われていたのである。

しかし、そうした意味が崩壊するのは、カフカの宇宙にはそうしたものを支える根本的な大きな意味がないからだ。だが、不条理文学にはそれでも使命がある――文学には、他のすべてのものと同様に、意味がないことを伝えるという使命だ。カフカの弟子である劇作家サミュエル・ベケットは、じょうずにまとめている――作家は「表現する手段もなく、表現するものもなく、表現する力もなく、表現する欲望もない。あるのはただ表現する義務だけだ」と。

それを念頭において、カフカの最後にして最も優れた小説『城』の出だしの一節を見てみよう。

Kが着いたとき、夕方遅かった。村は深い雪に埋もれていた。城の丘は見当たらず、霧と暗闇に包まれており、光がちらりとも漏れることがなかったために大きな城があるようには思えなかった。Kは大通りから村へと続く木の橋の上に長いこと立って、何もなさそうに見える虚空にじっと目を凝らしていた。

何もかも謎で揺れている。「K」とは名前だが、名前になっていない（カフカのKか？）。薄暮で、昼でも夜でもない時間帯。Kは橋に立ち、外界と村とのあいだの場所で宙ぶらりんの状態だ。霧と闇と雪が城をかこんでいる。虚空のほかにKの前に何かあるのだろうか。彼がどこから来たのかも、なぜ来たのかもわからない。城に着くことはないだろう。城があるかもわからないのだ。ただ、そこへ行こうとしているだけだ。

ドイツ語で執筆したカフカは、文学的にはまったく無名の暮らしをしていた。その病身が許すかぎりにおいて、故郷の町プラハにある半官半民の保険会社で働いた（仕事は有能だったという）。法律を学んだが、仕事は事務職だった。女性たちや家族との関係がこじれ、その才能が十分に開花する前に死亡し、死後何十年もドイツ文学史の目立たぬ注記扱いでしかなかった。

死んでずいぶん経った1930年代に、作品の翻訳（『城』が最初だった）が英語で出版されはじめた。それに元気づけられた作家たちもいたが、たいていの読者は困惑した。カフカが第２次世界大戦後に主要な文学上の重要人物として復活したのは、プラハでもロンドンでもニューヨークでもなく、パリにおいてであった。

カフカは、１９４０年代、フランス実存主義者たちの神なき世界の長老のような存在として位置づけられたのだ。１９６０年代に、世界は「オーウェル風」か「カフカ風」か、あるいはひょっとすると両方だと皆が気づいたときに、「カフカ革命」を惹き起こしたのは実存哲学だった。カフカはもはや人々を困惑させることはなく、なるほどと思わせてくれた。彼の時代が来たのである。

アルベール・カミュの最もよく知られたエッセイ「シーシュポスの神話」の最初の命題は、「真に真剣な哲学的問題はたったひとつしかなく、それは自殺である」というものだ。それはカフカの荒涼とした警句――「理解のはじまりの最初の兆候は、死への願望だ」――を反映していた。人生が無益なら、それも仕方があるまい？　カミュのエッセイは、人間の条件を神話的人物シーシュポスに仮託してイメージしている。シーシュポスが、山の上へ岩を何度押し上げようと、岩はまた転がり落ち、永遠に続けなければならない。無益だ。人間のシーシュポス的運命を前にして、できることはふたつだけだ。自殺か反抗か。カミュは「シーシュポスの神話」に長い注「フランツ・カフカの作品における希望と不条理」をつけて、自分に影響を与えたこの作家のことを記している。

カフカの影響は、ナチの占領検閲のもとで書かれて出版されたカミュの傑作小説『異邦人』に顕著である。名目上は地中海フランスの一部であるアルジェが舞台だ。物語は、陰鬱にはじまる。「今日、母（ママン）が死んだ。あるいは昨日（きのう）だったか。わからない。」主人公のフランス領アルジェリア人ムルソーには、どうでもいいのだ。何もかもどうでもいい。「自分の感情を気にとめる癖をなくしてしまった」と言う。とくに理由もないまま、アラブ人を射殺する。自分の命がかかっていても、わざわざ説明をでっちあげようという気にもならない。唯一の説明は「ただその日はとても暑かったから」というものだ。彼はギロチン台にかけられるが、それもどうでもいい。処刑を見物する群衆がヤジってくれるといいなと思うだけだ。

カフカが小説のルール・ブックをどんなに抜本的に書き換えてしまったかを最も明確に見抜いたのは、カミュの仲間の哲学者ジャン＝ポール・サルトルだった。その小説『嘔吐』（1938）に余談として書きとめているように、小説は、人生に意味がないと十分認識しつつ、意味があるかのように書くものだ。この「悪しき信念（バッド・フェイス）」こそ、小説の「密かな力」なのだ。小説は、「まがいものの意味を世界へ分泌する機械である」と、サルトルは言う。小説とは必要だが本質的に不正直なものなのだ。人生に、私たちがでっちあげた「まがいものの意味」以外に何があるというのか？

不条理性は、英米世界に入り込むまで長い時間がかかった。入った瞬間は、サミュエル・ベケットの『ゴドーを待ちながら』が1955年8月にロンドンの小さな劇場で英語を用いて初演されたときだ。ベケットはアイルランド人であり、フランスに長期滞在し、2か国語を駆使し、戦後のフランスの知識人たちに広まっていた実存主義に染まっていた。

『ゴドーを待ちながら』は、ふたりの浮浪者エストラゴンとヴラディーミルが道端にいるところからはじまる。ふたりが誰なのか、どこにいるのかわからない。劇の最初から最後までふたりはしゃべり続けるが、何も起こらない。だんだんとわかってくるのは、この浮浪者たちは何もしないことで何かをしているということだ――ふたりは「ゴドー」と呼ばれる謎の人物ないしは存在を待っている。これは「ゴッド」つまり神のことか？　劇の終わりの方で、少年が舞台上に現れて、「ゴドーさんは、今日は来ません」と、ふたりに告げる。エストラゴンは「立ち去るべきか」とヴラディーミルにたずね、ヴラディーミルが「うん、行こう」と答える。最後のト書きはこうだ――「ふたりは動かない」。

『ゴドーを待ちながら』が１９５０年代なかばの英国演劇や文化に与えた影響は、計り知れない。とりわけ地方のレパートリーシアターでこの劇を演じたあるひとりの役者に重要な影響を与えた。ハロルド・ピンターはベケットの劇を演じるのをやめて、ベケットの自称弟子として執筆をはじめ、ベケットのようにノーベル賞を受賞した。

　ピンターのヒット作は『管理人』（１９６０）だ。３人の主要登場人物――ふたりの兄弟と、マック・デイヴィスという名の浮浪者――がむさくるしい下宿にいる。兄のアストンは「治療のための」電気ショック療法のせいで脳がやられている。この３人から成る小さな共同体は何かをしようとしている――庭の道具置き場を作るとか、家のどこかを修繕するとか。だが実際は、喧嘩しかしない。マックはいつも近くの役所から自分の書類を入手するつもりでいる。だが、決して入手しない。誰ひとり、計画どおりに行動しないのは、エストラゴンとヴラディーミルが道から動こうとしないのと似ている。『管理人』での会話はベケットを思わせるが、ピンターは沈黙を独特に用いたりもする。対話が急に切れると、妙に険悪な感じになる。ピンターの技法は、「言わずにおく」という雄弁法なのである。

劇作家のなかでも最も沈黙しないトム・ストッパードは、ベケットの喜劇的側面に対して、創造性と花火のような《ウィット》を披露して対応してみせる。ストッパードの最初の代表作は、『ローゼンクランツとギルデンスターンは死んだ』（1967）である。『ハムレット』に登場するふたりの脇役の登場人物のあいだで、めくるめくような気の利いた対話が展開し、やはりふたりはヴラディーミルとエストラゴンのように動かない。脇役でしかないから、動けないのだ。できるのはおしゃべりだけで、ふたりはノンストップでしゃべりまくる。

この劇やストッパードの後期作品における遊戯性は、ある意味で偉大なイタリアの劇作家ルイジ・ピランデッロとその『作者を探す6人の登場人物』（1921）を想起させる。遊戯性に富んだドラマと精神的なゲームこそが、ストッパードにとって、サルトルが小説について言ったように「まがいものの意味を世界へ分泌する機械」なのだ。しかし、ストッパードの場合、それは吐き気を催させるものでも怖いものでもなく、すごく楽しい。不条理性には、浮かれ騒ぎたくなる側面もある。

文学は、いつだってどこでだって千差万別である。ひとつの入れ物では収まらない。不条理演劇は革新的だが、アバンギャルド（あるいは「カッティング・エッジ」）だった。不条理演劇がヨーロッパで起こったとき、書く作家は少なく、観客も少なかった。同じ頃、不条理ではなく怒りの演劇として、超リアルで新式の英国演劇も登場し、最初から大勢の観客、とくに若い観客を惹きつけた。この新しい波を英国演劇に放ったのは、ジョン・オズボーンの『怒りをこめてふり返れ』であり、初演は1956年。『ゴドー』の1年後だが、まったくちがう方面の観客のためのものだった。

オズボーンの主人公ジミー・ポーターは、シーシュポス的人物のように岩を押し上げるのではなく、1950年代のイギリスに対して岩を投げつけて怒りまくっていた「怒れる若者」だった（オズボーンとその一派はそう呼ばれるようになった）。英国は、何もかも崩壊していた時期にあった。大英帝国は断末魔の声をあげて苦しんでいた。エジプトのスエズ運河をめぐる第2次中東戦争は、恥辱的な最終段階を迎えていた。英国の階級制度は、国民の生命力を窒息させる死の手となっていた。オズボーンの劇はそう主張している。君主制は腐った顎に残った金歯だと、劇中人物が言うのだ。

この劇で、ジミーは、大佐の娘アリソンと一緒に狭苦しい屋根裏部屋で暮らしている。大佐は、インドが1947年に独立を勝ち得る以前に植民地行政官を務めていた人物だ。ジミーは怒りの権化であり、大学は出たのだが、無名の大学だ（オックスブリッジではない）。はっきりと労働者階級風とわかる暮らしぶりだが、政治には無関心だ。そのむき出しの怒りは、愛するアリソンに向けられる。妻が上流の出であるのが気に入らないのだ。ジミーの怒りは——激怒に任せてわめきちらす雄弁さがある——革命の原燃料になるだろうと感じられる。しかし、どんな革命か？　劇評家ケネス・タイナンは、『怒りをこめてふり返れ』を「戦後の若者の実態を描いた」「ちょっとした奇蹟」と呼んだ。1960年代の若者の革命（セックス、麻薬、ロックンロール）への道筋をつけたのである。

不条理性は、アメリカではあまり根づかなかったが、舞台では大量の怒りが常にぶちまけられていた。アーサー・ミラーのような劇作家は、『セールスマンの死』（1949）において、ヘンリック・イプセンの例に倣って、資本主義における中産階級の核にある偽善を攻撃した。テネシー・ウィリアムズとエドワード・オールビーはどちらも、『欲望という名の電車』（1947）と『ヴァージニア・ウルフなんかこわくない』（1962）において、結婚を嘲った。偉大な「表現主義」のアメリカ人劇作家ユージン・オニールは、その劇『夜への長い旅路』を遺し、死後上演された（初演1956）。家族を、ひとつの地獄として描いた劇だ。アメリカ演劇は、独自の方法で「意味のなさ」を語りはじめたと言えよう。

20世紀文学には、いろいろ驚くことが多い。しかし、とりわけ大きな驚きは、読んでもらいたいとも望まずヨーロッパの僻地で執筆していたうだつのあがらない事務員が、死後ずいぶん経ってから、世界文学の巨人となったことだろう。フランツ・カフカは、もちろん、私たちの驚嘆の注目など要らないと言い、私たちを侮蔑するのだろうけれど。

Chapter 34 壊れた詩――ローウェル、プラス、ラーキン、ヒューズ

1800年のある10月の朝早く、ウィリアム・ワーズワースは、お気に入りの湖畔地方の荒地と丘へ散歩に出かけた。新しい日、新しい世紀だった。30歳になったウィリアムは、人生の絶頂期にいた。うれしいことに、野ウサギが駆け出し、まだ冬にやられていない草地に昨夜の雨でできた水たまりを跳ね上げて、きらめく虹のしぶきをまき散らす。ヒバリが、どこかでさえずっているのが聞こえる。「喜び」へ呼びかけたい気持ちでいっぱいになる。「子供のように幸せ」だ。

生きているのはすばらしい。ところがそのとき、よくあることだが、ワーズワースは落ち込んでしまう（「おぼろな悲しみ」と彼は言う）。なぜ突然の気持ちの変化が起きたのか。同時代の詩人たちを思い、その多くが残念なことになってしまったと考えはじめたのだ。「我々詩人は」と、彼は考える――

若くして始めるときは喜びに浸る。　in our youth begin in gladness;
だが、やがて落胆と狂気に至る。　But thereof come in the end despondency and madness.

仲のよいコールリッジのことを思い起こしていたのだ（麻薬に浸り、才能があったにもかかわらず、数行以上の詩を完成させられなかった）〔代表作の「クブラ・カーン」は54行ある〕。けた外れの天才だった10代のうちに、贋作が発覚して自殺したトマス・チャタートン〔ここで引用されているワーズワースの詩「決意と独立」においては、チャタートンは「誇りのうちに没した」とある〕。それから、若くして酒のせいで死んだロバート・バーンズのことも〔死因は心疾患とするのが通説〕。すべての詩人にはつらい運命が待ちかまえているのか、その才能の代償として？

ワーズワースの詩は、さらに続いて詩における主たる問いを投げかける。偉大な作品は、「喜び」（joy）と「落ち着き」のうちに創られ書かれるのか（ワーズワースは韻を踏むためにjoyの代わりにgladnessという語を用いている）。それとも、絶望のうちに？　あるいは狂気？

すぐに単純な答えは出ない。どこに答えを求めるかにもよるだろう。たとえば、私たちの時代に最もよく口にされる詩は、欧州連合の5億人のメンバーのために創られた「欧州の歌」であり、シラーとベートーヴェンの「歓喜の歌」がもとになっている。ドイツ語から翻訳すると（かなりぎこちないが）こうなる。

おお、友よ、そんな音はもう要らぬ！　O friends, no more these sounds!

もっと陽気な歌を歌おう。
歓喜に満ちた歌を！
歓喜よ、神性の輝けるきらめきよ、
楽園（エリュシオン）の娘よ、
炎に胸ふくらんで我らは歩む
汝の聖域へ。
その魔力がふたたび結びつける
風習が分けてしまったものを。
人類はすべて兄弟となる、
汝の優しき翼のもとで。

Let us sing more cheerful songs,
More full of joy!
Joy, bright spark of divinity,
Daughter of Elysium,
Fire-inspired we tread
Thy sanctuary.
Thy magic power re-unites
All that custom has divided,
All men become brothers
Under the sway of thy gentle wings.

あまりはしゃぐのが好きでない人は、偉大な詩は高揚感からではなく、むしろ低いところから生まれると考えるかもしれない。対照として、T・S・エリオットの『荒地』（第28章）に登場する詩人像を考えてみよう。テイレシアスは人生の傍観者だ。決して死なずに、永遠に年をとっていく運命だ。性も超越し（両性具有であり、男でも女でもある）、うんざりするほど何もかも見てしまい、また繰り返し見なければならない。エリオットのイメージする詩人にあまり喜びはない。人生とはそういうものだということである。しかし、たいていの人々は（エリオットが別の詩で書いているように）そんな現実に耐えられない。それを見据えるのは詩人の務めなのだ。

精神分析学者ジークムント・フロイトは、偉大な芸術は神経症から生まれるのであって、精神的「正常さ」（そんなものがあるとして）からではないと考えた。牡蠣（かき）がその殻に刺激となる砂が入ると真珠を生み出すことと比べてもいい。この発想は、20世紀後半の多くの詩人たちを燃え立たせた。「落胆と狂気」とワーズワースが呼ぶものから逃れようとするどころか、真珠の層を掘り進んで、核にある創造的な「砂」をつきとめようとしたのだ。

こうした精神的挫折（小説家F・スコット・フィッツジェラルドは精神崩壊（クラック・アップ）と呼んだ）の探求者たちは、エリオットが詩の黄金律としたものを意識的に犯した。黄金律とは「芸術家がより完璧であればあるほど、苦悩する者とそれを生み出す心は、芸術家のなかではっきりと分離する」というものだ。非個性というフィルターを通して詩を書くべきだと、『荒地』の作者は考えたのである。W・B・イェイツも似たようなことを言っている――すなわち、詩人は仮面（ペルソナ）（装った個性）の背後から書くべきだと。詩人自身は一歩下がっていなければならない。あるいは、ラテン語でいう「オルター・エゴ」（分身）とならなければならない。詩（とりわけ現代詩）における最も基本的誤りは、話し手が詩人だと思ってしまうことだ。よくあるまちがいである。

これに反して、詩人自身を「苦悩する本人」としてあえて取り上げようというのが、20世紀後半に注目されるようになった精神的挫折の玄人たちだ。ペルソナのない詩である。ロバート・ローウェル（1917～77）は、この刺激的で危険な新領域の草分けとして認められている。その最高傑作は、詩「青に目覚めて」（夜明けの歌）だ。ニュー・イングランドにある精神障碍者施設の閉鎖病棟での一日のはじまりを書きとめる。主人公はテイレシアスのような傍観者でもなければ、ペルソナでもなく、ロバート・トレイル・スペンス・ローウェル4世〔ローウェルの本名〕その人だ。出だしに登場するのは、夜勤の看護士を務めるボストン大学の学生。教科書で勉強していたが、最後の見回りをして退出しようとしている。うつらうつらしながら読んでいたのは、エリオットと同様に詩における絶対的な非個性を奨励する批評家I・A・リチャーズが著した『意味の意味』。この詩にはローウェル本人が登場するから皮肉だ。この病院ですでに目覚めて、うっすらと青くなってきた窓から夜明けを見つめているのはローウェルなのだ。窓は日差しを遮るために青いすりガラスになっていて、患者が割ったり悪さをしたりしないように強化されている。ローウェルは部屋を見まわして、同室の患者を見る。詩は、こう終わる。

俺たちは皆古参だ。
それぞれロックされた剃刀を持っている。

We are all old-timers,
each of us holds a locked razor.

剃刀がロックされているのは、ロックしておかないと患者がそれで自殺してしまうかもしれないからだ。

ローウェルの別の詩は、単純に「男と妻」と題されている。とびきり二枚目で、実に不安定な男であるローウェルは、3度結婚して、3度とも悲惨な破綻を迎えている。詩は、夫婦が朝ベッドに寝ているところからはじまる。朝日（これも夜明けの歌（オーバード）である）が、ぎらついた赤い光となってふたりに注がれる。ふたりが静かなのは、強い精神安定剤ミルタウンを服用したからだ。ロマンティックな夜を楽しんだ歓喜の夫婦ではなく、つらい別れをしようとしている夫婦だとわかる。今差し込んだ赤は、怒り、暴力、憎悪の色だ。薬だけが、ふたりをつなぎとめている。

ローウェルは、ボストン大学（「青に目覚めて」の夜勤看護士の大学）で、霊感に満ちたクリエイティブ・ライティングの授業を担当していた。その最も優れた生徒が、詩人シルヴィア・プラス（1932〜63）だった。その詩、とりわけ夫と別れて深く傷つき、自殺する直前に書いた驚くべき一連の詩は、ローウェルが「人生研究」と呼んだ発想を、ローウェル以上に推し進めたものだ。典型的なのが、死ぬ数か月前に書かれた「レイディ・ラザラス」である。出だしは、こうだ。

I have done it again.
One year in every ten
I manage it——

またやった。
10年目にして
やりとげる——

「やった」とは自殺未遂のことだ。聖書に出てくるラザラスは、イエスによって死から蘇った男である。プラスはこの詩を書いたとき30歳であり、本人によれば3度自殺未遂をした。4度目は成功すると思っていた。「人生」というよりは「死」の研究となっているこの詩は、死後出版された。震え上がらずには読めない詩だ。

プラスは、詩人テッド・ヒューズと結婚したのち、英国で暮らし、執筆したアメリカ人である。両国とも、プラスを自分たちの詩人だと主張している。テニソンからハーディに至る英国詩の伝統は、大きな憂鬱の流れに満ちている。ローウェルやプラスの作品に見られるような極端さ（ワーズワースの言う「狂気」）よりは穏やかで、ワーズワースの言う「落胆」に近いものがある。現代詩の「落胆」の極めつきは、フィリップ・ラーキン（1922〜85）だという点には大方の賛同が得られるだろう。そのイングランド風憂鬱さは、詩「ドッケリーと息子」で雄弁に表現されている。語りによる詩だ。ラーキンは中年になってオックスフォード大学に戻る。かつての同級生だったドッケリーの息子が今オックスフォード大学生だと告げられる。ラーキンは未婚で、子供もいない。これでは「成長」ではなく、「弱体化」だなと、ラーキンは陰鬱に言う。詩は、人生の無意味さについての壮大にして鬱々たる瞑想で結ばれる。人生とはまず退屈であり、それから不安へと変わり、どうあがこうと消えてゆく。そして、一体人生が何だったのかわからぬままに死ぬのだ。

ラーキンの「精神的挫折（ブレイクダウン）」には、いかにもラーキンらしいひねりが加えられている。死ぬずっと前に、ラーキンは詩作をすっかりやめていた。100万人のファンには悲しいことだ。なぜ詩作をやめたのかと問われて、「やめていない。詩のほうが、私を見捨てたのだ」と答えた。創造的精神の自殺とも言えよう。

ワーズワースに戻ろう。その詩の最後で、詩人にとって必要なのは、何よりも「タフさ」だと結論づけられる。「決意と独立」（306ページ冒頭の詩の題名）が必要なのだ。英米の詩には「負けるもんか」的な不屈の精神は常にあった――最悪な目に遭いながらも、降参しない作家たちだ。ディラン・トマスが言う「あのよき夜へと喜んでゆく」ことを拒否して、ほんの少しでも抵抗しようとする人たちだ。

ヨークシャー人のテッド・ヒューズ（1930〜98）は、このタフな現代詩人の一派のなかでも最もタフである。彼は、「詩人の奥深くの精神は……その奥底で、痛みの声として記録されるものだ」と認めている。しかし、その声は、降参の声でも、諦めの声でも、あるいはその痛みへの過剰な興味の声でもあってはならないとヒューズは考えた。この哲学は、そっけなく『カラス』と名づけられた詩集で明確に表明されている。カラスは、嫌われる鳥だ（キーツやシェリーやハーディやワーズワースに詩を書かせたヒバリやツグミやナイチンゲールではない）。カラスは、いわば英国のハゲワシだ。死肉や腐ったものを食い、それでもしっかりと生きていて、攻撃的だ（英国では、カラスはたいてい轟音を立てる車道沿いのゴミをあさっている）。ヒバリよりもカラスのほうがしぶといと、人は思うものだ。

「痛みの声」を詩はどのように用いるべきかについての議論に加えてもいい詩人はほかにも大勢いる。たとえば、ジョン・ベリーマンとアン・セクストンはそれぞれローウェルの友人であり教え子であって、ふたりンとも自殺をし、はっきりと自殺予告となる詩を書いている。あるいは、ヒューズの考えに近いトム・ガン。その力強い詩が感謝するのは、歴史上すべてのタフ・ガイたち——アレクサンダー大王から兵士たち、スポーツ選手、スティーブン・スペンダーがその詩「両親がぼくを乱暴な子たちから守ってくれた」で説明しているような、子供のときに逃げていた「いじめっ子たち」に至るまで——だ。だが、ガンの詩は、その総体において——すべての彼の詩が、と言ってもよい——受け身の否定であり、たとえばフィリップ・ラーキンのような作品に表れる負け犬根性の拒絶である。ラーキンのほうは、ヒューズやガンを「強い男」願望の自慢屋にすぎないと嘲笑している。個人的な手紙や会話でも、彼らへの軽蔑を表明しているのだ。テッド・ヒューズのことを「信じがたい大男（インクレディブル・ハルク）」や「テッド・ヒュージ」〔「ヒュージ」は「巨大」の意〕とからかい、その暴力的な詩の笑えるパロディを書いている。ところが、ラーキンとヒューズの死後、ふたりが互いの作品を読みあい、ときどきそれを自分の詩に用いているとする資料が出てきた。

つまり、詩においては、哲学で「弁証法」と呼ばれることが起こるのだ。まったく異なる考えをもったふたつの流派が、対立する力として衝突したすえに、別の次元でまとまるのだ。一方には、私が精神的挫折の玄人と呼んだローウェル、プラス、ラーキンのような、自分のなかを掘り進んで痛みを掘り出そうとする詩人がおり、他方には、外界に働きかけて——ガンの表現を用いれば「戦うことで」〔原語 fighting terms はガンの最初の詩集の題名〕——行動すべきだと信じる一派がいる。どちらの側でも、ひりひりする強力な詩が書かれているが、精神的挫折の玄人たちにはあまり喜びがないことは言っておかねばなるまい。

Chapter 35
色とりどりの文化——文学と人種

人種は、怒りを呼ぶ主題である。文学においても、文学論においても、それは変わらない。落ち着かない場所へ連れていかれる。シェイクスピアのシャイロックの描写は、反ユダヤ的なのか。あるいは、本心では人種差別の犠牲者に同情しているのか。同情していると考える人たちは次のセリフを引用する。

私がユダヤ人だからだ。ユダヤ人には目がないのか？　手がないのか。内臓が、手足が、感覚が、愛情が、喜怒哀楽がないとでもいうのか？　キリスト教徒とどこがちがう？　同じ食い物を食い、同じ武器で傷つき、同じ病気に罹り、同じ薬で治り、冬も夏も同じように暑がったり寒がったりするじゃないか？　針でついたら血が出よう？

『ヴェニスの商人』は本質的には反ユダヤ主義であると考える人たちは、

劇の終わりでシャイロックの財産の半分が没収され、その娘はキリスト教徒と結婚し、シャイロック自身は財産をすべて取り上げられたくなかったらキリスト教に改宗しろと強要されることを指摘する。キリスト教徒の心臓にナイフを突き刺して「肉1ポンド」(一般に用いられるようになった表現)を切り取ろうとするヴェニスのユダヤ人のイメージは、たいていは反ユダヤ主義のほうへ針を振れさせる。しかし、シェイクスピアだって――言いわけのようになってしまうが――当時の多くの人たちと同様に偏見に染まっていて、大多数の考え方と同じだったのは仕方がないことなのではないか。それはそうだとしても、それでもどうにも落ち着かない。

ディケンズが描く『オリヴァー・ツイスト』のユダヤ人フェイギンを見ると、作者がひどい人種的ステレオタイプを利用しているのがわかる。弁明の余地はない。晩年にディケンズはこれを反省して、小説が再版されたときに修正した。ディケンズは後期の小説に聖者のようなユダヤ人を登場させることで、埋め合わせもした(『互いの友』のライア)。しかし、フェイギンは、多くの読者にとって、赦しがたい人物のままであり、『オリヴァー!』のようなミュージカルや柔らかめの映画版でもそれは変わらない。

この数年間に起こった最も白熱した論争のひとつは、亡くなった詩人T・S・エリオットが知る由もないことだ。その先陣を切ったのは批評家(法律家でもある)アンソニー・ジュリアスの書いた論争含みの本であり、ジュリアスは、エリオットの初期の講義録(のちに出版されなくなったもの)に記録されていた発言や、詩の言葉を根拠に、エリオットは反ユダヤ主義だと論じたのである。多くの客観的な評論家たちの議論によれば、証拠は不十分である。エリオットは激しく糾弾されたが、同じように激しく弁護された。しかし、この論争で巻き上がった埃は、まだおさまらないし、おそらく永遠におさまることはないだろう。

こうしたことを考える出発点として有益なのは、文学とは、人種問題が議論できる数少ない場だと認識することであろう。文学とは、人種が惹き起こす生々しい問題を議論し論争する場なのだ。社会がその態度を調整する場でもある。それぞれの個人的意見や感性の相違がどうあれ、私たちの多くはこれを好ましいことだと考える。どんな騒ぎになろうと、それはそれでかまわないのだ。

他の議論形態では無理でも文学なら可能な例として、フィリップ・ロスの『人間の染み（邦題は「白いカラス」）』（２０００）を取り上げよう。主人公は有名大学の高名な古典学の老教授。ユダヤ人だ。何気なく教室で「口をすべらせ」、ふたりのアフリカ系アメリカ人学生を怒らせてしまい、大学当局から「感受性訓練」を受けるように指示される。教授は、それはできないと拒否し、辞職する。やがて、教授はユダヤ人ではなく、アフリカ系アメリカ人だったことがわかる。自分の本当のアイデンティティーを隠してきたのは、当時はそうするしか高等教育界でのキャリアを築けなかったからだった。さもなければ、黒人ボクサーとしてのもうひとつの才能を開花させるかしかなかった。彼は白人の古典学者になる道を選んだ。小説そのものが主張している重要なポイントは、「人種とはひとつしかなく、それは人類である」ということだ。それからもうひとつ——人種について語ることを妨げる政治的公正（ポリティカル・コレクトネス）は無視すべきこと。小説家としてロスは、妨げられたりはしないのである。

アメリカ文学と英文学の人種の扱い方はかなりちがう。アメリカは、本質的に、アフリカから無理やり連れてこられた奴隷（それも、いわゆる奴隷船の大西洋航路（ミドル・パッセージ）でも死ななかった者たち）の力によってゼロから築き上げられた。そのことは今では、人類が人類に対して行った最悪の犯罪のひとつと看做されている。たとえば、トニ・モリスンは、その小説『愛されし者（ビラヴド）』の冒頭に次の題辞を掲げている。

６０００万人以上

ホロコーストで殺されたユダヤ人は（「たった」）６００万人だが、もっと大きな大虐殺があったことをアメリカはあえて無視していると示唆した言葉だと考えられて、大きな問題になった。モリスンの語りの中心にいるのは、奴隷時代の亡霊であり、祈りによって消すこともできなければ、無視してもならない存在だ。

アメリカの奴隷制を廃止するために血なまぐさい内戦が戦われた。エイブラハム・リンカーンは、『アンクル・トムの小屋』の作者ハリエット・ビーチャー・ストウと会ったとき、「この大きな戦争を起こした小さな女性と握手したいと思っておりました」と言ったとされている。謙虚な女性だったストウは、「実際には戦争を起こしたのは偉大な廃止論者たちですし、何かの本を褒め称えるなら、私の本より7年前の１８４５年に出版された『アメリカ奴隷フレデリック・ダグラスの人生の物語』を称えるべきでしょう」などと答えたかもしれない。ダグラスは自由を得たあと、人生をかけて、そしてそのすばらしい文才を自伝に費やし、奴隷制廃止の義を説いたのである。冒頭の一節は、わざと情熱を抑えた言葉遣いになっていて、今読んでも衝撃を受ける。

私の父は白人だった。私の両親のことを話す人たちは皆そう言っていた。わが主人がわが父親だという噂も囁かれていた。その真偽を私は知らない。知る手段を奪われていた。母親とは、幼児のときに離された。母親と知る前に。メリーランドのその地域では、かなり幼いときに子供を母親から引き離すのは当たり前の風習だった。そこから私は逃げ出した。

英文学と人種とのかかわりは、何世紀ものあいだ維持しながら失われた大英帝国（第26章）と結びつく。大英帝国が「変化の風」によって吹き飛ばされた1950年代以降、人種の議論は「ポスト・コロニアル理論」に支えられ、激しく変わった。大英帝国のやってきたことは、現代では地球上で最も多文化となった文学界において、英国作家によってときに罪の意識とともに疑念の目で調べられた。多文化主義は、サルマン・ラシュディ、モニカ・アリ、ゼイディー・スミスといった作家や、ナイジェリアの小説家ベン・オクリ（ブッカー賞受賞）、西インド諸島出身の小説家ウィルソン・ハリスや詩人デレク・ウォルコット（ノーベル文学賞受賞）といった人たちによって、最近の英国文学において最も豊かな地層として広がっている。

もうひとりの西インド諸島出身の作家V・S・ナイポールは、ノーベル文学賞受賞スピーチで、ポスト・

コロニアルの作家としての複雑さを表明した。その祖父の世代はインド（当時は英国領）からトリニダードへ「契約労働者」として、主に事務職員として連れていかれた。ナイポールは「島の抹殺された《原住民》の骨の上で」育ち、アフリカから連れてこられた黒人奴隷の子供たちと遊んだ。抜群に賢かったナイポールは、奨学金を得てオックスフォード大学へ行き、自称「真似男」（ナイポールの1967年の小説の題名）としてイングランドに故郷を得る――イングランド人だがイングランド人でなく、インド人だがインド人でなく、トリニダード人だがトリニダード人ではないのである。

　英国はポスト・コロニアルの時代を生きているが、植民地時代の「所有関係」はすっかりなくなったのだろうか。必ずしも皆がなくなったとは思わないだろう。ナイジェリア最大の小説家と看做されているチヌア・アチェベ（1930〜2013）は、ヴィクトリア女王の夫の名にちなんで、アルバート・アチェベの名で洗礼を受けた。初めて刊行した小説――今もってこの作品のために世界じゅうで有名であるわけだが――は、『崩れゆく絆』（題名は、アイルランド人詩人W・B・イェイツからの引用）である。初版は1958年に英国で出た。その後の作品は、英国かアメリカで初版が出ている。晩年アチェベは、アメリカの複数の大学で教授職に就いた。ポスト・コロニアル詩人のなかで最も優れたデレク・ウォルコットもまた、アメリカのある有名大学で長年勤めた（1981年から2007年までボストン大学で教えた。なお、2009年にアルバータ大学に就職し、2010年からはイングランドのエセックス大学教授）。そのようにして――かつての支配者から給料をもらいながら――書かれた小説や詩は、真に独立したものと言えるのだろうか。あるいは、まだ植民地の足枷が背景で音をたてているのだろうか。

アメリカでは、人種問題に関わる非常に興味深い文学が生まれている。古典的作品は、ラルフ・ワルド・エリソンの『見えない人間（インビジブル・マン）』（1952）だ。ジェイムズ・ボールドウィンやリチャード・ライトのような仲間のアフリカ系アメリカ人作家とはちがって、エリソンは、リアリズムではなくアレゴリーを用いた。その小説は方法論的には遊戯性に富むが、内容はきわめて深刻だ。最初は短編を計画していて、1947年に『見えない人間』の核となる要素を内在した「大乱戦（バトル・ロイヤル）」を出版した。あざける白人の楽しみのために、黒人が裸にされ、目隠しをされ、ボクシング・リングで互いに戦わせられて、罰ゲームをさせられるのだ。そのあとで出版された『見えない人間』は、別の発想を鍵とした——「僕は透明人間だ……、僕は見えない。いいか、だってみんな僕を見ようとしないんだもの」。アメリカは、わざと目をつぶることでその人種問題を「解決」したのだと、小説は言う。

『見えない人間』は、ジャズ小説だ。エリソンは、この偉大なるアフリカ系アメリカの音楽の即興的自由さを愛した。黒人が自分のものと主張できるごくわずかな自由のひとつだ。ルイ・アームストロングの曲「（ホワット・ディド・アイ・ドゥ・トゥ・ビー・ソー）ブラック・アンド・ブルー？」がテーマ曲のように小説で執拗に繰り返される。その歌詞が嘆く——

僕は白い……中身は……でも、それじゃどうしようもない
だって、僕……隠せないもの……顔の色を

トニ・モリスン（1931〜2019）は、アフリカ系アメリカ人小説家である（多くの人は、アメリカ人小説家とだけ言うだろう）。モリスンもまた、アメリカが生んだ独特の音楽に霊感を受けた。その1992年の小説『ジャズ』を語って、モリスンはこう説明した。

ジャズのような構成は、私にとっては生まれつきのものです。それがこの本の存在理由（レゾンデートル）なのです……私は自分をジャズ演奏家のように思っています。

エリソンが愛したジャズは、伝統的なニューオーリンズのジャズ（それゆえ、ルイ・アームストロング）だった。スィングやモダンジャズは、「白すぎ」て嫌いだった。モリスンに最も影響を与えたジャズは、最高に即興的でポスト・モダニズム的な、1960年代にオーネット・コールマンがはじめたフリージャズだ。

一般的に言って、英国には（少なくとも文学において）人種のちがいをなくしてしまうある種のブレンドがあったと言えるだろう。トニ・モリスンは、怒りの格差はキープしたほうがいいと主張する。その怒りは、彼女の初期小説『タール・ベイビー』で最も熱く燃えており、登場人物がこう最後に言う――「白人と黒人は一緒にすわって食事をしたり、そうした人生の個人的なことをともにしたりすべきじゃない」と。モリスン自身が、当時のある学会で、「人生で一度も、自分がアメリカ人だと感じたことはありません。一度も」

と容赦なく宣言した。晩年、とりわけ１９９３年にノーベル文学賞を受賞してからは、人種に関する発言は柔らかくなったものの、自分がアフリカ系アメリカ人ではなくアメリカ人だと思えるようには決してならなかった。人種的格差の怒りは、彼女の全作品で燃えている。

アメリカの政治家や市民たちは努力して、啓蒙的に人種を意識しない状態を作り出そうとしている。つまり、これまでアメリカにあまりにも大きな痛みを与え、大量の血を流してきた人種的な差をなくしてしまおうというのだ。アメリカ文学とその代表的作家であるモリスンは、これに反対している。黒人としてのアイデンティティーを探るために、この差はこれまでも創造的に利用してきたし、これからも利用すべきなのだ。そこから目を逸らして忘れてしまうのではなく、むしろ問題の核心に飛び込むべきなのである。

最近では、「プライベート・アイ」つまり私立探偵が活躍する探偵小説のジャンルで、明確なアフリカ系アメリカ人の存在が目立っている。ウォルター・モズリーが描く黒人の主人公イージー・ローリンズの経歴は、『青いドレスの悪魔』（１９９０）ではじまるシリーズに記録されている。この作品はロサンジェルスの人種関係の歴史をその背景的情報として描いている。チェスター・ハイムズもまた１９５０年代と１９６０年代の『ハーレム・サイクル』シリーズで、ニューヨークを舞台に同じことを行っている（シリーズ第一作は牢獄で書き、最終作は亡命先のパリで書いた）。アフリカ系アメリカ人ＳＦ作家サミュエル・Ｒ・ディレイニーは、ＳＦを新しい次元に押し上げた。ブルースやさらに最近のラップには、ホイットマン風の自由な韻文（第21章）を強く思わせるところがあると主張する者もいる（私もそのひとり）が、ブルースもラップもアフリカ系アメリカ人から受け継いできたものだ。要するに、混ざり合うことはなかったのであり、アメリカ文学の強みは、その多様な色にあるのである。

まとめると、人種、社会、歴史といった複雑な関係における文学の役割は何か。単純な答えはない。だが、アーサー・ミラーの劇『セールスマンの死』に出てくる琴線に触れる叫びを借りてもよいだろう——「注意を払わなければならない」と。人種に関する問題に文学は注意を払ってきており、それは大切なことだ。だが、だからといって、読んで気が楽になるわけではない。

Chapter 36 マジック・リアリズム——ボルヘス、グラス、ラシュディ、マルケス

「マジック・リアリズム」という用語は、1980年代に流行した。最近の文学について話すとき、突然誰もが、わけ知り顔にその言葉を会話に混ぜ込むようになったのだ。だが、この奇妙な用語は何を意味するのか。一見、「マジック・リアリズム」は、オクシモロン（撞着語法）、つまり本来相容れないふたつの要素を無理やりひとつにした表現のように思える。小説はフィクション（実際には起こらなかったこと）であるが、「本物」——つまり「リアリスティック」でもある。デフォーからはじまる膨大な英国小説は、いわゆる「偉大なる伝統」（ジェイン・オースティン、ジョージ・エリオット、ジョゼフ・コンラッド、D・H・ロレンス）から、グレアム・グリーン、イーヴリン・ウォーを経て、イアン・マキューアンやA・S・バイアットに至るまで、文学的リアリズムに向かっていた。アメリカも同様で、主流はアーネスト・ヘミングウェイの「人生を《あるがままに》示せ」という命令に従ってきた。もちろん、J・R・R・トールキンやマー

ヴィン・ピークといったファンタジー作家もいたが、彼らはまったくちがう世界に属していた。ピークの描くゴーメンガースト城は、たとえばブライズヘッドの田舎の邸宅〔イーヴリン・ウォーの小説『ブライズヘッドふたたび』の舞台〕やハワーズ・エンド〔E・M・フォースターの小説『ハワーズ・エンド』の舞台〕とは作りがちがうのだ。マジック・リアリズムは、新しい文学的ハイブリッドなのである。

実は1980年代より半世紀ほど前から、さまざまなマジック・リアリズムが出てきていた。文学や芸術の周縁で実験的な方法によってこの概念を試している作品がそれなりにある。だが、マジック・リアリズムが強力な文学ジャンルとして機能するのは、20世紀が終わろうとしていたときだった。

3つの理由が挙げられる。ひとつは、ホルヘ・ルイス・ボルヘス、ガブリエル・ガルシア＝マルケス、カルロス・フエンテス、マリオ・バルガス＝リョサらの登場によって、南米スペイン系文学に新しくて刺激的なことが起こっていると欧米が気づいたこと。翻訳によってその衝撃は世界的規模になったが、その国際的名声によって1960年代と1970年代に「ラテン・アメリカ・ブーム」が起こった。ギュンター・グラスやサルマン・ラシュディのような作家たちもヨーロッパで多数の読者を得た。このブームの先駆者としてグラスの小説『ブリキの太鼓』（1959）がある。そして、ラシュディの『真夜中の子供たち』（1981）の刊行とともに、マジック・リアリズムは主流となり、国境のない文学的スタイルとなった。マジック・リアリズムをこの時期流行らせた3つめの要因は、その語りの途方もない「ありえなさ」にもかかわらず、重要な政治的介入となりえるものが書けてしまう点だ（「魔法」の要素が入っている）。つまり、文学だけでなく、公人の生き方や地政学的な問題にも影響力を持つようになったのだ。いわば、誰も見張っていなかったわきのドアを通って、公の場に躍り出たのである。

前述した作家のうちふたり、フエンテスとリョサが政治家として活発に活動し、かなり物議を醸していることは偶然ではない（リョサはペルー首相になりそうだった）。また、サルマン・ラシュディが書いた小説がもとで、ふたつの国〔イランと英国〕が国交を断つに至ったのも偶然ではないし、グラスが小説を書いていないときに、戦後ドイツの代弁者となって「偉い人にいちゃもんをつけ」（グラスの表現）ていたのも偶然ではないのである。

ジャン＝ポール・サルトルは、その影響力ある宣言『文学とは何か』（１９４７）において、作家は「関わらなければばならない」と説いた。サルトルによれば、その使命は、ソ連で「社会リアリズム」と呼ばれたものによって最もよく達成される。逆説だが、現代のマジック・リアリズム小説家の御伽噺（おとぎばなし）のほうが、もっと巧みにその使命を達成している。

アルゼンチンのホルヘ・ルイス・ボルヘス（１８９９～１９８６）は、１９６０年代に最初に世界的名声を得たマジック・リアリズム小説家だ。彼が英米に多くの友人をもつ熱狂的親英派であったのも一助になった。短く、きびきびと書かれたその短編は、１９６２年の選集『迷宮』に収められている。なかなかぴったりの題名だ。読者は、クレタ島の迷宮を脱出するテーセウスのように、手がかりとなる糸を捜しながらも、小説のなかで迷子になる――自分を失う――のである。こうした短編は翻訳も容易であり、それも流行の一助となった。

ボルヘスの方法は、非現実的な想像力を、誰にでも起こりえる状況やありふれた登場人物と融合させるものである。最も有名な「記憶の人、フネス」（１９４２）を取り上げよう。これは、若い牧場経営者イレネオ・フネスの物語だ。彼は落馬したのち、起こったことすべてを記憶でき、忘れないことに気づく。「この世がこの世となって以来、あらゆる人が記憶している以上を自分ひとりで記憶できる」というのである。彼は暗い部屋へ籠って、自分の記憶とひとりで向き合い、やがて死ぬ。

物語は幻想的発想に基づいているが、別の次元ではリアルである。記憶力が異様に発達した人は存在する。専門用語では「過剰記憶症（ハイパーサイメシア）」あるいは「超絶自伝的記憶」（ＨＳＡＭ）という。最初は医学的に語られ、２００６年に心理学者によって名前が与えられた。ボルヘス自身かなり記憶力がよく、晩年には盲目となった。言語への感受性が少しでもあれば、ＨＳＡＭより「記憶の人」としたほうがよいことはすぐわかろう。

１９６０年代に広く読まれるようになったボルヘスの幻想と事実の奇妙な混合をどのように呼んだらよいのか、誰にもわからなかった。しかし、とにかくおもしろい新しいものだとわかった。マジック・リアリズムのもうひとりの先駆者アンジェラ・カーターも同様であり、その『魔法のおもちゃ屋』（１９６７）は荒涼たる戦後の英国と『不思議の国のアリス』を混ぜ合わせたものだった。読者はそうした本をどう理解したらよいのかわからなかったが、そこにあるパワーには反応した。

ボルヘスは政治的作家ではなかったが、後続のマジック・リアリズム小説家たちのために道具を作り上げた。サルマン・ラシュディは熱狂的にボルヘスの仕掛けを用いて『真夜中の子供たち』を執筆して有名になった。この本は1981年にブッカー賞を勝ち得て、世界じゅうでベストセラーとなった。小説は、インドがパキスタンと分かれて独立国となった1947年8月15日からはじまる——深夜の時報が近づくとき、ネルー初代首相がラジオで放送することになる事実だ。それは歴史上、新時代を告げる重要な出来事である。その時間に生まれた子は新しいインド人となる。ラシュディの小説は、その重要な瞬間に生まれた子たちがテレパシーでつながり、ひとつの精神的な集まりとなるという幻想を描く。ラシュディが率直に認めているように、この仕掛けはSFから借りてきたものだ。ジョン・ウィンダムの『ミッドウィッチのカッコウ』（邦題は『呪われた村』）などが思い浮かぶ（SFはラシュディにとって、略奪に適した宝庫だ）。しかし、『ミッドウィッチのカッコウ』は、不思議な村ブリガドゥーン〔ヴィンセント・ミネリ監督、ジーン・ケリー主演ミュージカル映画『ブリガドーン』の舞台〕と同様に架空の村ミッドウィッチに設定されている。『真夜中の子供たち』は、現実の場所に設定されている。つい半世紀前までは超大国となるはずだった英国領インドだ。ラシュディは1947年にインドで生まれているが、残念ながら魔法の深夜の時間帯ではない。『真夜中の子供たち』は、その幻想（ファンタジー）の奥で強力な政治的意義を持っているが、最高のマジック・リアリズムとはそういうものなのである。著者は当時のインド首相インディラ・ガンジーから名誉棄損で訴えられ、その訴えに従って、テクストの一部を削除した。

　ラシュディの出発点のひとつは、興味深いことに、きわめて根本的な文学である御伽噺である。彼は、L・フランク・ボーム作『オズの魔法使い』の映画版について啓蒙的な小さな本を書いている。幼い頃からラシュディが愛した映画だという。そう言えば映画『オズの魔法使い』は、画像粒子の荒い白黒映像で、1930年代の不況期のカンザスの貧村という、まさに「現実世界」からはじまるのだった。ドロシーが竜巻に遭って気を失ったあと、気づいてみれば、子犬のトートーと一緒にテクニカラーの不思議の国にいて、そこには魔女や、口をきくかかし、ブリキ男、臆病なライオンが住んでいたのだ。ドロシーの不朽の名ゼリフにあるように、「トートー、どうやらここはもうカンザスじゃないみたいよ」というわけで、魔法の世界にいる。魔法とリアリズムとが、この映画では交じり合う。原作の御伽噺でも同じである。

ラシュディの小説のなかでも最も物議を醸した挑戦的な作品『悪魔の詩』（1988）は、ハイジャックされた旅客機ではじまる。インドを出発して、イングランド上空で爆破され、ふたりの乗客ジブリール・ファリシュタとサラディン・チャムチャ（前者はヒンドゥー教徒で、後者はムスリム）が、高度29002フィートから地面に落下する。小説の第1行は「生まれ直すためには……まず死なねばならない」とあるが、ふたりは死なない。1066年に別の外国人、征服王ウィリアムがやってきたヘイスティングズの海岸に着地する。ふたりは直ちに「不法移民」とレッテルを貼られる（サッチャー首相――小説では「トーチャー」（拷問）首相」――はそういう侵入者に対して厳しい制限を加えていたのだ）。小説が進むにつれ、ジブリールは大天使ガブリール（聖書ではガブリエル）になり、サラディンは悪魔になっていく。テロ行為のリアリズムが水に溶けた毒薬のように神話、歴史、宗教へと混ざり込んでいく。要するに、それこそが「マジック」なのだ。イランの最高指導者アヤトラ・ホメイニは、ガンディー首相のように名誉棄損の裁判を起こしはしなかったが、とくにマジック・リアリズムを褒め称えもしなかった。1989年にホメイニはラシュディに対して「ファトワー」を発令した——真のムスリム信者はこの冒瀆的小説家を暗殺すべしとの要請である。

ギュンター・グラスは、ちがったところから出発して似たような目的地に着いている。1927年生まれで、ナチの時代に育ったグラスは、作家として活動を開始したとき、ドイツの小説は1945年以降、新たなゼロ地点からはじめなければならないと考えた。「過去は乗り越えなければならない」と、グラスは言う。だが、過去なしで、作家はどうすることができよう？ アウシュビッツののち詩は書けないと、ドイツ人哲学者テオドール・アドルノは宣言した。小説も書けないのではないだろうか——少なくとも、ドイツ人作家にとっては。戦後のドイツ人小説家は、文学の伝統が与えてくれるフル・オーケストラを演奏することはできなくなった。1933年から1945年のあいだに起こったことを通り越して、ゲーテ、シラー、トーマス・マンへ帰ることなどどうしてできようか。オーケストラの代わりに、ブリキの太鼓を使うしかないのだと、グラスは主張した。だが、『ブリキの太鼓』が描くように、それはやはり魔力をもった楽器なのだ。アドルノの陰鬱な予言にもかかわらず、グラスは偉大な小説を生み出した——偉大なるマジック・リアリズムを。彼が1999年にノーベル文学賞を受賞したとき、グラスは自分を偉大な作家ではなく、文学のドブネズミだとした。ドブネズミはしぶとく生き残る。世界大戦があっても。

グラスは、そのマジック・リアリズムの作品を抑圧の時代の直後に書いた。抑圧や検閲があるなかで執筆する作家にとって、文学手法は役に立つものだ。ものごとをありのままに描こうとするリアリズムは、そうした状況下ではきわめて危険となりうる。1998年にノーベル文学賞を受賞したジョゼ・サラマーゴの場合もそうだった。

サラマーゴ（1922〜2010）は、ヨーロッパで最も長くファシストの独裁制が続いた場所――すなわち、1974年まで独裁制だったポルトガル――で、その生涯のほとんどを過ごしたマルクス主義者だ。独裁制が倒されたあとでも、サラマーゴは迫害を受け、逃亡中に生涯を終えた。アレゴリー――言いたいことをはっきりと言わない手法――こそが、彼が好んだ文学手法だ。仮にマジック・リアリズムでないとしても、非常に似ていて区別はつかない。サラマーゴの最も優れた作品『洞穴』（2000）は、巨大な中央ビルに支配されたある国家をファンタジーで描く。成熟した資本主義の未来のイメージだ。そのビルの地下には、プラトンが説明したあの洞穴がある。すなわち、鎖でつながれた人たちは、洞穴の壁に映った現実の影しか見えないという、人間の状態の表象である。そのちらちら揺れる頼りないイメージ以外、私たちの世界はない。そして、その洞穴こそ、小説家が働かなければならない場所なのだと、サラマーゴは言うのである。

これまで見てきたように、マジック・リアリズムにおける最も強力な勢力は、中央アメリカや南アメリカの国々で生み出されてきた。そのグループの筆頭にいるボルヘスと並んで、ガブリエル・ガルシア＝マルケスとその小説『百年の孤独』（1967）が挙げられる。『真夜中の子供たち』と並んで文句なしにこのジャンルの傑作と言われている作品だ。話がどんどん変わってまごつくほどであり、歴史上の時や場所が断続的に動いていく。

『百年の孤独』の舞台はマコンドと呼ばれるコロンビアの架空の小さな町であるが、要はマルケスの故郷についての話になっている。それは、『真夜中の子供たち』がインド、『ブリキの太鼓』がドイツ、『洞穴』がポルトガルについての話であるのと同じだ。マコンドには、コロンビアのすべてが入っている。それは「鏡の町」だ。ちらちらと揺れるような場面の流れのなかで、この国の歴史の重要な瞬間の数々が垣間見える。内戦、政治闘争、鉄道と産業化の到来、アメリカとの抑圧的関係。何もかもが凝縮されて、ひとつの輝く文学作品に収められている。小説は、文学に可能なかぎり政治に関わりうるものであるが、同時に最高の芸術作品でもあるのだ。

マジック・リアリズムは、20世紀の末の数十年のあいだ、すばらしく燃え上がってみせてくれた。どうやらその時代は終わったようではあるが、歴史はこれを文学の偉大なる時代として記録するだろう。

Chapter 37 文学の共和国——境界のない文学

21世紀に入って文学は真にグローバル化したと言ってよい。だが、「世界文学」とは何を意味するのか。分析してみると、いくつかの意味が出てくる。

たとえば、地球上で最も小さく、最も孤立した文学共同体で生まれた小説を考えてみよう——アイスランドの小説だ。この島に最初のヴァイキングが住みついたのは9世紀のことである。森林のない、岩だらけの凍りついた島となったアイスランドにおいて、そのあと12世紀から13世紀にかけての2世紀は、文学史家によって「サーガ時代」(「サーガ」とは「語られる話」の意味で、アイスランドの人たちがかつて話していた、そして今でも話している古代ノルウェー語から来ている)と呼ばれている。それは、驚くほど豊かな英雄詩であり、中世では互いに武勇を競い合って戦いそうなものだが、そうせずに建国した王族を詠(うた)っている。

チョーサーから1世紀前、ノルウェー文学は、世界文学の栄光のひとつとなっていた。しかし、それに馴染んでいるのは数千人だけであり、いわば小さな国の集団的記憶に保存され、何世代にもわたって愛唱されてきたのである。1955年に、小説家ハルドル・ラクスネスがノーベル文学賞を受賞した（これよりも小さな国が受賞したことは今までないと委員会は言っていた）。受賞は、ラクスネスの主に1934年の傑作『独立の民』という小説によるものだ（読み進めれば、アイスランドについての挑戦的な描写であるとわかる）。それは、ビャルトゥルの物語であり、彼の家族は「30代」にわたって自給農業を続けてきた――サーガ時代からだ。ビャルトゥルはアイスランドの詩に浸るようにして暮らし、羊を連れて寂しい丘を歩くときにそっと口ずさんだ。20世紀に、外界が急にこの冷たく辺鄙で小さな場所に興味を持ったために、その暮らしはすっかり変わることになったわけである。

ビャルトゥルの物語は、彼が愛するサーガと同じくらい荒涼としていて、英雄的な悲劇だ。ノーベル文学賞受賞時のあいさつで、ラクスネスはわざわざこの小説が古代ノルウェーの詩人（スカルド）の語る物語とへその緒で結ばれているようにつながっていることを語って、聴衆を感心させた。すでに翻訳によって地球上の何百万もの人々に読まれるようになり、受賞のおかげで今や「世界文学」となった。ここから出せる結論は何か？文学は、偉大であるか十分人気があれば、ラクスネスの小説のように独自の土地に深く根づいたものであろうと、国境によって制限されないということだ。国境を越えていくのである。

次の例は、世界で最大の文学的共同体からのもの。中華人民共和国からの例だ。その広大さ、13億5000万という人口、そして1000年に及ぶ文明にもかかわらず、どんなに教養ある西洋人も、偉大な中国人作家を6人以上は挙げられないのではないだろうか。

2012年のノーベル文学賞は中国人作家、莫言（モー・イエン）が受賞した。その重要な作品のひとつが小説『天堂狂想歌』である。1989年6月の天安門事件の数か月前に出版され、直ちに発禁とされた。著者は何度も当局と面倒を起こしている。「莫言」とは自ら選んだ筆名（ペン・ネーム）だ。「言うな!」という意味である。

『天堂狂想歌』は、莫言が1955年に生まれ、育った小作農の家があった辺鄙な田舎に捧げられている。何千年もかけて耕してきた肥沃な谷にある村が、党本部からニンニクのみを育てるように命じられるという物語だ。農家としてそんなことは受け入れられない。まったく、文字どおり、どの臭い口が言った命令かという話である。皆は抵抗し、残虐に抑えつけられる。ニンニクを栽培するしかないのだ。党の命令だ。

この本は、ほかの莫言の本と同様に、国際的なベストセラーとなった。莫言は、その筆名とは裏腹に、故郷の人たちにとどまらず、世界に向かって「言った」のである。この例からどんな結論が引き出せるだろうか。ラクスネスの場合よりも複雑だ。驚くほど短期間のうちに中国が21世紀の超大国となったために、世界が突然、中国文学に興味を抱くようになったのである。「眠らせておけ。竜が起きれば、世界を震撼せしめよう」と、ナポレオンは中国について言ったという。その竜が目覚めたのだ。中国はもはや眠っておらず、無視されることもない。文学も然り。グローバル化とは、地政学的面にとどまらず、一種の発想の転換であり、文学はその新たな発想（マインド・セット）の一部となったのである。

3つめの例は、村上春樹の文学だ。この日本を代表する小説家が出した多くの小説は何か国語にも翻訳され、その販売部数も評価も世界じゅうで相当なものになっている。どこの国でも大変受けがよく、村上は自国よりも海外により多くの読者がいる。これまでの主たる作品は、2010年に完結した3部作『1Q84』だ。最終巻が出るのが熱烈に待たれた。東京では、買いたいという人々が何時間も書店に列を作った。『1Q84』の筋は、まったく不可解と言うべきであろう。文体はマジック・リアリズム（第36章）であり、忍者、暗殺、ヤクザ、パラレルワールド、とまどうようなタイムスリップなどが出てくる。だが、重要なのは、村上が世界じゅうの読者を意識して書いていることだ。全世界が読みたがっており、村上に面食らわせられたがっているとわかっているのだ。題名をこうつけたのは、「1984」が日本語ではこのように聞こえるからだという。ジョージ・オーウェルの作品への言及であり、オーウェルへのオマージュと言ってもよいだろう。小説の題辞 'It's Only a Paper Moon' は、ハロルド・アーレンが歌った1930年代のアメリカの流行歌の題名だ。村上は、ロシアの小説家ドストエフスキーに影響を受けたとも語っている。ここから引き出せる結論は、村上は自分が世界に読まれていることを知っている小説家であり、世界のために執筆しているということだ。あらゆるところから影響を吸収し、それを自らのものとしている。

世界規模になれるほど幸運なとき、作家は多国籍企業の収益と張り合えるほど稼ぐことができる。たとえば、J・K・ローリングは2013年に英国の長者番付表の13位だった（この先鋭集団のなかでひとりだけ、1ペニーも相続したものでなく自分で稼いだ人物だ）。コカコーラ社ほど金持ちではないが、『ハリー・ポッター』はあのすてきな飲み物が飲まれるすべての場所で読まれたわけだ。

例外はあるものの、「越境していく」グローバル化は、もはや文学をも駆動するダイナミックな力となっている。いつはじまったのだろう？　何世紀にもわたる通信システムの発達、国際貿易、ある種の「世界語」の優勢によって起こった。長い話になるが、この点を考えることで文学作品をその歴史的な世界に位置づけ、それらの世界の境界を確認できるので有益だ。

かつては、ある場所から別の場所への移動は、徒歩、馬、船などの手段に限られており、文学もそういうものだった。しばしば何世紀も前の作品を読むときに直面する問題は、昔は世界が狭かったという事実を考慮しなければならないということだ。たとえば、シェイクスピアはロンドンか、せいぜいイングランドの地方以外で自分の芝居が上演されるとは思っていなかった。今や世界じゅうの何十億もの文学愛好家がその戯曲を楽しみ、研究している。

世界が劇的に広がりはじめたのは、19世紀、伝達手段の大規模な発展によって国内での連絡が容易となり、19世紀末には外国との連絡も容易となったためだ。イングランドでは、19世紀初頭、舗装道路のおかげでW・H・スミス社が国じゅうに新聞を流通させることができるようになった（「ニュースを誰よりも速く」〔1792年生まれの初代ウィリアム・ヘンリー・スミスが自慢して言った言葉〕）。真夜中に特別に駅馬車を走らせたのだ。文学は、雑誌の形式で、朝刊とともに届けられた。スミス社は19世紀なかばには、新聞雑誌の即配業をほぼ独占した。新聞販売業のみならず、1860年からは巡回図書館も運営しはじめた。イーストン駅のスミス店からディケンズの小説を借り出して、エディンバラまでの10時間かかる列車で読み、到着したらエディンバラ・ウェイヴァリー駅のスミス店で返却できたのだ。

1840年から、全国規模でペニー郵便がはじまり、大都市間で毎日、数時間ごとにメッセージのやり取りができるようになった（ロンドン中央郵便局に勤務していた小説家アンソニー・トロロープも発案に貢献した）。ほぼEメール並みの速さだ。社会のなかでも最も文字に関わる作家たちは、このすばらしい新情報交換システムを最大限に利用した。トロロープは、電信の導入にも一役買った。蒸気機関の発明は、船旅の時間を大幅に短縮した。トロロープがその優れた小説『バーチェスターの塔』（1857）を英国内の列車での移動中（郵便局員の仕事のためだろう）に書き、さらに『現在の生き方』（1875）――意義深い題だ――をアメリカ、オーストラリア、ニュージーランドへ向かう蒸気船で書いたのは重要なことである。

こうした発展は、市場の国際化、国内市場の効率化へとつながった。ニューヨークとサンフランシスコをつなぐ鉄道線路に最後の「黄金の犬釘（ゴールデン・スパイク）」が打ち込まれたとき、新刊（その多くは蒸気船でヨーロッパからもたらされていた）がアメリカ大陸の端から端まで数日で運べることになったのだ。

1912年、グリエルモ・マルコーニの無線電信会社が世界規模での通信網の基盤を作ると、マルコーニは『夏の夜の夢』のパックのセリフ「地球をぐるりとひとめぐり、かかる時間は40分」を引用して、電波に乗せた。シェイクスピアはまさに地球規模になったのである。新しい国際主義は、国際著作権法の合意（第11章）によって確かなものとなった。

必ずしもすべての作家が、新しい読者層に向けて書くようになったわけではないが、そうする作家は多かった。20世紀末から21世紀初頭にかけての情報通信はますます発展していた。インターネット（第40章）によって、年ごとに通信法が変わっていくさまは、レゴランドが様変わりするぐらいの勢いだ。作家はいわば地球村のために書いていると思うこともできた。

まったく『すばらしき新世界』的な話だ。しかし、やっかいな問題が残っている——言葉だ。ポピュラー音楽は言語の領域を越えて、歌詞がわからなくたって楽しむことができるが、文学はそうはいかない。文学から言葉をとったら、何も残らない。文学は、言葉が変わるところで止まってしまうというのが、これまでの流れだった。ほんのわずかの外国文学が翻訳の障壁をくぐりぬけるのだ。

翻訳（英語の「トランスレーション」は「越えて運ぶ」という意味）は難業であり、うまくいかないことが多い。20世紀で最も重要な作家を挙げろと言われれば、カフカの名前が必ず入るだろうが、カフカの小説（未完）の最初の英訳はその死後10年は出なかった。カフカの主作品はさらに時間がかかったし、まだいくつかの重要な言語での翻訳はこれからだ。たんなる時差ではない。どんなに優れた翻訳家であろうと、そして翻訳によって作家の収入も名声も格段に上がるという事実があろうと、翻訳とは本質的に欠陥を孕むものなのだ。アンソニー・バージェス——作家であると同時に語学にも通じていた——は、「翻訳とは、言葉の問題だけではない。文化そのものをわかるようにする仕事なのだ」と述べている。アメリカ人詩人ロバート・フロストが言ったとされる名文句もある——「詩とは、翻訳で失われるものなり」。

もちろん、ポピュラー文学であれば、読者はただページを次々に繰って楽しみたいだけなのだから、翻訳の細かなところはあまり問題にされないだろう。スティーグ・ラーソンの2005年の国際的ベストセラー『ドラゴン・タトゥーの女』に続けとばかりに書かれた小説――「スカンジ・ノワール」（ノルディック・ノワールとも呼ばれ、スカンジナビアや北欧諸国を舞台とした犯罪もの）と呼ばれる犯罪小説――は、いまいちの翻訳でも何とかなる。大人気のスカンジナビアのスリラーテレビ番組にパッとしない字幕がついていても楽しめるように。とにかくページを繰るだけの本の場合、繊細な散文は要らない。実用本位の散文で十分なのだ。

残念なことに、ある意味で翻訳の問題は、世界文学にとってどんどん小さくなっている。言語学者によれば、2週間に1言語のペースで言語は死んでいるのだという。その人たちの過去のささやかな文学、さらにつらいことに未来の文学が、それとともに死に絶える。現代では、英語が強国で用いられ、今や「世界語」となっている――2000年前のラテン語のような優勢だ。19世紀が「英国の世紀」であり、20世紀が「アメリカの世紀」であるという事実は、2大強国による支配が、ジョージ・バーナード・ショーが言ったように「共通言語によって」分断されたことを意味する。21世紀では、それが変わるかもしれないが。

文学はどんなときもきわめて多様であるため、いかなる一般化もすることはできない。小さな世界で生き、書こうとする重要な作家たちもいる。たとえば、フィリップ・ラーキン（第34章）は、一歩も国外へ出なかった。「埃」が嫌なんだと冗談を言ったが、その島国性は彼の詩に反映されている。1978年のノーベル文学賞受賞者のアイザック・バシェヴィス・シンガーはその小説をイディッシュ語で、自分が住むニューヨークの小さな共同体の数千人のために書いた。「数少ないがふさわしい聴衆」と、ミルトンが述べたとおりである。

小さな世界は、これまでも文学で繁栄してきたし、これからもするだろう。しかし、グローバルな世界は、宇宙それ自体と同様に、ものすごい速さで拡大していっている。それは新しく、刺激的な世界であって、よかれあしかれ、止めることはできないのである。

Chapter 38

罪悪感のある快楽——ベストセラーと金儲けの本

どんなに野心的で勤勉な人でも一生のうちに読み終えられないほど多くの偉大な文学が私たちのまわりにあふれている。しかも、毎年どんどん増えている。文学は、誰も頂上まで登ることのできない山のようなものだ。慎重に道を選びながら麓（ふもと）まで登れたら、それだけでもラッキーだ。頂上は遙かずっと上なのだから。本書で言及した作家に限るとしても、どんな読書家でもシェイクスピアの39作（『サー・トマス・モア』も数えれば40作）の戯曲すべてを読まないうちに人生を終えることになるのではないか（私は『ペリクリーズ』がちょっと怪しいことを告白する）。あるいはジェイン・オースティンの小説すべてとか、テニソンやドストエフスキーが活字にした一語一句に至るまで読むなんてむりだ。スーパーの商品を全部ショッピングカートに入れられないように、文学のすべて（あるいは、だいたいのサンプルにしたところで）を読むのは不可能なのである。

だが、さらに大きなものと格闘しなければならない。それほど偉大でない文学だ。（高名な）SF作家シオドア・スタージョンによれば、「SFの90パーセントはクズである。しかし、あらゆるものの90パーセントはクズだ」。大英図書館とアメリカ議会図書館のなかには、「文学」として分類された本が200万冊近くある。平均的な人は、大人になってから文学作品を600冊読む。正直に言えば、その600冊のほとんどは、私たちのほとんどにとって、スタージョンが「クズ」と呼ぶものだ。空港の出発ロビーで待ち時間を過ごしている人たちを見まわせば、きっとギュスターヴ・フローベールやヴァージニア・ウルフではなく、ダン・ブラウンやジリー・クーパーを読んでいる人が多いだろう（しかも、ひょっとすると、その人たちが人生で本を読むのはそれが最後になるかもしれないという、曰く言いがたい恐れさえ感じてしまう……）。

2012年度のブッカー賞とコスタ賞（2006年までウィットブレッド賞と称していた文学賞）（第39章参照）の受賞作は、ヒラリー・マンテルの歴史小説『罪人を召し出せ』だった。6か月間で、100万部近く売り上げた。これまでの受賞作でそれほどの成功を収めたものは、この50年なかった。しかし、E・L・ジェイムズが同時期に1億部を売り上げた大衆官能ロマンス小説『フィフティ・シェイズ・オブ・グレイ』と比べてみよう（大ヒット作という意味の「ブロックバスター」という呼称にひっかけて「ボンク（性交）バスター」と呼ばれている）。言うまでもなく、大きな文学賞を受賞するわけでもなく（ただし、356ページにあるように、全英図書賞を受賞している）、たいていは冷笑された。疑いもなく、ジェイムズ夫人はボロ儲けを後ろめたく思うことはなかっただろう（「数百万は台所のリフォームに使いました」と告白したのはなかなかチャーミングだった）。

こうした数字は、2通りに解釈できる。まじめな考えをする批評家は、ジョンソン博士が「一般読者」と呼ぶ人たち（ちなみに、ジョンソン博士は一般読者を見下したりはしていなかった）の救いがたい文化的堕落だと呼ぶだろう。一般読者が「クズ」をむしょうに読みたがるものだということを理解する実際的な意見の人は、長い目で見れば健全なことだと考えるだろう。たとえば、E・L・ジェイムズの本は、今ではランダム・ハウス社と超大会社であるペンギン・ブックス社が合併した「ペンギン・ランダム・ハウス」から出ている。ペンギンは、1935年にアレン・レーンがペーパーバックの良書を出す会社として創業して以来、「高級」文学を一般読者に広く届けてきた。レーンは同時代の最高の小説を、チェインストアのウルワースが安価な読み物につける程度の価格で提供しようと努力した（ウルワースは、アメリカでは「ファイブセント・テンセント・ストア」、英国では「スリーペニー・シックスペニー・ストア」と呼ばれていた）。最高の文学を最も安い値段で提供しようとしたのだ。

出版社は、「低級」文学で「高級」の穴埋めをしようとする。つまり、いわゆる金目当ての粗悪品（英語で「ポットボイラー」）で食いつなごうというわけだ（おなべ（ポット）をボイルするなら、食うのはシチューか）。これはなかなか不思議なからくりだ。フェイバー&フェイバー出版社は、1929年にT・S・エリオットがその設立に手を貸して以来、英語圏での詩の老舗出版社として高い評価を得てきた。詩人にとって、自分の本にこの出版社の名前の記載があれば、最高のお墨つきになる。最近では、フェイバー社の財政をしっかりと安定させてくれているのは——なんだろう？『荒地』やテッド・ヒューズやフィリップ・ラーキンの詩作品の販売だろうか？　いいえ。『キャッツ』、そう、エリオットが韻文で書いた冗談本『ポッサムおじさんの実際的猫の本』をアンドルー・ロイド・ウェバーが翻案してロングラン・ミュージカルになった作品の、副次的権利による収入が最も潤沢なのだそうだ。誰もT・S・エリオットが「低級」（まさか「クズ」）なものを印刷したなどとは言わないだろう。しかし、一般論として、エリオットが20世紀最も重要な詩人となったのは、『実際的猫の本』のおかげではない。

偏見を捨てて、「高級文学」（「古典」「正典」「良書」でもよいが）でないものを「クズ」と呼ばずに「ポピュラー文学」と呼ぶとよいかもしれない。「ポピュラー（popular）」とは、「人々（people）の」という意味であり、つまり、教会や大学や政府のような施設や機関のものではないということだ。15世紀のミステリー劇（第6章）はポピュラーだ。聖書は、当時ラテン語で書かれており、施設のものだった。現在でも施設が定めた文学というものはあり、学校や大学でむりやり読まされる。

小説は、最高にポピュラーなジャンルだ。ヒットすれば、いつだって「批評はそっちのけで」大勢が買い求める。小説の歴史の最初からそうだった。サミュエル・リチャードソンが『パミラ』（1740）――可愛いメイドが淫乱な主人に執拗に迫られる話――を出版すると、ファンがついた。とりわけ当時の女性読者だ。サー・ウォルター・スコットが小説を出版すると、本を買おうと大勢が書店を取りかこみ、本の茶色の包み紙を破り捨てて路上で読みはじめたという記録もある。そうした「ファンの押しかけ」現象は、『ハリー・ポッター』の第7巻の刊行に至るまでずっと続いてきており、書店の外に一晩じゅう並ぶ人たちが魔法使いの恰好をしたりして、なんだかお祭りみたいになっている。みんながそうして楽しんでいるのは、その本がその週の『TLS』(タイムズ文芸付録)によい書評が掲載されたからでも、大学進学に必要だからでもない。

「ベストセラー」という語は、比較的最近の造語だ(最初に用いられたのは記録によれば1912年)。「ベストセラー一覧表」もそうだ。よく売れている本のチャートが初めて出てきたのは、1891年のアメリカである。英国人として心配がぬぐえないのは、「ベストセラー」なんて、よけいなアメリカ気質ではないかということである。ベストセラーは「アメリカ人が好きそうな本」であって、アメリカではそれでいいが、ほかの国ではそうはいかない。英国の出版業界は、頑強にベストセラー一覧表を出すことを拒んできた——1975年までは。本とは、グランドナショナル競馬で馬が競い合うように、互いに競い合うものではないと感じられたのだ。しかも、ベストセラーを追いかけるようになると、本の質が落ち、多様性にも悪い影響が出る。必要な「識別」(あれではなくこれ、とか、これを読んでからあれ)も混乱してしまう。知的な読者は自分で本を見きわめるべきなのではないか。などなど、議論はつきない。

ベストセラーは「どこからともなく」生まれることが多いことも、問題を複雑にする。たとえば、『フィフティ・シェイズ・オブ・グレイ』は最初、ファンフィクションとしてオンラインで、オーストラリアの読書グループのために書かれたもので、著者も出版業界ではまったく無名だった。出版社はこの「どこからともなく」生まれる要素をできるだけ減らすために3つの対策を講じるに至った(やはり主にアメリカの話)

――すなわち、「ジャンル」、「シリーズ化」、「ミー・トゥー主義」。

第17章からもわかるように、書店に入れば、好きなものを見てまわれる――しかし、書店は似たような本を「ジャンル」別の棚に分けることで、客が買いそうな本へと誘導している。SF、ホラー、ロマンス、犯罪もの、ミステリーといった具合に。「シリーズ化」は、それとはかなりちがう。小売店が「ブランド・ロイヤルティ」(特定のブランドを買い続けようとする傾向)と呼ぶものが読者にはある。前にスティーブン・キングを読んでおもしろかったから、「スティーブン・キングの最新作」を買おうという具合だ(最新作の題名よりもキングの名前のほうが大きく印刷されているのはそのため)。「ミー・トゥー主義」は、単純に「真似っこ」ということ。たとえば、『フィフティ・シェイズ・オブ・グレイ』がヒットすると、似たようなカバージャケット、似たような題名、似たような内容の本やパロディ本があふれんばかりに出版された(私のお気に入りは、『フィフティ・シェイムズ・オブ・アール・グレイ(アール・グレイの50の恥)』というもの)。

考えてみれば、ベストセラー一覧表は、ただ販売量をチャートにしただけではなく、「群れの反応」を示すことで購買意欲を刺激するものである。みんなが読んでいるから読んでみようというわけだ。群れが走り出すと、本来働くはずの選択と「識別」(何を読もうかという慎重な思考)は踏みつけにされる。ダン・ブラウンの『ダ・ヴィンチ・コード』は2003年に出版されたとき、ほとんど否定的な書評しか出なかった。ところが、2年間にわたってほかのどんな小説よりも売れた。ドドドッと走る群れは、いつもひづめで投票する。それと財布と。

たいていのベストセラーはあっという間に消えていく。大半は「本日売れている本」なのであって、一年間のベストセラー表には昨年の本とはちがうものが並んでいるものだ。ところが、息の長いものもあり、何年ぐらいもつか、場合によっては何世紀もつのか調べることでポピュラー文学のからくりを調べることができる。『レ・ミゼラブル（ああ、無情）』はよい例だ。ヴィクトル・ユゴーは、囚人24601とジャベール警部との叙事的な葛藤の物語を、フランスの終わらない政治的混迷を背景にして1862年に出版した。最初はフランス語で出されたが、ほぼ同時に他の10言語でも出版された。地球規模の企画として、『レ・ミゼラブル』は直ちに大きな成功を収めた。ユゴーの小説は、1861～65年のアメリカの内戦時代に両軍が最も読んだ本だと言われている。そのあと数十年にわたって、舞台版も世界じゅうで常に上演されるようになった。『レ・ミゼラブル』は12回も映画化された。1985年には、野心的でないミュージカルがロンドンのバービカンで初演された。あまりよい劇評は出なかったが、ヒットし、公式「レ・ミゼ」ウェブサイトによれば「世界最長のロングラン・ミュージカル――22の言語で、42の国々で、6500万人以上の観客が観た」とされる作品となった。2013年ロサンジェルスで行われたアカデミー賞授賞式では、最新の映画版（1985年ミュージカルの映画化）が3部門で受賞するという栄誉に輝いた。

ヴィクトル・ユゴーの『レ・ミゼラブル』をポピュラー以下と呼ぶ人はいないだろう。だが、正直に言えば、「偉大な文学」とも呼べないだろう。ジョージ・オーウェルが「よくて悪い本」と呼んだ部類の本だ〔文学的な気取りはないが、読むに値する本という意味。オーウェルが1945年の『トリビューン』紙に発表した論考に基づくが、そこでオーウェルが書いているようにもともとG・K・チェスタトンの言葉〕。この作品の翻案はすべて、忠実度は異なるもののそれぞれのやり方で原作の核はおさえている。すなわち、囚人と、彼を牢獄に入れようとする者との長い戦いと、原作の社会的メッセージとしてユゴーが「社会的窒息」と呼ぶものが犯罪の温床であること（ジャン・ヴァルジャンの場合は、餓えた家族のためにパンを盗んだこと）をはずすものはない。『レ・ミゼラブル』がさまざまに形を変えて長い変容を経てきたことは、原作を安っぽく利用していることになるのだろうか。そうではないだろう。ポピュラー小説の名作には、進化していく力――流れる液体のように、常に変化する文学的・文化的時代の環境に対応していく力――が備わっているのだ。ポピュラー文学一般のなかには、その力があるものもあるが、たいていはない。『ダ・ヴィンチ・コード』や『フィフティ・シェイズ・オブ・グレイ』のミュージカルができて、２１２０年にアカデミー賞をとるなんてことはないだろう。

詩はどうだろうか。あまり深く考えずとも、薄っぺらで「小さな雑誌」に限定された少数精鋭の熟練した読者たちの興味が常にあるのだろうと想像できる。「ベストセラーの詩」というのは、「巨大な小エビ」のような撞着語法（オクシモロン）だ。しかし、ちがった角度から考えると、今日ほど詩に人気があったことはない。1週間のうちに何時間も詩を耳にする。私たちほど「詩のなかに」暮らしている世代はこれまでかつてなかった。どうしたことだろうか。

詩の歴史において最も影響力のあった1冊の本は、おそらくコールリッジとワーズワースの『抒情民謡集（リリカル・バラッズ）(*Lyrical Ballads*)』だろう。原題の2語のもともとの意味を見れば、この作品の理解の助けとなろう。Lyrical（リリカル）

とは、ギターの前身である古代の楽器リラ（lyre）にまでさかのぼる語だ（ホメロスはその叙事詩をリラの伴奏に合わせて朗誦したと言われている）。Ballads（バラッズ）は「踊り」——バレエ（ballet）——が語源だ。それでは、ギターに合わせて歌われるボブ・ディランの歌詞はどうなるのだろうか。マイケル・ジャクソンやビヨンセの踊りと歌のビデオは？　コール・ポーターのバラードを新しい世代が次々と収録し直しているのはどうなる？　広い心で批評的に考えられる人にとっては、こうしたポピュラー音楽にも「文学」があると考えるのは決してむりなことではない。コールリッジとワーズワースの１８０２年の薄い本にも文学があったのと同じことなのだ。別な言い方をすれば、よく目を凝らして見てみれば、クズにも真珠は見つかるということである。

Chapter 39 誰が一番?——賞、採点、読者グループ

古代世界の月桂冠からはじまって、(ラッキーな)現代作家が受け取る「これまでにないビッグな」賞に至るまで、最高の文学業績には常に賞が与えられてきた。桂冠詩人となるのも、賞の一種だ。テニソンが英国桂冠詩人を42年間務めた(第22章)ことで、テニソンが詩の世界で優位にあったことがわかる。貴族制度のようなものだ。テニソンが1892年に死んだとき、国葬(名目だけだが)となったのは、その詩に感謝した女王と国民からの賞だとも言える。

しかし、組織的に運営される文学賞——これやらあれやらが最高の小説、最高の詩集、最高の戯曲であるとか、生涯にわたる文学的業績を認めるとかいうことに選考委員の判決を下すこと——は、20世紀以降の現象であり、私たちの時代のものなのである。最初にそういう受賞がなされたのはフランスにおいてであり、ゴンクール賞が1903年より開始された。英国とアメリカは、1919年と1921年にそれぞれ追随した。それ以来、文学賞授与は爆発的に増えた。冷笑家に言わせれば、まるでクリスマスパーティーの贈り物のようで、誰でもひとつもらえるらしい。現在では、作家たちが直接競い合ったり、あるいは出版社がエントリーしたりする文学賞が数百単位で、さまざまな国にある。しかも、毎年新しい賞が設立される。

とりわけ当惑するのが「カテゴリー別」の賞の数々だ。年間第2位賞（アンコール賞と名づけられている）、年間優秀推理小説賞（このジャンルの創始者エドガー・アラン・ポーにちなんでエドガー賞）、最優秀歴史小説賞（ウォルター・スコット賞、理由は同じ）、女性小説賞（前はオレンジ賞と呼ばれていたが、2013年からベイリーズ賞）、ジャンルを問わない文学賞（コスタ・ブック賞）、詩集賞（T・S・エリオット賞）など。巨額な賞金を出すものもあれば、「名誉」だけのものもあれば、「不名誉」なのもある（小説における最悪な性描写賞）。最大の賞金は、アメリカのマッカーサー財団の天才助成金によって派手に提示され、幸運な作家にあなたは天才だから50万ドルを好きに使ってよいとして渡すものだ。こうした賞の共通点は、あまりはっきりとどういう特質を表彰しているかとか、どういう基準で判断しているかとかを明確にしない点だ。賞に値するとどのように決めるかは、選考委員と委員会の自由裁量に任せられる。

最大級の賞のいくつかを吟味する前に、重要な問いを考えておこう。なぜ賞が起こり、なぜ今、なぜそのような賞が必要なのか。自然といくつかの答えは浮かび上がる。最も納得のいく解答は、私たちは競争時代に生きており、「勝つ」ことが重要だから。競馬を嫌う人はいないと言われる。賞によって、勝者と敗者という刺激的要素が文学に加わる。それで文学は、一種のスポーツのスタジアム、あるいは戦闘場となる。

この20年のうちに、出版業者は、だれが英国のブッカー賞を、アメリカのピュリッツァー賞を取るか賭けをするようになってきた。これらの大きな賞を発表する授与式は年々アカデミー賞の授賞式に似てきている。赤いカーペットがないだけだが、そのうち敷かれるようになるのだろう。

現在の賞への執着の第2の理由は、焦燥だ。ジョージ・オーウェルが述べたように、文学作品の良さは時が経たないとわからない。文学が最初に現れたときは、まだ良し悪しがわからないものだ。それは、書評も含めてそうであり、数日で「権威ある」判断を強いられるのだから、狙いを定めずに発射するようなものだ。大ハズレになることもある。『たのしい川辺（ウィンド・イン・ザ・ウィロウズ）』（ケネス・グレアムが1908年に発表した児童文学作品。映画化・舞台化もされている）について、モグラは冬眠しないので動物学的にまちがっているなどと文句をつけた初期の書評もあった。もちろんモグラは冬眠しないが、つっこむのはそこでいいのか。エリザベス朝当時、シェイクスピアよりもベン・ジョンソンを高く評価する人が多かった。ディケンズを「低俗」と識別する読者もいた——サッカレーを読むといい。ずっとましだよ。『嵐が丘』？　やめときな、といった具合。数十年も経つと、勝者と敗者はおのずと霧のなかから見えてくる。勝者によって「正典」ができ、教室で勉強される。時がその試金石だった。しかし、読者は、偉大な現代作家は誰か、今知りたいのだ。歴史の判決を待って100年も待っていられない。賞によって、それがわかるわけである。

大量の賞がある第3の理由は、「指標」だ——最近ますます圧倒的に増えている文学のなかをどう進むとよいか道しるべになってくれる。道案内は絶対必要だ。何を頼りにしたらよいか。ベストセラー一覧？　批評家があれこれわめきたてている今週の新聞？　地下鉄の駅でいちばんいかした広告を出している本？　友人が「絶対読んどいたほうがいいよ」と教えてくれたけど、タイトルを思い出せない本？　あらゆる本を見渡したうえで冷静な調査をしている専門家の委員会が、慎重に選りすぐって決定する賞こそが、最も信頼に足る指標となる。

出版業界は、文学賞が大好きだ。理由は明らかだろう。売れなければ命取りになるという常につきまとう不安を取り除いてくれるかもしれないのだ。よく言われる経験則は、出版社は4冊出して赤字を出しても、5冊目は利益をあげるというもの——そしてうまくいけば、4冊分の赤字を補塡してくれる。受賞して首からメダルをぶらさげれば、その本が（あるいはその著者が書く次の本が）稼ぎ手となってくれる。しかも、必ずしも賞を取る必要もない。次点だったとか、あるいは候補作だったとかでも、十分に箔がつく。

では、最大級の文学賞とは何か。まず、歴史的にも最も古く、真っ先に挙げるべきは、1901年に創設された《ノーベル文学賞》だ。5分野のうちのひとつが文学賞であり、それぞれの分野で画期的な業績を残した者へ贈られる。アルフレッド・ノーベルは、安定起爆剤ダイナマイトを発明したスウェーデン人だ。ダイナマイトは建設や鉱山業で便利だが、恐ろしい戦争の武器にもなった。ノーベルはその遺書で、莫大な財産のほとんどを自分の名を冠した賞金のために遺した。道徳的賠償金だと言う人もいる。毎年の文学賞選考は、（匿名の）専門家の意見を交えてスウェーデン・アカデミーが行う。

スカンジナビアには偉大な作家がいる（たとえば、イプセン、ストリンドベリ、ハムスン）。だが、ノーベル賞は、当初から世界的規模で考えられ、文学と言えるものであればすべてを対象とした。ヨーロッパの端にあるスカンジナビアは、選考会の判断に対して客観的で公平でいるために理想的な位置にあった。この賞のまぎれもない功績は、私たちの文学に対する感覚を「脱地域化」し、一国のものでなく、世界のものとして発想させてくれたことである。ノーベル賞は人生をかけた業績に対して贈られ、賞選考の唯一の基準は「理想的な方向における抜きん出た作品」を生み出した作家に贈られるべしというものである。

ノーベル賞選考委員会は、国際政治に影響を及ぼすとずっと考えられてきた。ボリス・パステルナークやアレクサンドル・ソルジェニーツィンに賞を与えれば、ソ連が彼らの授賞式参加を許さないことは目に見えていた。誰が受賞すべきだったかという議論は、毎年やっぱりと思うほど、必ず出てくる。そこには（典拠の怪しい）ノーベル伝説の毒気がただよう。ジョゼフ・コンラッドが受賞しなかったのは『密偵（シークレット・エージェント）』で悪者をダイナマイトで爆破したからか？　グレアム・グリーンがもらえなかったのは、「安全マッチ」の販売で巨額の富を築き、「マッチ王」と呼ばれたスウェーデン人アイヴァー・クルーガーについて『私を作った英国』でひどい描写をしたからか？　英国生まれのW・H・オーデン（1968年時には有力候補だった）は、泥沼のベトナム戦争のようなまずい時期にアメリカ国民でなければ〔1946年にアメリカ国籍を取得〕受賞していたか？　作家にとって、そうしたゴシップネタが、毎年の発表に刺激を与えてくれる。余計な憶測ではあるが、このまごうことなき世界の冠たる文学賞への重要性を弥増（いやま）すようすがともなっている。

1903年に設立されたフランスの《ゴンクール賞》は、文芸批評の見地から言うと、きわめて純粋な賞である。立派なフランス人文士エドモン・ド・ゴンクールの遺産をもとに、彼の高い文学的理想を称えて設立された。選考委員となった文学界の重鎮10名は月に1度レストランに集まり（だって、パリっ子の賞ですからね）、その年のとくに優れた本を選ぶ。文学的質の良さがすべてである。賞金は、お金の問題ではないと強調するために、お話にならない10ユーロ。ありえない。ランチはきっと大金がかかっているだろうに。

アメリカの「文学のアカデミー賞」などと言われている《全米図書賞（ナショナル・ブック）》は、大不況時代の1936年に、出版業の低迷期こそ話題で盛り上げて販売を促進しようと、アメリカ書店協会がはじめたものだ（1950年に複数の出版社により再創設）。英国にも同名のナショナル・ブック賞が一時期（2010〜2014年）あったが、現在は《全英図書賞（ブリティッシュ・ブック）》と呼ばれている。年々賞の種類が増えて、街の書店の書棚コーナーの数と同じぐらいあふれかえった時期もあったが、あまり多いとありがたみも薄れるというものだ。2012年には、E・L・ジェイムズの『フィフティ・シェイズ・オブ・グレイ』が《全英図書賞（ブリティッシュ・ブック）》を受賞した。

英国では、毎年10月《ブッカー賞》が発表される。「英国のゴンクール賞を」として、1969年に創設され、今では世界的に権威のある賞となった。長編小説が対象だ。しかし、大陸の元祖とはちがい、喜んでたっぷり賞金を出してくれる（しかも広告になるから、売り上げも伸びる）。創始者ブッカー・マコンネルは西インドの砂糖栽培で財を成したのだ。ブッカー賞受賞者のジョン・バージャーは、そのスピーチで、「植民地主義」の後援者を攻撃し、賞金の半分を黒人解放闘争運動に寄付すると言った。最近では、賞金はヘッジ・ファンドによってまかなわれ、このため賞は《マン・ブッカー賞》と改名された。英国流現実主義のおかげで、賞の運営者たちはじょうずに資本主義と折り合いをつけたのである〔2019年に名称はブッカー賞に変更された〕。

長年ゴンクール賞の選考委員を務める10名は全員文学者だ。ブッカー賞の5名の選考委員は一年任期で、「業界」から選ばれる――ショービジネス系の人が入って、物議を醸したこともある。出版業界は、文学賞だけではなく、賞の授賞式の前後にある盛り上がりが大好きだ。ブッカー賞の選考委員の名前が絶妙なタイミングで発表され、候補作は何か、最終審査に残ったものは？と騒いで、宴会だ、テレビの報道だ、「どうなるでしょうか」と期待が高まり、たいていは激しい論争になる。その間、たくさんの小説が購入され、消化される。こうした文学の賞文化というのは、よいものなのだろうか。たいていの人はいいじゃないかと言う。それで文学が読まれるようになるなら。ただし、文学も様変わりしたものだ、そしてすごい勢いで変わっていくという認識も必要だろう。

もうひとつの20世紀の新現象は、第2次世界大戦後にはじまって広がりを見せているブック・フェスティバルだ。規模の大小にかかわらず、本の愛好者たちを一堂に集め、上品な形ではあるがいわば文学のポップ・コンサートを開催する。多勢を力として、ファンは自分たちの好みを作家にわかってもらい、作家は読者たちと直接話すことになる。そしてまた、フェスティバルでは恒例となった「ブック・テント」〔テントのなかが書店となっている〕では、何が売れているのかに敏感な出版社に対しても直に関わることになる。まさに心の集会だ。

さらに新しいのは、地域の読書グループの爆発的な成長である。同じ嗜好をもつ読書愛好家が集まって、自分たちの選んだ本について話し合うのである。こうしたグループはべつに教育だの自己啓発を目指しているわけではない。参加費は無料だし、規則もない——読むに値する本に対して批評を交換したり、すてきな議論を楽しんだりしようというだけだ。やはり、心と心の出会いであり、文学に関するところ、常にすばらしいことばかりである。

読書グループによって、文学について語る方法が変わってきて、作り手と読み手のあいだの新たなコミュニケーションの方法が開けてきた。最近の出版社の多くは、読書グループを対象に、小説や詩をパッケージにして売り、注釈的な作者インタビューや質疑応答をセットでつけている。民主主義の精神だ。上から下への指示などはない。むしろ、下から上へと声があがっていくのであり、本の選び方も『ニューヨーク・レビュー・オブ・ブックス』や『ロンドン・レビュー・オブ・ブックス』や『ル・モンド』紙の書評が褒めていたものではなく、「オプラのお薦め」〔アメリカの有名司会者オプラ・ウィンフリーが1996年からはじめた「オプラのブック・クラブ」でのお薦め本〕から選ばれることが多い。読者グループは、読書を生き生きと楽しいものにしてくれる。それがなければ、文学そのものが死んでしまうだろう。

Chapter 40
文学とあなたの人生——そしてその向こう

印刷された「本」——紙と活字とインクと板でできあがった物理的な物体——は、もう500年以上存在している。文学を安い（ときに美しい）形に変えて、それで大衆の読書を支えてきたのだから、文学は大いに恩恵を受けた。これほど長く、これほど役に立った発明はない。

しかし、本にも全盛期がある。転機はわりと最近やってきた。2010年代のことだ。電子書籍——アルゴリズムと画素で成るデジタル本——の売り上げがアマゾンで昔からの本を越えたのだ。現在では小型タブレットのために販売されている電子書籍は、あえて本物の本の形に似せてあるのが不気味だが、これはちょうどグーテンベルクの印刷した初期の本が手書きの写本と似ていたようなものだ。だが、もちろん、本物のグーテンベルクの本のようには機能しない。馬なしの馬車（つまり自動車）が馬に引かれていた馬車とはまるきり構造がちがうように、電子書籍もまるきり本とは異なっている。

電子書籍では活字の大きさを変えたり、すごい速さで親指で（人さし指ではなく）ページをめくったりすることができ、検索機能が使え、一部をダウンロードすることもできる。要するに、本よりもずっと多くのことができるわけだが、よく言われるように、お風呂に落とすことはできない。そしてもちろん、電子書籍はさらに進化を遂げており、５００年もしないうちに大きく変わるだろう。本のアプリで新たな形態や新たな読み方がすでに生まれている。これから数年のうちに文学はどのような形になるのだろう。どのように届けられるのか。未来の図書館には紙の本はなくなるのだろうか。道路から馬に引かれた馬車が消えたように？

こうした問いに答えるために、未来の文学の３つの基本条件から考えてみよう。文学が将来どのように私たちに届けられるにせよ、次の３つは確実だろう。第１に、未来はさらに多くの文学が読めるようになるはず。第２に、文学はさまざまな、これまでとはちがった方法で（オーディオ、ヴィジュアル、そして「ヴァーチャル」な形式で）読まれるはず。第３に、新しいパッケージとなっているはずだ。

最初の、文学の「過剰さ」は、すでに私たちも経験しており、常に拡大している。インターネットにつながる端末があれば、プロジェクト・グーテンベルクのような、新しくて（しばしば無料の）電子図書館を通して、何十万もの文学作品にアクセスすることができる。昔の本だったら飛行機の格納庫いっぱいになるほどの本が手のひらに乗ってしまうのだ。手に入るものは常に増えている。配達は即座に行われ、商品もあなたの個人的な好みにカスタマイズされて読みやすくなる。

心がつぶれそうなほどの過剰さは新たな問題を惹き起こす。物資不足で、物が手に入らない時代に育った者（私もそのひとり）はまだ生きているが、かつては新しい小説が読みたければ、お金を貯めるとか、地域の公共図書館の予約リストに名前を書くとかしなければならなかった。面倒ではあったが、ある意味すっきりしていた。ほかに方法はなかったのだ。

今や比較的少額で、クリックを2度ほどすれば、新刊も買えるし、古本などは際限なく買える。ウェブ上の検索エンジン（「執事ジーヴス」〔ウッドハウス作の小説の主人公〕のように「ジーヴス」と呼ばれるものもある）が、あなたの読みたい新しい詩でも古い詩でもすぐ読ませてくれる。いくつかのキーワードをエンターすればいいだけだ（「さまよう」と「孤独な」と「雲」といった具合に）。

私の場合を例にして言えば、かつては本がなくて困っていたのに、今ではたった1度の人生のうちにどれを選んでいいかわからずに困るほど大量の本が電子書籍で読めてしまう。この電子のアラジンの洞穴で、何から見ていけばいいのか。もっと重要な言い方をすれば、限られた（人生の）時間を何に投資すればいいのか。現代では、学校にいるあいだに50作ほどの作品に出会い、大学で文学を研究する人はさらに300作ほど読むという試算が出ている。ふつうの人で大人になってから読む文学作品は1000作ぐらいか。わからないが。

何か指定があれば（たとえば、試験の必読図書とか）、選択の余地はない。しかし、たいていは、何を読むかは自由だ。現代の読者とは、大洪水のなか、ちゃぷちゃぷとオールで舟をこいでいるようなものだ。シェイクスピアの時代は、彼のような本好きの人が読める本は2000冊程度だったと言われている。教養があることを「よく読んでいる（ウェル・レッド）」と言うが、未来においてはあまりにも本がありすぎて誰ひとり「よく読んでいる」とは言えなくなるだろう。

　多くの人が採択する読書法は、昔の「お決まりのやつ」を頼るというものだ。つまり、古典の名作、現在ベストセラーのトップになっている本、信頼できる友人やプロのお薦めなど。これは、流れに逆らわずに泳ぐ方法と呼べるかもしれない。

　あるいは、「ショッピングカート」方式と呼べる方法もある。自分の特定の欲望、興味、好みに応じて、よりどりみどりで自分に合ったものを選んでいくやり方。ウィリアム・ギブソン（「サイバーパンク」SF小説のパイオニア）によれば、文学に関するかぎり、私たちは「チーズのなかの虫」だ。虫はチーズを食いつくしはしない。そして、ほかの虫と同じ穴をあけたりもしない。

「余剰をどうするか」という問題は、私たちが手にしているのが、単にテクストだけを読ませる装置ではないためにさらに複雑になってくる。ページに書かれた文字を越えて、音楽、映画、オペラ、テレビ――そしていつのまにか――ゲームが手に入るのだ。印字された文字が勝てるわけがない。お気に入りの音楽を聴いたうえで、なおかつ最近の小説を読む時間なんてあるだろうか（どちらも、手にした同じ装置で、比較的安価で手に入ってしまう）。

　今日では、時間の知的な使い方の教育が必要だ。未来においては、お金ではなく時間が足りなくなる。平均的な労働者が、ふつうの1週間のうちにざっくりどれほど時間を文化に費やすだろうか。10時間程度という試算が出ている。ヒラリー・マンテル（先ほど名前を挙げたので）の新作小説を読むのにどれぐらいかかるだろうか。そう、そのとおり。10時間だ。

現時点で私たちは文学界の過渡期、ないしは「橋渡し」の時期にいる。電子書籍が「本型」形式にこだわるのは、批評家マーシャル・マクルーハンが「バックミラー主義」と呼んだもの（新しいものでも、慣れ親しんだものの方が落ち着くために古い形式にしてしまうこと）の例である。未来をどう扱っていいかわからず、不安を感じるために、過去にしがみつくのだ。子供がいつもの落ち着く毛布を握り締めるようなものである。

よくよく見れば、古いものの断片は、新しいものにも見出せる。映画には音楽のサウンドトラックがついているのに、舞台にはないのはなぜか不思議に思ったことはないだろうか。ケネス・ブラナーが映画でヘンリー5世を演じたとき、音楽が大音量で鳴り響いていた（パトリック・ドイル作曲、サイモン・ラトル指揮）。舞台でブラナーが同じ場所を演じても、音楽はない。理由は、サイレント映画——30年ものあいだ映画はサイレントだった——の時代にはスクリーン前にオーケストラがいて、あるいは最小でもピアノの伴奏があったからだ。「トーキー」時代になっても音楽は残ったのである。本のページの隅にはどうしてあんなにたっぷり余白があるのか——四隅までぎっしり印刷したらよさそうなものではないか？　なぜなら、初期の手書きの本は、余白にコメントや注記を書き込みができるようになっていたからである。今では、書き込みをする人は少ない（図書館でそれをすると怒られる）が、余白は残ったのだ。これが「バックミラー主義」である。

しかし、コメントや注記は、新しい電子媒体でもできるようになっている。『嵐が丘』のヨークシャーの荒地というのは、具体的にどんな感じなのか？　さっと確認できたら便利だ。とりわけ、今や文学は地球規模になっているのだから、イングランドの荒涼たる北部に行ったこともなければ、これからも行かない人は知りたいだろう。

新しい技術では、「目で見る」小説や詩の生産と消費が確実に活発になる（「目で見る詩」って何?というつっこみはとりあえず置いておいて）。文学はこれまで圧倒的に文字によるものであった。とりわけページの上の文字だった。だが、残念ながら、（スクリーンやゲーム画面で）オーディオ・ビジュアルに慣れ、ますます「ヴァーチャル」化していく文化を持つ読者（とりわけ若い読者）には、文字はあまり魅力をもたなくなってきている。白い面の上の黒い印から物語を読み解くのはおもしろくないが、グラフィック・ノベルはおもしろいし、ポピュラー音楽に合わせた詩もおもしろい。「ウォール街を占拠せよ」の抗議活動のときに若者がつけていたあのガイ・フォークスの仮面は、アラン・ムーアのグラフィック・ノベル『Vフォー・ヴェンデッタ』の2006年の映画化で一般に広まったものだ。イラストレーターのデイヴィッド・ロイドが描いたとおりに作成された仮面である。グラフィック小説は、関連する漫画本と同様、映画化されやすく、広い読者層を獲得できる。昔から象形（ピクトグラフィック、な）文字を用いていた日本と中国が経済的に発展することで、この変化はますます加速するだろう。

受け身で読むのではなく、読者が参加するインターアクティブな文学はすでに存在する。オルダス・ハクスリーが『すばらしき新世界』（第30章）のなかで「感覚芸術」——つまり、触ったり、嗅いだり、聞いたり、見たりできる、感覚で味わえる物語、詩、戯曲など――と呼んだものが未来には期待できる。かつての「読者」は「参加者」となるだろう。「バイオニック文学」は、ハクスリーが予言したよりずっと早くに出てくるだろう。私たちは「全身参加型の」読者となる。

「新パッケージ」が第3に挙げた文学の大変貌だ。その方向へ向かっている最も興味深い例は、インターネット上のファンフィクションである。ファンフィクションは、その名前が示すとおり、好きな小説のシリーズをもっと読みたいか、それをもっと楽しみたいファンが作り出す。文学作品は、石碑のように「固定した」ものではないという大前提がここにはある。作家と読者という古い区分けも溶けてしまう。

ファンフィクションは、現在あまり内容的にも著作権法上も制限がかかっていないインターネット上で流行っている。紙で印刷されたものより遙かに多くの量が生産されている。古典小説についても活発な活動を続けているところがある。前述のように《リパブリック・オブ・ペンバリー》というサイトは、ジェイン・オースティンの熱狂的ファンのためのものであり、「ビッツ・オブ・アイヴォリー」(小さな象牙)という追加ページでは、ファンがオースティンの6つの小説に続編を書いている。ファンフィクションは著作権が切れた作品にとどまるものではない。『蝿の王』のような作品の別バージョンが何作か生み出されている。多くのファンフィクションの出来はよくないが、印刷された本と同じぐらいよいものもある。

ベストセラーになったり、何らかの成功を収めたりした小説が、もともとはファンフィクションだったケースもあることは知られている。ジャンルとして、ファンフィクションは小さなグループで生まれ、その小さなグループ内で読まれるために書かれたものだ。執筆依頼があったわけでも、執筆料がもらえるわけでも、書評されるわけでもなく、買われるわけでもない。それは出版されていないのだ。それは大勢がわいわいと集まって書き合う読者に向けて書かれた小説だ。ファンフィクションは商品ではない。売り物でもなければ、プロの作品でもない。どんな市場にも出回らない。言ってみれば、印刷された言葉よりは、文学的会話——本についてのおしゃべり——に近い。それはまた印刷以前の文学への回帰と見ることもできる。『オデュッセイア』や『ベーオウルフ』や『ギルガメッシュ』を最初に聴いた人たちは代金を払っただろうか。たぶん払わなかっただろう。その人たちはおもしろがって会話に参加し、こうすればもっとおもしろいなどと言わなかっただろうか。たぶん、言っただろう。

すでに見てきた口承文学の最もおもしろい点は、その変わりやすさだ。会話のように自由で、変化しうる。そのときたまたまそれを語る人の個性が反映される。水のように、そのときの環境にあわせて形が変わっていくのである。

それが実際にどういうことかは、この1000年のあいだに私たちに伝わってきた口承文学の形式のひとつを見ればわかる。すなわち、会話におけるジョークだ。私がジョークを言い、あなたがそれをおもしろいと思えば、あなたはそれを誰かに言うだろう。それは私が最初にあなたに言ったのと、ぴったり同じではなくなるだろう。あなたは、ちょっとしたあなたなりのアレンジを加えて——どこかをはしょるとか、どこかをふくらますとかして——あなたのジョークとして言うのだ。もっとおもしろくなるかもしれないし、ならないかもしれない。だが、あなたがそれを語れば、そのなかにあなたの一部が入り込む。私が語ったときには、私の一部が入っていたように。それが誰か別の人に語られたとき、その話には私とあなたの両方が混ざり込んでいるのだ。ファンフィクションも同じである。文学がそもそも持っていた流動性が復活しているのである。これはなかなか刺激的である。

変化は避けがたいものである。あえて予言をするなら（はずれる危険も当然あるが）、未来の文学界で起こり得る最もよいことは、作り手であれ、読み手であれ、ある種の「一体感」を取り戻すことだろう。本書は、文学を総体として見たとき、それが人々に共有されてきたようすを解説してきた。文学は、私たちより偉大な思考の持ち主たちと会話をすることであり、どのように人生を生きたらよいのかの指標を楽しく示してくれるものであり、私たちの世界がどこを目指していて、どこへ向かうべきかについて論じてくれるものだ。このような、文学によって可能になる思考の交わりは、現代の私たちの人生に欠かせない。物事がうまくいけば、その思考の交わりは、より強く、より密に、より活発になる。

未来に起こり得る最悪のことは何だろうか？　もし読者が大量の情報に押しつぶされて、それを知識に変換することができずに身動きできなくなったとしたら、かなりまずいことになる。しかし、まずだいじょうぶだろう。そう思える理由がある。人類の精神がすばらしい想像力によって生み出した文学が、どのような新しい形に変化しようとも、永遠に私たちの人生の一部となって、人生を豊かにしてくれるはずだからだ。私たちと言ったが、あなたたちと言うべきだろう――そして、あなたたちの子どもたちと。

訳者あとがき

本書の著者ジョン・サザーランド（１９３８～）は、ヴィクトリア朝小説と20世紀文学が専門のロンドン大学教授である。著書は多く、『現代小説38の謎『ユリシーズ』から『ロリータ』まで』（川口喬一訳）、『ジェイン・エアは幸せになれるか？』（青山誠子ほか訳）、『ヒースクリフは殺人犯か？』（川口喬一訳）などの邦訳もみすず書房から出ている。２０１３年に出た８００ページに及ぶ *Lives of the Novelists: A History of Fiction in 294 Lives*（イエール大学出版局）は、とくに評判になったようだ。２００９年にはヴィクトリア小説の手引書(コンパニオン)第２版をロングマン社から出し、現在はポピュラー小説の手引書をオックスフォード大学出版局から出す準備をしており、まさに現代小説のプロと言うべき人だ。２００５年にマン・ブッカー賞の選考委員を務めた経験もあるといった裏事情も知っていると、第39章がさらに楽しめるかもしれない。

文学史ということで私の個人的な話をすれば、大学の英文科在籍中に英米文学史を必死に勉強したなあという懐かしい思い出がある。あのとき読み込んだ大橋健三郎・斎藤光・大橋吉之輔編『総説アメリカ文学史』（研究社、１９７５）は名著だった。妙に記憶に残っている。それに比べるとイギリス文学史のほうは、斎藤勇著『イギリス文学史』（研究社、１９７４）や、ジョージ・サンプソン著、平井正穂監訳『ケンブリッジ版イギリス文学史』全4巻（研究社、1976〜78）や、平井正穂・海老池峻治編『イギリス文学史』（明治書院、1971）などいろいろ手を出したせいか、あるいは総説よりは原書を読んでいたせいか、思い出の解説書はない。まだ大学院生にもなっていなかった頃、いずれ自分もこうした文学史の本を出せるぐらい偉くなれるといいなあと思いながら勉強していた記憶がある。

本書は翻訳とは言え、曲がりなりにも私が（ついに）出す最初の文学史の本である。個人的に感慨深い。訳すにあたっては、私がいつもシェイクスピアの翻訳でやっているように、英詩に関しては押韻（ライム）をすべて訳出することにした。英詩の原文も添えたので、どこにライムがあるかを確認しながら、訳文と比較して鑑賞していただきたい。英詩を訳す場合は、意味だけを訳してもだめで、その音の構造や韻律をも日本語で表現すべきであるというのが私の持論だが、本書でその効果をご確認いただけると思う。

サザーランド教授が選んだ代表的な英詩が原文と日本語の両方でお楽しみいただければ、これにまさる喜びはない。なお、文学史には個人的な思い入れがあったので最初は硬い文体で訳していたのだが、サザーランド教授のくだけた調子に合わせて調整した。このあとがきもそのノリで書いている。

本書は若い読者のために書かれた文学史であるので、網羅的ではない。読み終えて、「えっ、日本文学は村上春樹だけ？」と思った方は多いだろう（私もそのひとり）。「スタンダールとかサマセット・モームとか完全に無視？」と思った人もいるかもしれない（私です）。しかし、そういう突っ込みをはじめると、あれもこれも取り上げることになり、たとえ全12巻にしても収まらないだろう。まさにサザーランド教授が言うように、「いかにして1クォートを1パイントのジョッキに入れるか」という問題になる。

本書の目的は（サザーランド教授に代わって念を押すが）、古代から現代、そして未来へと文学全体を見渡すことによって、文学とどのように関わっていけばよいかと考える指標を与えるところにある。細かな作家や作品の知識を授けようとするものではなく、読者が自ら積極的に文学を楽しむ姿勢を持つことを促しているのだ。本書は英文学の「大洪水」を漕ぎ渡るための道標なのであって、読者は読者なりに自分の読む作品を自分で選んで読み進めてほしい。

さて、サザーランド教授は最後の方で、新しい時代となって読み切れない量の文学作品があると記しているが、シェイクスピアが活躍したエリザベス朝時代の時代にかぎっても十分読み切れない量がある。「えっ、エリザベス朝はこれだけ？」と思った方もいるかもしれないので（私もそのひとり）、その時代の専門家として、紙幅が許すかぎりにおいて、少し補っておいたほうが読者サービスになるかなと思い、以下を記す。

補遺

文学史を学ぶ意義は、たとえばシェイクスピアという天才が突然現れてすばらしい作品を書いたのではなく、彼がそれまで培われてきた文学的土壌から滋養を得ながら作品を書いたと考えるべきであるという認識に基づいて、その文学的土壌の変化を知るところにある。よい作物を育てる農家が土に詳しいように、文学をよりよく知るために文学史という土壌の品質変化を吟味する必要があるのだ。

そのために、まずシェイクスピアの活躍以前の状況をざっと見渡すと、１５５２年頃にニコラス・ユーダルが『レイフ・ロイスター・ドイスター』という英国初の韻文喜劇を書いたこと、イギリスで初めて芝居の常打ち小屋（劇場）ができたのはシェイクスピアが12歳の１５６７年だったこと、シェイクスピアが活躍するより前に大学才人ジョン・リリーが少年劇団を使って「ユーフィミズム」という婉曲語法を用いた戯曲を多数書いていたこと、シェイクスピアと同い年でありながらすでに海軍大臣一座の座付き作家としてブランク・ヴァースという詩体でセリフを書いて一世を風靡していたクリストファー・マーロウがいたといったことが特筆される。シェイクスピアはリリーの繊細さと、ブランク・ヴァースの雄弁さを自らのものとしていったのである。

シェイクスピアが最初に劇作に携わったのは、１５８９年頃、マーロウら先輩劇作家とともに『ヘンリー六世』の共同執筆に関わったときと推測される。最初は手伝いのように執筆チームに参加して、部分的に場面を書かせてもらったのだろう。このころは、著作権もなければ、誰が作品を書いたかということ自体重要ではなく、多くの作品は作者を明示しないまま上演していた。できあがった作品を劇団に買い取ってもらえれば一丁あがりなので、共同執筆が当たり前だった。シェイクスピアが共同執筆をした相手は、ジョン・フレッチャー、トマス・ミドルトン、マーロウ、トマス・ナッシュ、トマス・ヘイウッド、アンソニー・マンディ、トマス・デカー、ヘンリー・チェトルなど多数いた。シェイクスピアの跡を継いで国王一座の座付き作家となったジョン・フレッチャーは52作、さらにその後継者のジェイムズ・シャーリーは44作の戯曲を書いており、フリーランスで活動していたベン・ジョンソンは仮面劇等も含めて60作、トマス・ミドルトンは43作、フィリップ・マッシンジャーは37作とそれぞれ旺盛な活躍を見せており、エリザベス朝演劇という山が巨大であったことがわかる。そのなかでシェイクスピアが幸運だったのは、1594年からは自分の劇団を持っていたため、書けば必ず上演されることが決まっており、作品の質の向上に集中できたことだ。

シェイクスピアの名前が戯曲の作者名として記されるのは、1598年に出版された『恋の骨折り損』、『リチャード三世』第二版、『リチャード二世』が初めてである。これは、1590年代のシェイクスピアの活躍により、「作者」が重要だという新たな認識が起き、その結果、戯曲の表紙にも作者名が記される新たな事態が生じたためである。

劇作家シェイクスピアの名が認知されるまでに、シェイクスピアは歴史劇、初期喜劇を書き、『ロミオとジュリエット』(1595頃)などの悲劇も書いていた。ちなみにサザーランド教授が言及しているひとり息子ハムネットの逝去は1596年8月9日であり、そのあたりからシェイクスピアの執筆推定年代をたどっていくと、

1596〜8年、『ヴェニスの商人』、『ウィンザーの陽気な女房たち』

1598〜1600年、『から騒ぎ』『お気に召すまま』『十二夜』

といった作品を経てから1600年に『ハムレット』を執筆していることがわかる。息子の死のあと、喜劇をしばらく書いてから悲劇時代に入っているのである。『オセロー』(1603〜04)、『リア王』(1605

～06）、『マクベス』（1606）の4大悲劇を執筆したあと、問題劇、ロマンス劇を書いた。シェイクスピアが『テンペスト』を書いて一旦引退を考えたのは47歳という若さだったが、それというのも年下の劇作家たちの活躍がめざましかったからだ。

私はケンブリッジ大学の修士論文をジョン・フレッチャーの作品論で書いたが、フレッチャーもシェイクスピアに劣らぬおもしろい作品を多数書いている。そうした世界も紹介していけるとよいのだろう。

私の学生時代に日本シェイクスピア協会会長だった小津次郎先生は、エリザベス朝の他の劇作家の作品をしっかり読まないうちにシェイクスピアを語ってはいけないと喝破なさった。私はその教えを守ってケンブリッジ大学留学中は、エリザベス朝の戯曲を片っ端から読み漁った。それでも数年程度で読み切れる量ではなく、いまだに「すべて読破した」と言えないのが残念だ。いずれ読破して『エリザベス朝演劇事典』を出したいという思いがあるのだが、その前に命が尽きるか。

サザーランド教授が言うとおり、何を読むかは人生の大問題だ。

本書を手がかりにぜひ文学の海に漕ぎ出でていただきたい。

2020年9月

河合祥一郎

ロイド、デイヴィッド……364
「老水夫行」……140
ローウェル、ロバート……211,305,308-313
『ローゼンクランツとギルデンスターンは死んだ』……302
ローゼンバーグ、アイザック……251-252
『ローランの歌』……31
ローリー、サー・ウォルター……89
ローリング、J・K……185-186,291,336
ロス、フィリップ……210-211,316
『ロビンソン・クルーソー』9,114-115,117-119,121
ロマン主義……135-136,140,143,150,179,201
ロレンス、D・H……111,153,181,226,231-232,257,293,324

わ

ワーズワース、ウィリアム……96,135,139-142,180-181,197-198,305-306,308,311-312,349-350
ワイルド、オスカー……158,162,187-192,195-196,254
『ワイルドフェル館の住人』……173,178
『わがシッドの歌』……31
『若者としての芸術家の肖像』……257
「私が考えに耽りながらぶらぶらと歩いたマンハッタンストリート」……194
『私を作った英国』……355

マラマッド、バーナード……211
「マリアナ」……201
マルケス、ガブリエル・ガルシア……324-325,331-332
マルコーニ、グリエルモ……338
マン、トーマス……330
マン・ブッカー賞……356,368
『マンスフィールド・パーク』……148,291
マンテル、ヒラリー……343,363

み

『見えない人間』……320
ミステリー劇……50,52-54,57-58,92,289,345
ミッチェル、マーガレット……293-294
『密偵』……355
『ミッドウィッチのカッコウ』……328
『緑の木蔭』……221
『ミドルマーチ』……216
ミラー、アーサー……304,323,363
ミル、ジョン・スチュアート……198,265
ミルトン、ジョン……30,88,91-96,157-158,225,340

む

ムーア、G・E……266
ムーア、アラン……364
「無益」……247-249
『無垢と経験の歌』……142
『息子と恋人』……181
村上春樹……335,369

め

『迷宮』……326
「瞑想17番」(ダン)……80
メイヤー、ステファニー……158,290
メルヴィル、ハーマン……31,208

も

モア、サー・トマス……271,273,342
莫言(モー・イエン)……335
『モーリス』……231
モズリー、ウォルター……322
モダニズム……192,194,204,211,254-257,260-262,270,282,285
モリス、ウィリアム……272
モリスン、トニ……157,317,321-322
「モルグ街の殺人」……163,210

や

『闇の奥』……236-238

ゆ

『ユートピア』……271
『幽霊』……230
ユゴー、ヴィクトル……348-349
『指輪物語』……182,184
『ユリシーズ』……227,255-257,259-260,368

よ

『妖精女王』……88-90,92
『欲望という名の電車』……304
『夜への長い旅路』……304

ら

ラーキン、フィリップ……198,305,311,313,340,344
ラーソン、スティーグ……340
『ライオンと魔女と洋服だんす』……11-12
『ライ麦畑でつかまえて』……214
ラクスネス、ハルドル……334-335
『ラジ4部作』……241
ラシュディ、サルマン……224,241,318,324-329
『ラスト・オブ・モヒカン』……210,291
『ラセラス』……127
ラブレー、フランソワ……106,108-109
『ラマムアの花嫁』……289
『ランメルモールのルチア』……289

り

リアリズム……117,120,271,320,324,326,329-330
『リア王』……37,40,66,68,215,372
リーヴィス、F・R……153
リチャーズ、I・A……309
リチャードソン、サミュエル……115,155,345
『リチャード三世』……61,372
『リチャード二世』……60,65,372
『リトル・ドリット』……164-165

る

ルイス、C・S……12
『ルーナー・パーク』……284
ルソー、ジャン・ジャック……179-180,276

れ

『レ・ミゼラブル』……348-349
「レイディ・ラザラス」……310
レーン、アレン……344
「レディング監獄のバラード」……191
レマルク、エーリヒ・マリア……244-245

ろ

フェイバー社……344
フエンテス、カルロス……325-326
フォークナー、ウィリアム……210
フォースター、E・M……37,231,233,239-242,250,265-266,325
フォースター、ジョン……165
フォックス、ジョン……73-74
『不思議の国のアリス』……182,327
ブッカー賞……318,328,343,353,356-357,368
『船出』……267
「不滅のオード」……180
『冬の夜ひとりの旅人が』……285-286
フライ、ロジャー……265
ブラウン、ダン……343,347
ブラウン、ファニー……133
プラス、シルヴィア……211,305,310-311,313
プラチェット、テリー……184
ブラッドストリート、アン……205-207,213
ブラッドベリ、レイ……273-274,276,279
プラトン……13-14,224,272-273,331
『フランケンシュタイン』……135
『フランス軍中尉の女』……285
『ブリキの太鼓』……325,330,332
ブリッジズ、ロバート……261
プルースト、マルセル……30,187,195-196
ブルック、ルパート……249-251,265
プルマン、フィリップ……184
ブレイク、ウィリアム……93,142
ブレヒト、ベルトルト……229
フロイト、ジークムント……275,308
フローベール、ギュスターヴ……226,232,343
フロスト、ロバート……339
ブロッド、マックス……296
ブロンテ、アン……156,170-173,175,177-178
ブロンテ、エミリー……156,170-173,175-177,264,293
ブロンテ、シャーロット……144-145,149,156,170-171,173,175-178,181,283
『文学とは何か』……326
『分別と多感』……147-179

へ

「兵士」……249
ペイター、ウォルター……189-190
『ベーオウルフ』……26-27,31-32,43,179,184,366
ペーパーバック……160,344
ベーン、アフラ……107,111-114,120,206
ベケット、サミュエル……230,296-297,300-302
ペトラルカ、フランチェスコ……45
ヘミングウェイ、アーネスト……213-214,226-227,324
ベリーマン、ジョン……205,312
『ペリクリーズ』……342
ベロー、ソール……30-31
「変身」……296-297
『ヘンリー五世』……61
『ヘンリー八世』……61

ほ

ホイットマン、ウォルト……187,194-195,208,239-241,254,322
『ボヴァリー夫人』……226,230
ボエティウス……45,49
ポー、エドガー・アラン……210,352
ボーヴォワール、シモーヌ・ド……227
ホーソーン、ナサニエル……208
ポーター、キャサリン・アン……210
ボードレール、シャルル……187,192-194,226,258
ボーム、L・フランク……328
ボズウェル、ジェイムズ……125,128
ポスト・モダニズム……211,282,285,321
ボッカチオ、ジョヴァンニ……45-46,106-107
『ポッサムおじさんの実際的猫の本』……345
ホプキンズ、ジェラルド・マンリー……204
ホメロス……18-19,28-29,46,92-93,259,271,288,350
ボルヘス、ホルヘ・ルイス……324-327,331
翻訳……13,32,36,39,70,72-73,75,96,126,156,226,295,298,306,325-326,334-335,339-340,369

ま

『マーティン・チャズルウィット』……167,209
マードック、アイリス……157
マーロウ、クリストファー……29,62,238,371
マキューアン、イアン……324
『マクベス』……65-66,373
『幕間』……270
マクルーハン、マーシャル……363
マジック・リアリズム……324-332,336
『まじめが肝心』……188,190
『マネー――自殺メモ』……284
マヌティウス、アルドゥス……101
『マハーバーラタ』……30
『魔法のおもちゃ屋』……327
『真夜中の子供たち』241,325,327-328,331-332

ドライデン、ジョン……47,49,135,200
『ドラキュラ』……290
『ドラゴン・タトゥーの女』……340
「虎」……142
『ドリアン・グレイの肖像』……187-188,190
『トリストラム・シャンディ』……281-282
トルストイ、レフ……30,144
『トロイルスとクリセイデ』……44,46
トロロープ、アンソニー……280,291,338
『トワイライト』……158,290
『ドン・キホーテ』……107,109-110,224
『ドン・ジョヴァンニ』……137
『ドン・ジュアン』……137
『ドンビー父子』……162,166

な

ナイポール、V・S……241,319
『夏の夜の夢』……338

に

『ニーベルンゲンの歌』……31
ニコルソン、ナイジェル……267
「西風に捧ぐオード」……142
「二者の結合」……22,222
『虹』……231
『人間の染み』……316
「人間の願いの虚しさ」……127

ね

「ネズミへ」……137

の

『ノーサンガー・アビー』……151,160
ノーベル賞……30,255,301,354-355
「蚤」……82-83

は

バークレー、ジョージ……128
バージェス、アンソニー……339
バージャー、ジョン……356
バーセルミ、ドナルド……287
『バーチェスターの塔』……338
ハーディ、トマス……22,181,215,217-223,231,255,311-312
『厳しい時代(ハード・タイムズ)』……166
ハーバート、ジョージ……86
バーンズ、ジュリアン……285
バーンズ、ロバート……137-138,306
パイ、ヘンリー……200
バイアット、A・S……157,324
『ハイペリオン』……20
ハイムズ、チェスター……322
バイロン……135-137,142,148,174,187-188,200
パウンド、エズラ……197,211-212,260-261
『蝿の王』……181,241,365
『白鯨』……31,208
「白人の責務」……234-235
ハクスリー、オルダス……274-275,364-365
パステルナーク、ボリス……228-229,355
『ハックルベリー・フィンの冒険』……182-183
バニヤン、ジョン……107,110-111,224
『パミラ』……155,345
ハムスン、クヌート……354
『ハムレット』……60,66,126,130-132,179,302,372
バラード、J・B……283-284
ハラム、アーサー・ヘンリー……201
『ハリー・ポッター』……185,291,336,345
ハリス、ウィルソン……318
バルガス=リョサ、マリオ……325
バルザック、オノレ・ド……292
ハワード、ロバート・E……272
ハント、リー……142

ひ

ピーク、マーヴィン……325
『日陰者ジュード』……181,231
『ピクウィック・ペイパー』……209
「美徳」……87
「美の遺言」……261
『百年の孤独』……331-332
ヒューズ、テッド……202,305,311-313,344
ピュリッツァー賞……294,353
「病床から、神へ、わが神へ捧ぐ賛歌」……84
ピランデッロ、ルイジ……302
ピンター、ハロルド……296,301-302
ピンチョン、トマス……286-287

ふ

ファウルズ、ジョン……285
ファンフィクション……292,346,365-367
フィールディング、ヘンリー……115,155
フィッツジェラルド、F・スコット……308
『フィフティ・シェイズ・オブ・グレイ』……343,346-347,349,356
『不運なる者たち』……287

スタイン、ガートルード……227,257
スタインベック、ジョン……212-213
ストウ、ハリエット・ビーチャー……209,317
ストーカー、ブラム……290
ストッパード、トム……302
ストリンドベリ、アウグスト……354
ストレイチー、リットン……265
『すばらしき新世界』……276,339,364
『すばらしき戦争』……249
スペンサー、エドマンド……43,88-92
スペンダー、スティーブン……313
スミス、ゼイディー……318

せ

正典……69,131,345,353
『西部戦線異状なし』……245
『セールスマンの死』……304,323
セクストン、アン……312
セルズニック、デイヴィッド……294
セルバンテス、ミゲル・デ……107,109-110,224
「1916年イースター」……260
『戦争と平和』……144
全米図書賞……356
「1666年7月10日、自宅が燃えるのを見て」……207

そ

ソフォクレス……33-34,36,38,93,271
ゾラ、エミール……213,226
ソルジェニーツィン、アレクサンドル……224,228-229,355
ソロー、ヘンリー・デイヴィッド……208

た

『ダ・ヴィンチ・コード』……347,349
『ダーバヴィル家のテス』……218,221
ダール、ロアルド……184
『タール・ベイビー』……321
タイナン、ケネス……303
『第二の羊飼いの劇』……54,57-58
タイム・マシン……288-289
『太陽の帝国』……284
『互いの友』……216,315
ダグラス、アルフレッド……191
ダグラス、フレデリック……317-318
『たのしい川辺(ウィンド・イン・ザ・ウィロウズ)』……353
『ダロウェイ夫人』……255-256,268
ダン、ジョン……78-84,86-87
ダンテ……259

ち

チェーホフ、アントン……228
「地下鉄の駅で」……261
チャーチル、ウィンストン……251,278
チャタートン、トマス……306
『チャタレイ夫人の恋人』……227,232
チャンドラー、レイモンド……214
チョーサー、ジェフリー……41-48,89,92,100,102,104,107,215,333

て

『デイヴィッド・コパフィールド』……162-163
ディケンズ、チャールズ……13-14,104,153,161-169,181,185,201,209,213,215-216,219,231,289,291,315,337,353
ディレイニー、サミュエル・R……322
ティンダル、ウィリアム……72-75,77
『デカメロン』……46,107-108
『出口なし』……227
『哲学の慰め』……44
テニソン、アルフレッド……190,197,201-204,246,311,342,351
デフォー、ダニエル……114-118,120-121,224,230,324
電子書籍……98,103-104,159-160,359-361,363
『天堂狂想歌』……335
「伝統と個人の才能」……258
『テンペスト』……66,241,275,373
『天路歴程』……107,110-111,224

と

ド・クィンシー、トマス……140
ドイル、パトリック……363
トウェイン、マーク……182-183,213
『洞穴』……331-332
『灯台へ』……270
『動物農場』……199,231
トールキン、J・R・R……182,184,324
ドクター・スース……184
『独立の民』……334
ドストエフスキー、フョードル……228,336,342
「ドッケリーと息子」……311
トマス、ディラン……312
『トム・ジョーンズの物語』……111

ゴールディング、ウィリアム……321
コールリッジ、サミュエル……51,135,139-142,306,349,350
コーンウェル、パトリシア……158-159
『国王牧歌』……202
『獄中記(深淵より)』……192,196
『国家』……273
『骨董品店』……162,164
『ゴドーを待ちながら』……230,300-301
『コリオレイナス』……65,135
コリンズ、ウィルキー……164
『これからくるものの形』……272
ゴンクール賞……351,355-357
コンラッド、ジョゼフ……111,153,133,236-238,242,324,355

さ

『サー・ガウェインと緑の騎士』……17,42
『最後の吟遊詩人の歌』……199
『サイラス・マーナー』……111
『作者を探す6人の登場人物』……302
『桜の園』……228
サウジー、ロバート……142,183,200
サスーン、シーグフリード……245-248
サッカレー、ウィリアム・メイクピース……9,177,353
サックヴィル＝ウェスト、ヴィタ……267
サラマーゴ、ジョゼ……330,331
サリンジャー、J・D……214
サルトル、ジャン＝ポール……227,300,302,326
産業革命……170,221-222,272
「塹壕での夜明け」……252
『三文オペラ』……229

し

シェイクスピア、ウィリアム……8,37,52,54,57,59-70,72,77,89,112,124,131-132,135,161,215,230,241,243,259,275-276,290,314-315,337-338,342,353,361,369-373
ジェイムズ、E・L……343-344,356
ジェイムズ、ヘンリー……114,153,200,211,231
『ジェイン・エア』……145,149,173-174,176-177,181,283
シェリー、パーシー……135,142,312
『詩学』……36,50,93
「地獄篇」……259
『侍女の物語』……277
『詩人列伝』……128,130
『失楽園』……30,92,93,96,157,158
『シティ・オブ・グラス』……286
シドニー、サー・フィリップ……136-137
『自分自身の部屋』……156,263-264
資本主義……115-116,238,258,304,331,357
ジャクソン、マイケル……350
『尺には尺を』……66
『じゃじゃ馬馴らし』……65
『ジャズ』……321
『ジャングル』……280
『10と1/2章で書かれた世界の歴史』……285
『重力の虹』……286
ジュネ、ジャン……227
『種の起源』……220
ジュリアス、アンソニー……315
『ジュリアス・シーザー』……60,65,243
シュリヴァー、ライオネル……181
『殉教者の書』……74
ジョイス、ジェイムズ……227,255-257,259-260
「将軍」……245-246
ショー、ジョージ・バーナード……205,230,254,340
ショーウォーター、エレイン……155
「死よ、驕るなかれ」……79
『序曲』……141,180
『抒情民謡集』……139-140,349
『ジョン・ボールの夢』……272
ジョンソン、サミュエル……68,83-84,124-132,215-216,344
ジョンソン、ベン……61,353,372
シラー……306,330
『城』……298
シンガー、アイザック・バシェヴィス……340
『神曲』……31,259
シンクレア、アプトン……280
『審判』……297
『審判の夢』……200

す

スウィフト、ジョナサン……115,120-122,135
スコット、ウォルター……137-139,142-143,174,199-200,209,289,345,352
スコット、ポール……241
スタージョン、シオドア……343
スターン、ローレンス……115,281-283,287,302

『大いなる遺産』……163
オーウェル、ジョージ……122,198-200,231-232,278-279,336,348,353
オーウェン、ウィルフレッド……247-248,250,255
オーガスタン……125
オースター、ポール……286
オースティン、カッサンドラ……145-146
オースティン、ジェイン……9,13,111,124,135,144-153,156,160,171,179,212,264,271,289,291-293,295,324,342,365
オースティン、ヘンリー……146
オーツ、ジョイス・キャロル……157
オーデン、W・H……254,355
『オーランドー』……267
オールビー、エドワード……304
オクリ、ベン……318
『オズの魔法使い』……328
オズボーン、ジョン……303
『オデュッセイア』……18,28-30,92,260,366
「男と妻」……309
オニール、ユージン……304
『オリヴァー・ツイスト』……163,165,168,181,289,315
『オルノーコ』……107,113-114

か

カーター、アンジェラ……327
カーモード、フランク……16
「輝ける星よ」……133
『華氏451度』……273-274
『風とともに去りぬ』……293-294
カフカ、フランツ……296-300,304,339
『カラマーゾフの兄弟』……228
『から騒ぎ』……65,66,372
『ガリヴァー旅行記』……121,123,135
カルヴィーノ、イタロ……285-286
『ガルガンチュアとパンタグリュエル』……106,108
ガン、トム……312-313
「歓喜の歌」……306
『カンタベリー物語』……42-43,45-46,49,100,102
『カンディード』……225
『癌病棟』……228
『管理人』……301

き

キーツ、ジョン……20,133-135,140,142,201,248,312
「記憶の人、フネス」……327
キップリング、ラドヤード……234-236,239-240
ギブソン、ウィリアム……362
『キム』……236
キャクストン、ウィリアム……101-102,104
キャメロン、ジェイムズ……20
キャロル、ルイス……11,182-183
『虚栄の市』……9,111
『ギルガメッシュ叙事詩』……25,30
キング、スティーブン……347
欽定訳聖書……69-72,74-75,77

く

グーテンベルク、ヨハネス……101,359
クーパー、ジェイムズ・フェニモア……210,291
クーパー、ジリー……343
『崩れゆく絆』……319
「クブラ・カーン」……141,306
グラス、ギュンター……230,324,325-326,330
『自動車事故(クラッシュ)』……283
グラフィック・ノベル……158,364
『クラリッサ』……155
グリーン、グレアム……324,355
クリスティー、アガサ……158
『クリスマス・キャロル』……168
グリフィス、D・W……31
クルーガー、アイヴァー……355
クレア、ジョン……197
グレイ、トマス……264-265
クロムウェル、オリヴァー……83,112

け

「軽騎兵隊の突撃」……202,246
ケインズ、ジョン・メイナード……265,267
『ケヴィンの話をしなきゃ』……181
ゲーテ……330
「決意と独立」……306,312
検閲……49,104,112,185,224,227-230,232,299,330
『現在の生き方』……338
『検察官』……228
『現代生活の画家』……192

こ

『恋する女たち』……257
『後期詩集』(イェイツ)……256
『高慢と偏見』……135,146,179,271,289,292
『荒涼館』……163,167-168
ゴーゴリ、ニコライ……228

索　引

あ

アーヴィング、ヘンリー……290
アーノルド、マシュー……189
アームストロング、ルイ……320-321
アーレン、ハロルド……336
『アーロンの杖』……257
アイスキュロス……33
『アエネーイス』……31,92
『青いドレスの悪魔』……322
「青に目覚めて」……309-310
『アグネス・グレイ』……173,177
『悪魔の詩』……329
『アダム・ビード』……156
アチェベ、チヌア……319
アトウッド、マーガレット……276-278
アドルノ、テオドール……330
「あなたは私の墓を掘るのか？」……217
アヌイ、ジャン……38
アフマートヴァ、アンナ……228
『阿片常用者の告白』……140
『アメリカン・サイコ』……284
『アメリカ奴隷フレデリック・ダグラスの人生の物語』……317
『嵐が丘』……171-172,175,177,293,353,363
アリ、モニカ……318
アリストテレス……36-40,50,93
『ある審判の夢』（サウジー）……200
『アレオパジティカ』……225
『荒地』……255-261,264,307-308,344
『アンクル・トムの小屋』……209,280,317
『アントニーとクレオパトラ』……66

い

『イーリアス』……18,28-30,46,197,243,288
イェイツ、W・B……255-256,260-261,308,319
『怒りの葡萄』……212-213
『怒りをこめてふり返れ』……303
イソップ……14
『1984』……278-279,284
『1Q84』……336
「田舎の教会墓地で書いた挽歌」……264
イプセン、ヘンリック……230,254,304,354
『異邦人』……227,299
『イン・メモリアムA・H・H』……201
『インデックス・オン・センサーシップ』……232
『インドへの道』……239-241

う

『ヴァージニア・ウルフなんかこわくない』……304
『ヴィクトリア朝偉人伝』……265
『Vフォー・ヴェンデッタ』……364
ウィリアムズ、ウィリアム・カルロス……214
ウィリアムズ、テネシー……304
ウィルソン、エドマンド……197-198
『ヴィレット』……176
ウィンダム、ジョン……328
『ウェイヴァリー』……138-139,337
『ヴェニスの商人』……65,314,372
ウェルギリウス……92-93
ウェルズ、H・G……272,288-289
ウォー、イーヴリン……324-325
ウォルコット、デレク……318-319
ヴォルテール……225-226
ウォルトン、アイザック……78,86
『ウォレン夫人の職業』……230
『失われた時を求めて』……195-196
『ウズ・ルジアダス』……31
「唄とソネット」（ダン）……81
ウルフ、ヴァージニア……113,120,156,250,255-256,261-270,343

え

『英語辞典』……128-130
エイミス、マーティン……284
『英雄コナン』……272
エウリピデス……33
エフトゥシェンコ、エフゲニー……228
『エマ』……13,111,148-149,152,295
エマソン、ラルフ・ウォルドー……208
『エミール』……180
エリオット、T・S……84,87,96,211,255,257-261,307-309,315-316,344-345,352
エリオット、ジョージ……111,215-216,324
エリス、ブレット・イーストン……177,284
エリソン、ラルフ・ワルド……320-321

お

『オイディプス王』……34,36-38,40,93
『嘔吐』……300

著者——**ジョン・サザーランド**（John Sutherland）

1938年生まれ。レスター大学を卒業後、エディンバラ大学で博士号を取得。ユニバーシティ・カレッジ・ロンドンの現代英文学名誉教授。世界中の大学で教鞭をとり、著名な作家、文学評論家でもある。2005年にはブッカー賞の審査委員長を務めている。邦訳書に『ヒースクリフは殺人犯か？——19世紀小説の34の謎』『ジェイン・エアは幸せになれるか？——名作小説のさらなる謎』（みすず書房）、未訳の著書に、*Stephen Spender:The Authorized Biography*(2004), *How To Read a Novel:a User's Guide*(2006), *The Longman Companion to Victorian Fiction, 2nd edition*(2009), *Lives of the Novelists:A History of Fiction in 294 Lives*(2011) などがある。ロンドン在住。

訳者——**河合祥一郎**（かわい しょういちろう）

1960年生まれ。東京大学及びケンブリッジ大学より博士号を取得。東京大学大学院総合文化研究科教授。専門はシェイクスピア。著書に第23回サントリー学芸賞受賞の『ハムレットは太っていた！』（白水社）をはじめ、『シェイクスピア　人生劇場の達人』（中央公論社）、『心を支えるシェイクスピアの言葉』（あさ出版）など、訳書に『暴君——シェイクスピアの政治学』（岩波書店）、刊行中のナルニア国物語やドリトル先生シリーズの新訳、シェイクスピア戯曲の新訳（すべて角川書店）などがある。

若い読者のための文学史

2020年12月15日　第1刷発行
2021年 9 月16日　第2刷発行

著　者――ジョン・サザーランド
訳　者――河合 祥一郎
発行者――徳留 慶太郎
発行所――株式会社すばる舎

〒170-0013 東京都豊島区東池袋3-9-7 東池袋織本ビル
TEL　03-3981-8651（代表）
　　　03-3981-0767（営業部直通）

FAX　03-3981-8638
URL　http://www.subarusya.jp/
振替　00140-7-116563

印　刷――シナノ印刷株式会社

落丁・乱丁本はお取り替えいたします。

ISBN978-4-7991-0941-0